Татьяна Устинова – первая среди лучших!
Читайте детективные романы:

ТАТЬЯНА Устинова

Чудны дела твои, Господи!

ЭКСМО
Москва
2015

УДК 821.161.1-312.4
ББК 84(2Рос=Рус)6-44
У 80

Оформление серии *С. Груздева*

Устинова, Татьяна Витальевна.

У 80   Чудны дела твои, Господи! : роман / Татьяна Устинова. — Москва : Эксмо, 2015. — 320 с. — (Татьяна Устинова. Первая среди лучших).

ISBN 978-5-699-78148-5

Чудны дела твои, Господи! Как только Андрей Ильич Боголюбов вступает в должность директора музея изобразительных
искусств в Переславле, вокруг него начинают твориться воистину странные, «чудные» дела! Бывшая директриса внезапно
умирает прямо на глазах Боголюбова! Ему угрожают и па-
костят: прокалывают покрышки, подбрасывают омерзитель-
ные записки, подозревают в попытках закрыть музей, даже пы-
таются убить!.. Скоро становится очевидно: здесь, в его музее,
происходит нечто необъяснимое, грандиозное и темное. Боголюбову всерьез приходится взяться за расследование. И разобраться в своих чувствах к бывшей жене, которая неожиданно
и совсем некстати появляется на пороге его нового дома, —
воистину, чудны дела твои, Господи!

...Он все поймет, обретет новых друзей и старую любовь...
Он заживет полной жизнью — в конце концов, самая интересная и насыщенная жизнь происходит как раз в тихой русской провинции!..

УДК 821.161.1-312.4
ББК 84(2Рос=Рус)6-44

ISBN 978-5-699-78148-5

Красная площадь, дом один, — такой адрес был указан на бумажке, и Боголюбов очень веселился, адрес ему нравился. К навигатору решил не обращаться, интересней ехать по бумажке.

Ухая поочередно всеми колесами в самые что ни на есть настоящие, подлинные «миргородские» лужи, Боголюбов объехал двухэтажные торговые ряды — облупившиеся колонны подпирали римский портик, меж колонн бабки в платках продавали семечки, резиновые сапоги, камуфляжные штаны и дымковскую игрушку, носились на велосипедах дети и лежали, свернувшись, ничейные собаки — и покатил по указателю с гордой надписью «Центр». Красная площадь — это, должно быть, самый центр, а как же иначе!..

Дом номер один он увидел сразу — на зеленоватом от времени и плесени жидком штакетнике выделялась новехонькая ядовито-синяя табличка с белой единицей. За штакетником был садик, бедный, весенний, серый, а за садиком угадывался домик. Боголюбов притормозил возле покосившихся ворот и посмотрел в лобовое стекло.

...Ну что же! Начнем?..

Он вышел из машины, сильно хлопнул дверью. Звук резко прозвучал в сонной тишине Красной площади. По древней брусчатке семенили грязные голуби, равнодушно клевали крошки и от резкого звука лениво побежали в разные стороны, но не разлетелись. На той стороне возвышалась старинная церковь с колокольней, серое здание с флагом и памятник Ленину — вождь указывал на что-то рукой. Боголюбов оглянулся посмотреть, на что указывает. Получалось, как раз на дом номер один. Вдоль улицы тянулся ряд двухэтажных домов — первый этаж кирпичный, второй деревянный — и размещался магазин-стекляшка с надписью «Промтовары-кооп».

— Кооп, — сам себе сказал Боголюбов. — Вот так кооп!..

— Здравствуйте! — громко поздоровались совсем рядом.

Из-за штакетника подходил человек в клетчатой рубашке, застегнутой под подбородком. Он издалека старательно улыбался и заранее протягивал руку, как Ленин, и Боголюбов ничего не понял. Человек подошел и потряс рукой перед Боголюбовым. Тот догадался и пожал.

— Иванушкин Александр Игоревич, — представился человек и подбавил несколько ватт в сияние на физиономии. — Выслан встретить, проводить, показать. Оказать помощь, если необходимо. Ответить на вопросы, если возникнут.

— А в доме с флагом что находится? — задал Боголюбов первый из возникших вопросов.

Иванушкин Александр вытянул шею, заглянул за Боголюбова и вдруг удивился:

— А! Там у нас горсовет. Бывшее дворянское собрание. Памятник новый, в восемьдесят пятом году поставили, под самую перестройку, а здание семнадцатого века, классицизм. В двадцатых годах прошлого века там располагался комитет бедноты, так называемый комбед, затем Пролеткульт, а потом уже здание перешло...

— Здорово, — непочтительно перебил Боголюбов. — А озеро в какой стороне?

Иванушкин Александр уважительно покосился на брезентовый горб прицепа — Боголюбов привез с собой лодку — и махнул рукой в ту сторону, где над низкими домами висело красное закатное солнце.

— Озера там, километра три. Да вы проходите, проходите в дом, Андрей Ильич. Или вы сразу на озеро?..

— На озеро я не сразу! — заявил Боголюбов. — Я на озеро потом!..

Он обошел машину, распахнул багажник и за длинные ручки, как за уши, выволок баул. В багажнике находилось еще довольно много баулов — большая часть жизни Андрея Боголюбова осталась в багажнике. Иванушкин подскочил и стал тянуть баул из рук Андрея. Тот не давал.

— Ну что вы, — пыхтел Александр, — как же, я помогу, позвольте.

— Не позволю, — отвечал Боголюбов, не выпуская баула, — я уж как-нибудь своими силами.

Он вышел победителем, захлопнул багажник, оказался нос к носу с существом в темных одеяниях и от неожиданности подался назад, пришлось даже взяться рукой за теплый бок машины. Существо строго, не моргая глядело на него как будто из черной рамы.

— Зачем пришла? — напряженным голосом пробормотал рядом Александр Иванушкин. — Уходи!

— Подайте на бедность сироткам, — отчетливо выговорила убогая в черных одеждах. — Ради Христа.

Боголюбов полез в передний карман, где обычно болталась мелочь.

— Мало подал, — презрительно сказала убогая, приняв в холодную ладонь монетки. — Еще давай.

— Уходи, кому говорю!..

Боголюбов оглянулся на Иванушкина. Тот почему-то стал бледен, как будто перепуган, хотя ничего особенного не происходило.

— Уезжай отсюда, — велела кликуша, когда Боголюбов сунул ей бумажку — полтинник. — Нечего тебе тут делать.

— Я сам разберусь, — пробормотал Андрей Ильич, закидывая за плечо баул.

— Беда будет, — пообещала убогая.

— Уходи! — почти крикнул Иванушкин. — Еще каркает тут!..

— Быть беде, — повторила убогая. — Собака выла. Смерть кликала.

— Жил-был у бабушки серенький козлик, — пропел Андрей Ильич на мотив «Сердце красавицы склонно к измене», — жил-был у бабушки серый козел!

— Вы не обращайте внимания, Андрей Ильич, — чуть задыхаясь, говорил сзади Александр Иванушкин, пока они шли к дому по мокрой дорожке, засыпанной прелыми прошлогодними листьями, — она ненормальная. Все какие-то беды пророчит, несчастья, хотя это и понятно, она сама человек несчастный, ее можно простить.

Боголюбов сделал оборот, едва не задев баулом по носу взволнованного собеседника.

— Да кто она-то?..

— Матушка Ефросинья. Это мы ее так зовем, хотя монашеского звания она не имеет, так, убогая просто. Ради Христа ходит просит, вот живет, не гонит ее никто, и вы не обращайте внимания...

— Я не обращаю. Это вы чего-то переживаете!..

— Да как же! Вы мое новое начальство, директор музея-заповедника, большая величина, я вам все условия создать должен...

Загремело какое-то железо, как будто протащилась цепь, и прямо под ноги Боголюбову выкатилась мерзкая грязная собака с оскаленной пастью, всхрапнула и отчаянно забрехала, припадая на передние лапы. Боголюбов, не ожидавший ничего подобного, оступился, тяжеленный баул поехал, накренился, и Андрей Ильич, новый директор музея-заповедника и большая шишка, брякнулся в грязь прямо перед носом бесновавшейся собаки. Она захлебнулась лаем и стала рваться с цепи с утроенной силой.

— Андрей Ильич, ах, как нескладно! Давайте, давайте, вставайте! Вы не ушиблись? Да что ж такое-то?! Пошла вон отсюда! Место! Иди на место, кому говорю! Держитесь за руку, Андрей Ильич!

Боголюбов оттолкнул руку Иванушкина, кряхтя, поднялся из жидкой грязи. Баул валялся в луже. Собака билась в истерике прямо перед ним.

— Утопить бы ее, да некому. Хотели, чтоб ветеринар усыпил, а он говорит, что без разрешения хозяев усыплять не имеет права, вот, Господи помилуй, незадача какая!..

— Так, все, — распорядился Боголюбов, — хватит. Вода в доме есть?

Руки, джинсы, локти — все было в черной смачной грязи. Жил-был у бабушки серенький козлик!..

— Вода, — бормотал сзади Александр Иванушкин, поднимаясь следом за Боголюбовым на крыльцо, — вода у нас есть, насос качает, и колонка есть, греет, так что... Вы меня извините, Андрей Ильич, за недосмотр, что ты будешь делать...

Боголюбов одну за другой толкнул белые крашеные двери и вошел в тихий полумрак, пахнущий чужой жизнью и старым деревом. Помедлил и один о другой стащил ботинки — полы были устланы чистыми половиками.

— Ванна в кухне, — продолжал сзади Иванушкин Александр, — там и колонка, и раковина. А туалетик дальше по коридору, вон последняя дверь, только крючок приладить надо, я не успел.

— Туалетик, — повторил Андрей Ильич и стал расстегивать и стаскивать джинсы прямо посреди коридора. — Как вы думаете, Александр, нам удастся отстоять мои вещи? Или чудовище уволокло их в свою пещеру?..

Новый подчиненный вздохнул.

— Она под крыльцом живет, — сказал он и отвел глаза, — привязали, когда директор слег. Он, бедолага, не сразу помер, лежал месяца три. А она никого к себе не подпускает! Бывало, срывалась, убегала, но потом приходила, ее опять привязывали. Еду туда, под крыльцо, кидаем. Усыпить бы ее верное дело, а еще лучше пристрелить. У вас ружья нет?..

Иванушкин помедлил и загрохотал башмаками по крашеным полам — отправился спасать вещи нового начальника. Боголюбов стащил джинсы и, неся их в отставленной руке, вошел в тесную кухоньку. Здесь были круглый стол, покрытый клеенкой, несколько жестких стульев, мрачный буфет с оторванной дверцей, щербатая раковина, плита времен Очакова и покоренья Крыма, длинная узкая латунная ванна с двумя краниками и газовая колонка на стене.

Андрей Ильич швырнул джинсы в ванну, повернул краник — внутри дома что-то засипело, поднатужилось, захрюкало. Долгое время ничего не происходило, а потом из краника полилась вода.

— И на том спасибо, — пробормотал Андрей Ильич и стал энергично намыливать руки куском розового земляничного мыла, пристроенного на край ванны.

В конце концов, это даже забавно. Козлик начинает новую жизнь на новом месте. Нет, нет, не козлик, а целый козел. Жил-был у бабушки серый козел!..

Александр Иванушкин втащил баул — с одного боку тот совершенно промок — и завздыхал.

— Что вы сопите? — осведомился Боголюбов, выуживая из баула чистые джинсы. — Лучше расскажите, как обстоят дела во вверенном мне музейном учреждении!

— Закрывать нас приехали? — спросил Александр бодряческим тоном. — Или перепрофилировать?.. В городе идут разговоры, что музей закрывают. А к нам не только школьники и пенсионеры, к нам научные работники со всей страны едут, иностранцы тоже. Мы тематические программы, лекции проводим, наш музей — центр культурной жизни всей области, так сказать.

Боголюбов, натянув джинсы, сдернул с круглого стола клеенку, скатал ее в огромный бесформенный ком и поискал глазами, куда бы выбросить. Не нашел и сунул на стул, за плиту. Александр проводил ком глазами.

— В этом доме старый директор жил, — выговорил он с тоской. — Пока не умер.

— Пока не умер, жил, — повторил Боголюбов. — Это логично.

— Мы ведь думали, Анну Львовну назначат, а оказалось, по-другому решили. Вас назначили. В Москве видней, конечно.

— Конечно, — согласился Андрей Ильич. — Высоко сижу, далеко гляжу.

— Анна Львовна в возрасте, естественно, но специалист большой, всю жизнь в нашем музее проработала. Вам бы с ней поговорить, Андрей Ильич. Так сказать, для начала, для вхождения в курс. А то ведь поздно будет...

— Почему поздно? — рассеянно спросил Боголюбов, прикидывая, когда именно стирать джинсы — прямо сейчас или подождать, пока Иванушкин перестанет окружать его заботой и вниманием.

Александр вздохнул так, что широченные плечи, стиснутые клетчатой рубашкой, поднялись и опустились.

— Уезжает Анна Львовна, — горестно поведал он. — К сыну в Кисловодск. Хотела еще до вашего приезда, да мы уговорили задержаться... Как узнала, что новый директор из Москвы назначен, так и стала собираться. Она же на пенсии давно, заслуженный работник культуры, человек уважаемый. А с ней так... поступили.

— Ну, если вы намекаете, что я подсидел уважаемую Анну Львовну, — сказал Боголюбов, так окончательно и не решив про штаны, — то не старайтесь особенно. Я ее не подсиживал.

— Что вы, что вы, — перепугался Александр, — как можно! Я и сам тут человек новый, только три месяца как, просто мы не ожидали вашего назначения.

— Я сам не ожидал, — признался Андрей Ильич. — А что делать?..

— Фу-ты, — сказал Александр и расстегнул и опять застегнул пуговку на тесном воротнике. — Как нескладно-то...

— И не говорите, — согласился Боголюбов.

Большими шагами он обошел три тесные комнатки. Одну из них почти целиком занимала пышнотелая кровать с никелированными шишечками и горой подушек, на подушки наброшено связанное крючком покрывальце. В другой были письменный стол под зеленым сукном, окно, выходившее в бедный и голый вечерний сад, книжные шкафы с мутными волнистыми стеклами без единой книги и пара пыльных диванов, а в третьей стол, не круглый, а овальный, пустая посудная горка, какие-то портреты в рамах, еще один продавленный диван и несколько колченогих стульев. Из коридора узкая лесенка вела на второй этаж.

— Наверху холодная и чердак, — проинформировал Александр Иванушкин. — Старый директор в холодной мастерскую устроил. Он живопись очень любил и астрономию тоже. А наверху как раз света много!.. Он там и картины свои писал, и телескоп держал.

— Телеско-оп? — удивился Андрей Ильич. — А вы раньше где работали?..

— В Ясной Поляне, — быстро ответил Иванушкин. — Научным сотрудником. Сюда с повышением пришел, заместителем директора. То есть вашим заместителем.

— Ясная Поляна — место известное. Я бы даже сказал, знаковое, — пробормотал Боголюбов. — Не скучно вам здесь? Все же масштабы другие.

— Мне не скучно, — ответил Иванушкин с некоторым вызовом. — У нас вообще не скучно, Андрей Ильич. Наверное, после Москвы так не кажется, привыкнуть надо, но человек думающий всегда и везде найдет себе подходящее занятие и возможность продолжать научную работу. Я с Лондонской национальной галереей состою в постоянной переписке, к лету ждем оттуда коллег, которые европейскую живопись девятнадцатого века изучают. У нас отличная коллекция, все в полном порядке!.. Такой коллекцией, как наша, не всякий столичный музей может похвастаться.

— Здорово, — оценил Боголюбов. — А где еды купить?.. Или вы только духовную пищу принимаете?

— Почему, не только духовную... — Александр потянул себя за клетчатые манжеты. — У нас, как везде, супермаркет есть большой, прямо напротив, за горсоветом. Называется «Мини-маркет «Лужок». Рынок есть, но сейчас уже закрыт, конечно. Другие магазины всякие. Рядом с вами булочная, называется «Калачная № 3», прямо здесь, на Красной площади, а дальше «Мясо-рыба». Модест Петрович ресторан держит для туристов, трактир «Монпансье» называется, тоже тут рядом, по правую руку. Вкусно, но дорого очень. Теперь всех на старину тянет, особенно столичных жителей. Очень им нравятся трактиры, калачные! У нас гостиница, и та — «Меблированные комнаты мещанки Зыковой»!

— А что? Хорошо придумано.

— Так закрывать нас приехали или только перепрофилировать?..

Боголюбов, которому надоел заместитель с его заискивающим видом и нелепой клетчатой рубашкой, объявил, что музей как пить дать будет перепрофилирован в развлекательный комплекс, а территория поделена между лечебницей для наркоманов и стрельбищем, а он, Александр Иванушкин, возглавит направление по работе с трудными подростками.

Александр моргнул.

— Спасибо большое, — сказал Андрей Ильич. — За теплый прием, за любовь, за ласку! Завтра часов в десять заходите за мной. Отправимся на рабочее место, посмотрим, что нужно сделать в плане будущего пейнтбола. А сейчас — прошу прощения. Мне бы вещи разобрать.

14

Гость — или, наоборот, хозяин?.. — закивал и поспешно ретировался. Между старыми яблонями мелькнула клетчатая рубашка и пропала за штакетником.

Андрей Ильич перетаскал из машины вещи, простирнул в тазу джинсы. Затем вышел из дома. Мерзкая собака кинулась ему под ноги, давясь и захлебываясь лаем. Цепь не пускала ее, но Боголюбов все же шарахнулся в сторону и опять чуть не упал.

Он подошел к машине и не поверил своим глазам. Правая передняя покрышка была порезана, отчего казалось, что машина внезапно охромела на одну ногу. Из резинового обода торчал нож, пришпиливший грязный лист бумаги. Боголюбов присел и посмотрел.

«Убирайся, пока не поздно», — было накалякано черным маркером.

Боголюбов с трудом вытащил нож, скомкал бумагу и огляделся.

Никого не было на площади, только в отдалении мужик катил тачку, громыхавшую по древнему булыжнику, и длинная фигура в черных одеждах крошила из пакета хлеб совавшимся голубям.

В трактире «Монпансье» было как у Андрея Ильича в доме — крашеные полы, чистые половики, на окнах горшки с геранью, на скатертях оборочки, связанные крючком, — и народу никого, только музыка играла громко. По плоскому телевизионному экрану скакала фиолетовая силиконовая блондинка.

В центре накрыт длинный стол — посередине букет и композиция из бананов и ананаса.

Андрей Ильич вздохнул, сел у окна, потрогал герань и понюхал ладонь — до чего вонючий цветок, невозможно!.. Хозяйственные дела — и вообще дела! — на сегодня закончены: он добрался до «места назначения», познакомился с заместителем, свалился в лужу, «заселился», получил предложение убраться вон, простирнул штаны, перетаскал из машины вещи. Теперь ему хотелось поесть и выпить. Он еще понюхал ладонь. Запах герани напоминал детство и болезнь под названием «свинка». Бабушка всегда подкладывала в компресс листы герани: почему-то считалось, что они «лечат».

За стойкой произошло какое-то движение, мелькнул свет, открылась и закрылась дверь. Боголюбов ждал. Из-за стойки выскочил бойкий молодой человек, причесанный на пробор, с кожаной папкой в руках и в длинном белом фартуке. Папку он держал перед собой, как щит.

— Добрый вечер! — выпалил молодой человек. — Мы закрыты на спецобслуживание, там на двери табличка.

— Поужинать дадите?

Официант загородился папкой.

— Мы закрыты, — повторил он. — На двери висит табличка. У нас сегодня большой банкет.

— Мне бы горячего чего-нибудь. Скажем, супу. Есть солянка? Ну и мяса, что ли. И кофе сразу. У вас кофемашина варит, или вы своими силами справляетесь?.. Если своими силами, тогда лучше чаю.

Официант затосковал.

— Спецобслуживание у нас, — повторил он. — Вы что? Не понимаете?.. Я сейчас.

И ринулся за стойку.

— Потише звук сделайте! — вслед ему крикнул Боголюбов. — А лучше совсем выключите!

Фиолетовую блондинку на экране сменил изможденный брюнет и наддал про любовь. Рядом с боголюбовским столом неслышно материализовался большой серый кот, уселся посреди половика, подумал и стал умываться. Вид у него был заспанный.

Боголюбов, которому надоело ждать, когда на кухне закончится совещание, встал и подошел к разорявшемуся телевизору. Как же его выключить, а?.. Из розетки, что ли, выдернуть?..

— Добрый вечер, — выговорил сочный бас. Боголюбов заглянул за панель в поисках розетки. — Мы в нашем трактире всегда рады гостям, но сегодня, к сожалению, не можем вас угостить! У нас мероприятие...

Розетка оказалась высоко. Боголюбов, придерживая пластмассовый угол, потянулся и выдернул штепсель. Экран погас, песнопения прекратились.

— Вот как прекрасно, — в наступившей тишине пробормотал Андрей Ильич и вылез из-за телевизионной панели.

Обладатель сочного баса оказался крепким седым мужиком, одетым в черный залоснившийся костюм и почему-то в галоши. На носу нелепо торчали очки. Давешний молодой человек маячил у него за плечом.

— Здрасте, — поздоровался Боголюбов. — До чего я эту музыку не люблю! Вот не люблю, и все тут!..

— Многие гости любят, — ответил мужик, рассматривая его. — Как же в ресторане без музыки?..

— Модест Петрович, — душевно произнес Андрей Ильич, — вы мне дайте поужинать, и дело с концом. На банкет и спецобслуживание я не претендую. Есть очень хочется!.. И выпить бы неплохо тоже. А «Калачная № 3» на замке. Что нам делать?

— Вот так даже, — задумчиво протянул мужик. — А вы, значит, кем будете?..

— Я буду директором музея, — сообщил Боголюбов. — Да я уже, собственно, и есть директор!.. Ваш

17

сосед, проживаю по адресу Красная площадь, дом один!..

— Я даже не видел, как он зашел, — сунулся официант.

— А Слава где? — не поворачивая головы, спросил Модест Петрович, и официант сорвался и куда-то побежал, видимо, искать Славу, проглядевшего Боголюбова. — А вы проходите, присаживайтесь! Конечно, покормим, раз такое дело. Давно приехали?..

— Сегодня и приехал.

— Так это ваша машина с лодкой на прицепе?

— Моя, — признался Боголюбов, обошел кота и уселся на прежнее место под геранью.

— Рыбак? Охотник?

Андрей Ильич покивал — и рыбак, и охотник.

— А... откуда имя мое знаете?

— Разведка донесла, Модест Петрович!..

— А вас как именовать прикажете?

Андрей Ильич назвался. Несмотря на все странности и неприятности сегодняшнего дня, у него было хорошее настроение. Самое главное — начать. Он долго готовился, собирался, примеривался, зная, что дело его ждет трудное. Сегодня трудности начались, и это очень хорошо. Раз начались, значит, дальше они пойдут к концу, обратного хода нет. Пойдут, пойдут и когда-нибудь кончатся!..

— Мне бы супу горячего, — попросил Боголюбов. — Мяса жареного. И водки... сто пятьдесят.

— Может, двести? — усомнился Модест Петрович.

Андрей Ильич засмеялся.

— Двести, Модест Петрович, это к приключениям! А мне на сон грядущий.

Модест кивнул, принимая объяснение, повернул и подтолкнул официанта, вознамерившегося положить перед клиентом папку, ушел за стойку и вернулся со штофом зеленого стекла, двумя стопками и тарелкой, на которой было разложено розовое сало.

— Позвольте угостить нового директора. — Он водрузил на скатерть тарелку и ловко разлил по стопкам водку. — Ну, с приездом и для аппетита!

Они чокнулись и синхронно опрокинули.

— Закусить, закусить, Андрей Ильич! Мы сальце сами солим, к нам за ним из Москвы едут!

Боголюбов закусил.

— За что же в столице такое к нам неуважение и недоверие оказывают?..

— В каком смысле?

— Да вот... вас прислали! Вы ведь небось человек занятой, к столичной жизни привычный! А у нас тут тишина, скука. Неторопливость наблюдается. Неловко вам здесь будет. Да и вникнуть надо. А Анна Львовна тридцать лет музей содержит так, что любо-дорого, в иностранных путеводителях он обозначен! И такое к ней нерасположение вдруг проявилось! Она ведь и при покойном директоре все сама, все сама. До всего доходила, во все дела вникала!..

Боголюбов подцепил с тарелки еще кусок.

— Вкусное у вас сало.

— Стараемся. Да вы кушайте, кушайте!.. Костик, поторопи там соляночку!.. Чтоб огненная была!.. У нас ведь какие слухи ходят? У нас поговаривают, что не просто так из столицы человека присылают, а за каким-то надом!.. Стало быть, музею нашему теперь крышка.

— Почему? — удивился Боголюбов.

...На самом деле это интересно, что хозяин ресторана «для туристов» так широко осведомлен о жизни музея! Болеет, можно сказать, за музейное дело!

— Так говорят, — уклончиво ответил Модест Петрович. — А вы ведь с Анной Львовной незнакомы?

Боголюбов отрицательно покачал головой.

— Так сейчас и познакомитесь!.. — Андрей Ильич перестал жевать и воззрился на собеседника. — Все, все у нас будут, и Анна Львовна, и Ниночка, и Дмитрий Павлович, и Александр Игоревич, все музейные!.. И сам Сперанский обещался! Банкетик-то как раз для них формируем. Провожаем, так сказать, Анну Львовну на заслуженный отдых, уезжает она от нас. Вы к нам, а она от нас, вот как получается.

...Вот это совсем не дело. Знакомиться с сотрудниками в трактире «Монпансье» в планы Боголюбова не входило. Нужно быстро поесть и убраться восвояси. А то еще Анна Львовна взволнуется!..

— Модест Петрович, — душевно попросил Боголюбов, — ну что я буду портить людям праздник и застолье! Вы мне поесть дайте, и я пойду вещи разбирать.

— Как же так? Знакомиться не хотите?! Не по-людски как-то получается.

Андрей Ильич, разумеется, предполагал познакомиться, но... на своей территории и на своих условиях. Он должен оценить каждого сотрудника правильно, как известно, первое впечатление почти всегда самое верное. Боголюбов знал, что никто из них не ожидал его назначения, и прежде всего он должен посмотреть, как они станут на него реагировать — на работе, в кабинете, где угодно, только не в трактире!.. Да и водки он уже тяпнул и теперь чувствовал, как налились жаркой краснотой щеки и уши. От водки у него всегда делался вид на манер Петрушки из детской книжки!

Официант принес глиняный горшочек, накрытый сверху ломтем черного хлеба, и трепетно поставил перед Боголюбовым. Модест Петрович поднялся.

— Ну, приятного аппетита!.. Соляночка у нас знатная, специально из Москвы едут на нашу солянку...

Да вот и первые гости. Дмитрий Павлович, дорогой, проходите, заждались!..

Андрей Ильич снял с горшочка хлеб, понюхал сначала ломоть, потом солянку. Посолил и поперчил. Поворачиваться ему не хотелось, и вдруг стало так неловко, что взмокла шея. Он уткнулся в горшочек и стал хлебать огненный суп. За спиной у него происходило какое-то движение, отодвигались стулья, раздавались громкие голоса:

— Сюда, сюда, здесь не дует!.. Анна Львовна, может, вам креслице? Нинуль, смотри, какой букетик прекрасный! Поближе, поближе!.. А жюльен будет? Так люблю жюльен!.. Все, все будет!..

Боголюбов ел. Кот, которому надоел шум, презрительно дернул ушами и мягко вспрыгнул на стул напротив Андрея Ильича. Тот скорчил ему рожу.

Модест Петрович загудел приглушенным басом — бу-бу-бу, — и Боголюбов понял, что вот-вот начнется. Говорят про него, сейчас кто-нибудь подойдет. И рассердился.

Он положил ложку, еще посмотрел на кота, поднялся и повернулся.

— Добрый вечер, — громко и весело поприветствовал он компанию за столом. Разговоры вмиг смолкли. Модест Петрович отодвинул губы от уха представительного молодого мужчины, перестал гудеть и уставился на него. — Меня зовут Андрей Ильич Боголюбов!.. Я назначен новым директором музея изобразительных искусств и всего музейного комплекса, так сказать, в целом!.. Я ни в чем не виноват, меня министр культуры назначил. Хотя можно успеть подсыпать мне в солянку толченого стекла, я еще не всю доел.

И поклонился. За столом молчали.

— Остроумно, — произнесла наконец дама, судя во всему, оскорбленная его назначением Анна Львовна. — Присоединяйтесь к нам. Никто не возражает?

— Конечно, нет, Анна Львовна!

Молодой мужчина поднялся — он был высокий, широкоплечий, с приятным русским лицом, — и пошел в обход стола к Боголюбову.

— Дмитрий Саутин, бизнесмен, занимаюсь тут делами понемногу...

— Дмитрий Павлович очень помогает музею, — сказали из-за стола. — И в администрации за нас заступается, и праздники устраивает, и книжки за свой счет печатает.

Они сошлись на середине зала и пожали друг другу руки.

— Давайте, давайте к нам! Ловкий ты человек, Модест Петрович, вот какую нам встречу организовал в неформальной обстановке!.. И здесь успел.

— Да я тут при чем?.. Он сам пришел, поесть попросил...

— Добрый вечер, — пробормотал Александр Иванушкин и проверил, надежно ли застегнут ворот его клетчатой рубашки.

— Да мы уже виделись.

— Мы днем виделись, а теперь вечер...

И тут заговорили все разом:

— Дамам шампанского подать?.. Полусладкое есть, хорошее.

— Давай, давай, Модест Петрович! Что протоколом предусмотрено, все неси!..

— Анна Львовна, ангел-хранитель нашего музея, бесценный человек, великий знаток своего дела. В Европе ее знают и с ней считаются.

— Хватит болтать, Дима.

— Так ведь это чистая правда, Анна Львовна!..

...Странное дело. Боголюбов представлял себе бывшую и. о. директора музея совершенно другой. Он представлял заполошную музейную тетку в шали, захватанных очках и с кукишем бедных волос, из которого во все стороны лезут шпильки. Еще виделась ему почему-то кофта, непременно зеленая и непременно с подвернутыми рукавами, и клетчатая юбчонка. Анна Львовна оказалась совсем не старой, представительной полной дамой в шелковых свободных одеждах. Иссиня-черные волосы собраны в хвост, глаза густо подведены синим, а губы алым. На Боголюбова она смотрела оценивающе и как будто с насмешкой. В ней чувствовались сила и спокойная уверенность. Это она принимала сейчас Боголюбова с его новым назначением, а не он Анну Львовну с ее только что свершившейся отставкой.

Она протянула руку, как для поцелуя. Он аккуратно пожал ладонь и отпустил. Она слегка усмехнулась:

— Надеюсь, что под вашим руководством музей будет процветать по-прежнему.

— А он процветает? — не удержался Боголюбов.

— Да, — резко ответила девушка, так же мало похожая на музейного работника, как и Анна Львовна, — представьте себе!.. Если вам не придет в голову на самом деле им руководить, он продолжит процветать.

— Нина!..

— Анна Львовна, я не святая! Мне кажется, после всего, что произошло, навязываться к нам в компанию — неприлично.

— Ниночка, — то ли попросил, то ли приказал Дмитрий Саутин, помощник во всех музейных делах и радетель за все начинания. — Не спеши. Человек первый раз нас видит, еще подумает невесть что!..

— Мне все равно, пусть думает что хочет. Если он не понимает, я уйду.

— Нина — научный сотрудник и один из лучших экскурсоводов, — отрекомендовал Дмитрий.

— Извините ее, Андрей Ильич, — сказала Анна Львовна, которую, казалось, забавляла эта сцена. — Она всего лишь неравнодушна. Равнодушным людям живется легче, правда? Мы все были несколько обескуражены вашим назначением и таким скорым... прибытием.

Боголюбов, решивший было во что бы то ни стало уйти, и черт с ними, с недопитой водкой и несъеденным мясом, выдвинул из-за стола стул и основательно уселся. Уйти сейчас — значит признать свое поражение. Завтра в кабинете придется начинать не на пустом месте, а выбираться из ямы, в которую его вот-вот загонят.

Из ямы начинать ему не хотелось.

— Ну, Александр Игоревич вас сегодня встречал, вы уже познакомились, — продолжал представление сотрудников музея Дмитрий Саутин.

...Почему представляет он, а не Анна Львовна? Потому что он главнее? Потому что бизнесмен и дает деньги на самиздат?

— Асенька тоже экскурсовод, и тоже отличный!.. Очень хорошо работает с детьми. Да, Асенька?..

Девица кивнула, не поднимая глаз. Она как раз похожа на экскурсовода из провинциального музея, оценил Боголюбов, в отличие от яркой глазастой Нины. Серые волосы, серое личико, серый жакетик, на остреньком носике старомодные очки. Она сидела на краешке стула, сложив на коленях руки, совершенно безучастно. Разговоры, передвижения, перемещения вокруг стола как будто не касались ее, обтекали со всех сторон.

Боголюбов отвел взгляд и еще раз посмотрел. Она застыла, как мумия.

— Ну а это наши аспиранты! Музей на самом деле ведет серьезную научную работу, Андрей Ильич!.. Митя из Питера, помогает с реставрацией некоторых полотен, а Настя москвичка, как и вы!.. Пишет диссертацию по древнерусскому искусству.

— Здрасте, — сказал Митя из Питера. Он что-то жевал, глаза у него были веселые. — А вы раньше где работали? По строительной части проходили или по банному тресту?

Анна Львовна засмеялась и погрозила ему пальцем. Митя, поняв, что угодил, выудил из салата огурец и захрустел победительно.

Настя протянула Боголюбову руку и энергично тряхнула его ладонь.

— Морозова, — представилась она. — Коллекция древнерусской иконописи здесь не слишком большая, но значимая. Я очень благодарна Дмитрию Павловичу за идею сделать работу именно на местном материале. В Москве об этой коллекции мало знают, а не упоминает вообще никто! Вот Дмитрий Павлович и подсказал...

И она посмотрела на Саутина то ли с обожанием, то ли с благодарностью, Боголюбов не разобрал хорошенько.

Официант с пробором расставлял на столе жестяные плошки с желтым содержимым. Боголюбов вспомнил, что плошки называются «кокотницы», а содержимое «жюльен». Жюльен в кокотнице в трактире «Монпансье» весенним вечером в самой что ни на есть русской провинции — красота!..

— Есть еще истопник Василий, он же сторож, — продолжала Анна Львовна. — Он тоже был приглашен на пир, но на радостях заранее запил. Еще, не дай боже, явится.

— Не волнуйтесь, Анна Львовна, — подал голос Александр Иванушкин. — Я к нему заходил. Спит он и проспится еще не скоро.

— Ну, — провозгласил Дмитрий Саутин, приноровился, взял стопку, и все разом зашевелились и встали, как по команде. Боголюбов от неожиданности остался сидеть. — Предлагаю первый тост за нашу драгоценную, несравненную Анну Львовну!.. Ее животворными усилиями питается родник здешней культурной жизни.

Анна Львовна светло улыбалась. Нина, не похожая на музейную работницу, сверлила Боголюбова глазами, метала огненные молнии. Александр Иванушкин сделал торжественное лицо. Студенты-аспиранты застыли в почтительности. Модест Петрович стоял по стойке «смирно», наклонив голову, как маршал Буденный во время речи Сталина на банкете. Асенька смотрела в скатерть.

— Наш музей без преувеличения — центр культурной жизни не только города, но и всего района. Усилиями Анны Львовны интерес к истории прививается и молодежи. Андрей Ильич, — обратился к нему Саутин, — я предлагаю за здоровье Анны Львовны выпить стоя!

Боголюбов моргнул и поднялся.

— А-а-а! — закричали от двери. — Ага-а-а!..

Асенька ни с того ни с сего уронила бокал с шампанским. Он зазвенел между тарелками, покатился, но не разбился. Александр Иванушкин оглянулся в изумлении. Модест Петрович пробормотал:

— Что такое?.. — и стал выбираться из-за стола.

Боголюбов вздохнул и одним глотком опрокинул в себя стопку.

— Без меня хотели?! Надеялись, не приду?! А вот фигу с маслом!.. Вы еще до рта не успели донести, а я уже тут! — продолжали бушевать у двери.

— Алеша, — растроганно сказала Анна Львовна, — Алешенька, дорогой!..

Дорогой Алешенька оказался дородным мужчиной в светлом плаще, шляпе и серой пиджачной паре. Раскинув огромные руки и чуть пританцовывая, он двинулся к Анне Львовне, сошелся с ней возле стола и облобызал троекратно, а потом еще приложился к ручке и замер в поклоне надолго. Все собравшиеся — сотрудники Андрея Ильича — любовались на них, у всех были умильные лица.

— Сперанский, — шепнул Боголюбову Модест, — сам!.. Обещал быть, и вот, видите, не обманул.

Андрей Ильич понятия не имел, кто такой «сам Сперанский», но на всякий случай тоже сделал умильное лицо.

В этот момент больше всего на свете ему хотелось оказаться в домике из трех комнатушек по ту сторону Красной площади. Пусть даже чудовище из-под крыльца хрипит и кидается — все лучше, чем представление, в котором он вынужден участвовать!..

— Алексей Степанович, вот радость! Мы и не надеялись!

— А я не с пустыми руками!.. Эй, как тебя звать? Костик, что ли? Костик, подай-ка там сверточек!..

Модест Петрович кинулся, оттеснил Костика и сам подал «сверточек» — по виду картину, упакованную в коричневую бумагу и перевязанную шпагатом. Вся компания воззрилась на коричневый прямоугольник в неком, почти религиозном предвкушении.

Боголюбов пожал плечами, подцепил вилкой кусок сала, пристроил на хлеб и откусил.

— Ну, молодежь!.. Помогайте, помогайте!..

С картины вмиг была снята бумага, новый гость взялся за раму с двух сторон и водрузил полотно на свободный стул прямо перед Анной Львовной.

Та сложила под подбородком пухлые руки и замерла. Все, кроме Боголюбова, который все откусывал от хлеба с салом, жевал и смотрел на кота и на герань, сгрудились у нее за спиной и замерли.

— Господи, — выговорила Анна Львовна, похоже, в экстазе. — Алешенька, угодил, вот угодил!

Словно получив разрешение, сотрудники Андрея Ильича разом задвигались и заговорили:

— Боже мой!.. Нина, посмотри! Александр, вы видите, видите?.. Как, неужели сам?! Да вы отсюда посмотрите, как свет падает!.. Алексей Степанович, вы не понимаете, какой это подарок!

— Модест Петрович, — попросила Анна Львовна в изнеможении от переживаний, — дай мне воды.

— Сию секунду, Анна Львовна!.. Может, капелек накапать?..

— У нее сердце очень больное, — шепнул Боголюбову Иванушкин, выбравшись из круга восторгавшихся. — Никаких волнений, ничего нельзя!.. Только положительные эмоции.

— А сейчас какие? Положительные или отрицательные? — уточнил Андрей Ильич. Александр странно на него взглянул.

— Алешенька, за что мне такое внимание? Вот спасибо тебе, дорогой мой, вот спасибо!.. Знаешь ведь, как мне угодить!..

— Это что, сам Сперанский картину написал? Специально для Анны Львовны? — на ухо спросил у Александра Боголюбов.

— Да что вы!.. Алексей Степанович Сперанский — знаменитый писатель!.. Он книги пишет, а не картины!..

Боголюбов окончательно запутался.

— А чья тогда картина?..

— Как чья?! Его отца, Степана Васильевича Сперанского. Он был превосходный художник, неоцененный, конечно! Анна Львовна гоняется за его работами. Просто гоняется!.. У нее особое чутье, она умеет художника разглядеть, хоть бы и не признанного! И поддержать умеет. А работы его только в коллекции его сына и нашего музея сохранились...

Боголюбов никогда ничего не слышал о превосходном художнике Сперанском, как и о его сыне, знаменитом писателе, и устыдился своего невежества.

— К столу, к столу!..

— Модест Петрович, еще бокальчик, Асенька свой уронила.

— Костик, подай бокальчик и прибери, видишь, в тарелке лужа!..

— Алешенька, ко мне поближе садись.

— Мы еще за Анну Львовну не выпили!..

Все разом вернулись за стол — одно место было занято портретом, и Боголюбову казалось, что теперь напротив него сидит крепкий бородатый старик с косой на правом плече. Бизнесмен Дмитрий Саутин договорил речь. Писатель Алешенька во время речи похохатывал и поглаживал руку Анны Львовны, и вообще главным теперь был он, и, казалось, все это понимают. На Андрея Ильича он не обращал никакого внимания, как будто не было за столом никакого Боголюбова.

Некоторое время все шумно ели и пили, вспоминали зиму, гулянье на Рождество, какую-то медовуху в монастыре, лошадь Звездочку, опрокинувшую сани, и необыкновенную выставку, которую Анна Львовна «пробила» и организовала великолепно.

Боголюбов доел остывшую солянку, налил себе еще водки, тяпнул и огляделся с тоской. Его приятель-кот устроился спать на подоконнике под геранью, и Андрею Ильичу страшно захотелось спать, спать до самого утра и ни о чем не думать. Утро вечера мудренее, завтра он во всем разберется.

— Дому сему быть пусту, — вдруг раздалось поверх голосов. — Время пришло.

Голоса разом смолкли. Давешняя убогая — как ее? Матушка Евпраксия, что ли?.. — шагнула к столу и подняла руку.

— И городу, и дому пусту быть, — повторила она громко. — Кончилась ваша вольготная жизнь.

— Кто пустил-то? — забормотал Модест Петрович. — Как ты сюда попала? Слава, чтоб тебя, давай сюда! Костик!..

Нина смотрела на убогую с ужасом, Дмитрий Саутин перестал жевать, а писатель Сперанский похохатывать. Александр Иванушкин проверил, крепко ли застегнут воротник клетчатой рубахи, а аспирантка Настя подалась назад вместе со стулом.

— А ты здесь зачем? — строго и громко спросила убогая у Андрея Ильича. — Убирайся! Убирайся отсюда, пока не поздно!..

— Костик, зови Славу, и выведите ее!

— Сатана грядет, — объявила убогая, колыхнулся ее черный балахон, похожий на рясу. Анна Львовна двумя руками прикрыла рот. — Никого не останется!..

— Господи, да прогоните вы ее! — закричала Нина.

Боголюбов решительно встал и взял убогую под локоть.

— Пойдемте, — и потянул ее за собой. — Достаточно.

Она опустила руку, обвела глазами притихших людей и пошла за Боголюбовым без всякого сопротивления. Он вывел ее на крыльцо под затейливый козырек с искусно вырезанными буквами «Монпансье».

Вечерело, и воздух был холодный и как будто лиловый. Андрей Ильич вдохнул полной грудью и отпустил острый локоть. Ему очень хотелось вытереть пальцы.

— Идите домой, — сказал он. — Где вы живете?..

— Я не живу. Никто не живет. Сатана придет, все погибнет.

— Это вы мне колесо прокололи?

— Уезжай отсюда, — велела убогая деловым тоном. — Одного уморили, за другим дело стало. Сейчас же и уезжай.

Позади затопали, на крыльцо вывалился официант, за ним маячил еще кто-то.

— До свидания. — Боголюбов подтолкнул убогую в спину и обернулся. — Подкрепление не требуется, мы обошлись своими силами.

Черная фигура растаяла, растворилась в воздухе, хотя на улице было еще светло, и пустая Красная площадь как на ладони, и на улице ни одной живой души, только брехали в отдалении собаки!.. Куда делась?..

Боголюбов немного постоял на крыльце, сунув руки в карманы джинсов. Уйти?.. Или вернуться?..

— Да как ты допустил? — зычно спрашивал охранника Модест Петрович. — Видишь, она лезет, и выпроводи сразу!

— Да я только на пару минут отошел, Модест Петрович!

— Объяснительную пиши, и не будет тебе к майским никаких премиальных!..

Андрей Ильич вернулся в зал, где все хлопотали вокруг Анны Львовны, обошел картину и посмотрел хорошенько.

... Да. Замечательная картина. Ничего не скажешь.

— Виноват, не представился лично, — сказали рядом с ним громко. — Сперанский, писатель.

— Боголюбов, директор, — назвался Андрей Ильич.

— Да что ж вы так сразу брякнули, юноша?! Директор! Анна Львовна тут, да и вообще!

— Алешенька, ничего страшного, я не обращаю внимания! Кроме того, это же чистая правда! — подала голос все слышавшая Анна Львовна. По всей видимости, не так уж ей было плохо.

— Анна Львовна, не волнуйтесь только! — чуть не плача говорила Нина. — Вы не обращайте внимания!

— Я не волнуюсь, Ниночка.

— Наследство вам досталось сказочное, — продолжал Сперанский, буравя глазами Боголюбова. — Не всякий музей так содержится, как наш!.. Анна Львовна вам на блюдечке такое богатство поднесла!

— Какое же у нас тут богатство, Алешенька, что ты говоришь?!

Писатель как будто осекся.

— Культурное, духовное!.. Какое же еще, Анна Львовна!..

Андрей Ильич слушал очень внимательно.

...Ничего не сходится, подумал он. Ну, ничего не сходится!.. Что тут творится? Как понять?.. И картина! Очень странный портрет.

— К столу, к столу, — вмешался Модест Петрович. — Жюльенчики остыли, сейчас повторим! Повторить жюльенчики, Дмитрий Павлович?

Постепенно веселье наладилось и пошло своим чередом. «Бокальчики» и «стопочки» исправно опрокидывались. Тосты встречались аплодисментами.

Анна Львовна смеялась низким смехом, ее шелковые одежды колыхались. Дмитрий Саутин чтото втолковывал писателю Сперанскому, Нина слушала их внимательно и время от времени совалась с какими-то вопросами. Студенты-аспиранты вышли, сказав, что «покурить», и Анна Львовна покачала головой, как бы давая понять, что должна рассердиться, но не в силах. Александр Иванушкин тоже куда-то делся. Модест Петрович хлопотал, очень старался, по деревянным крашеным полам стучали его галоши. Боголюбова после водки клонило в сон все сильнее, но ему казалось важным остаться еще, хотя и непонятно зачем. Завтра все равно придется начинать сначала.

— Анна Львовна, — спросил он, придумав. — Вы ведь завтра уезжаете не с самого утра?

Она посмотрела на него с интересом, а Нина, наоборот, отвернулась.

— А что такое?

— Проведите для меня экскурсию по музею!

— Послушайте, — сказала Нина, глядя в сторону. — Анна Львовна не экскурсовод. Ей трудно проводить экскурсии. Если вам нужно, у меня завтра в десять группа. Можете присоединиться, а Анну Львовну оставьте в покое.

— Ниночка, не надо!.. А... вы хотите настоящую экскурсию?

— Ну да.

Анна Львовна задумчиво помолчала, потом сказала:

— Нет, это даже интересно. Хорошо, я согласна. Только не надейтесь, что я буду сдавать вам дела. Александр Игоревич прекрасно справится без меня, он в курсе всех вопросов.

— Никаких дел, Анна Львовна. Я буду самый внимательный и заинтересованный экскурсант. Стану ловить каждое ваше слово.

— Ах ты, господи, — пробормотала Нина.

— А мне можно присоединиться? — спросил Дмитрий Саутин. — Не помешаю!

— Конечно, можно, Дима! Вам все можно!.. — сказала Анна Львовна.

...Дожидаться чаю с тортом, о чем было объявлено отдельно — у нас такой «Наполеон», из Москвы едут, чтоб попробовать! — Боголюбов не стал.

На улице сильно похолодало, в весеннем воздухе зажглись жидкие желтые фонари. На колокольне тоже горел одинокий фонарь, а возле Ленина целых три. Боголюбов перешел Красную площадь, постоял возле своей охромевшей машины. Было очень тихо, слышно только, как вдалеке глухо брешут собаки и где-то капает с крыши.

...«Вы человек занятой, к столичной жизни привычный! А у нас тут тишина, скука. Неторопливость наблюдается. Неловко вам тут будет. Да и вникнуть надо».

Вникнуть надо, подумал Боголюбов, нашаривая на калитке замшелую щеколду-«вертушку». Может быть, и хорошо, что так получилось — он увидел людей, и они его увидели, хотя, честно сказать, он ничего не понял. Вопросов только прибавилось, и, как именно он будет вникать в новую жизнь, пока неясно. И неловкость он чувствовал!..

По мокрой дорожке Боголюбов подошел к крыльцу. Он все время помнил про мерзкую собаку и все же пропустил момент, когда она выметнулась из-под крыльца, захрипела и стала рваться.

— Пошла вон! — сказал Андрей. — Ну! На место!..

Собака наддала сильнее, крыльцо заходило ходуном.

...Что с ней делать, вот вопрос. Усыпить? Утопить? Пристрелить?..

Что-то стукнуло в отдалении, довольно сильно, Боголюбов услышал это даже сквозь припадочный истерический лай. Как будто упало и покатилось. На крыльце должен быть свет, но Андрей Ильич не знал, где он зажигается. Он нашарил холодную замочную скважину, повернул ключ и вошел.

...А здесь есть свет?.. И где выключатель?..

Звук повторился, он шел из глубины дома. Боголюбов ощупью пошел вперед. Собака бесновалась у него за спиной.

В лунном свете блеснуло пыльное стекло, потом обрисовалась какая-то картина в раме, будто из черноты вдруг выглянул кто-то безглазый, как в кошмаре. Андрей Ильич стиснул вспотевший кулак и оглянулся. За распахнутой дверью было светлее, чем внутри, из-за яблонь вставала громадная, страшная луна, голубой свет вливался в проем.

...Вернуться? Позвать на помощь?..

Андрей Ильич решительно шагнул в комнату.

Черная тень, растекшаяся по подоконнику, на секунду замерла в лунном свете и вывалилась наружу. Боголюбов бросился к окну — створка еще качалась, — высунулся и заорал:

— Стой! Стой, стрелять буду!..

Тень петляла между старыми яблонями, на миг возникла в воздухе, как будто подлетела, и пропала. Перепрыгнула забор, понял Боголюбов. Теперь не догнать.

— Да что происходит-то!..

От звука собственного голоса он как будто пришел в себя. Выключатель?.. Где этот чертов выключатель?!

Он нащупал на стене холодный кругляшок, потянул вверх язычок, зажмурился, но тут же открыл глаза и огляделся.

Окно было распахнуто, утлая решетка вывалилась наружу — должно быть, на крыльце он услышал, как она упала. В комнате все осталось в том же виде, что он застал днем, — овальный стол, несколько колченогих стульев и пустая посудная горка. Никаких следов разрушений и разорений.

Поочередно щелкая выключателями, Андрей Ильич обошел дом. В кухне над плитой висели джинсы, которые он старательно прополоскал в тазу. В спальне мирно дремала пышнотелая кровать с подушками и покрывалом. В кабинете стояли его неразобранные баулы и ничего не было тронуто. Дверь на чердак, где бывший директор то ли рисовал, то ли рассматривал звездное небо, оказалась приоткрыта, но туда Боголюбов не полез. Не хотелось ему лезть на чердак, ну совсем не хотелось!..

Поднявшись на несколько ступенек, он как следует захлопнул дверь и заложил ее поперечной перекладиной, которая была аккуратно прислонена к стене. И еще подергал, проверяя.

...Что толку дергать? Все равно не поможет! Он понятия не имеет, кто и зачем забрался в пустой дом!.. Нет, еще непонятней: дом пустовал почти месяц, и именно сегодня, когда приехал он, Боголюбов, кому-то пришло в голову сюда забраться!.. Что здесь искали?.. И потом — нашли или не нашли?.. Вещи столичного жителя вора явно не интересовали: сумки как были, так и остались свалены кучей на крашеном деревянном полу!..

Боголюбов вышел на крыльцо. Собака загремела цепью, выскочила и зашлась хриплым лаем. Доски под ногами содрогнулись.

— Дура, — сказал ей Андрей Ильич. — Идиотка! Что ты орешь на меня?! Лучше бы дом караулила!..

Он запер дверь — ключ в хлипком замочке поворачивался на три оборота, — перекидал многочисленные подушки в ковровое пыльное кресло, оставив себе одну, погасил свет, лег и стал думать.

Александр Иванушкин прибыл в девять часов утра. Он был в рубахе, застегнутой по самое горло — на этот раз не в красную клетку, а в синюю, — и в резиновых сапогах, за спиной рюкзак. В одной руке металлическая сетка, а в ней яйца, в другой — бутылка молока.

Андрей Ильич уставился на сетку.

— Я к Модесту Петровичу заходил, — пояснил Александр стыдливо и сунул яйца Боголюбову под нос, как некое доказательство того, что он на самом деле заходил к Модесту Петровичу. — Он курочек держит. Ну, коз несколько, поросят, конечно, корову. Завтракать-то вам нечем!

— Проходите, — велел Андрей Ильич. Холодно было стоять на крыльце в одних трусах, и собака, рвавшаяся с цепи, лаяла так, что звенело в ушах.

Он не выспался, злился на весь мир, и голова болела.

— А вы решетки сняли, да? — из кухни громко спрашивал Иванушкин, пока Андрей Ильич одевался. — Это правильно на самом деле! У нас тут криминогенная обстановка, считай, на нуле, а решетки эти только глаз утомляют. Старый директор очень за безопасность волновался. В музее новейшую сигнализацию поставил, да вы сами все увидите!.. В дом тоже хотел провести, насилу Анна Львовна отговорила! Он старенький был, то и дело забывал переключать! У нас в месяц по три, по четыре ложных вызова было, охрана замучилась к нам ездить! А представляете, если бы он еще здесь поставил!..

— Вчера здесь возникла сплошная криминогенная обстановка, — сообщил Андрей Ильич с порога. — Шину мне разрезали.

— Как?!

— Ножом, как!.. Вон он, нож, можете посмотреть. А когда я вернулся с банкета, в доме кто-то был. Это он решетки снял, а вовсе не я. Они ему, наверное, тоже глаз утомляли.

Александр Иванушкин моргнул. Посмотрел на бутылку молока, которую держал в руке, и аккуратно поставил на стол.

— В каком смысле — кто-то был в доме, Андрей Ильич?

— Я застал здесь человека. Он выскочил в окно и убежал через сад. Я его спугнул. Дом долго пустовал? До моего приезда?

— Да он вовсе не пустовал, — молвил Александр Иванушкин растерянно. — Старый директор умер, две недели прошло, может, три, когда стало известно о... вашем назначении и скором прибытии. Меня попросили тут все разобрать и к вашему приезду приготовить. Анна Львовна попросила. Ну, я тут жил какое-то время. Мы вещи вывезли, книги, посуду. Зачем вам чужая посуда?

— У меня и своей-то нет, — поддакнул Андрей Ильич. — А чей это дом?

— В каком смысле?

— Что вы заладили — в каком смысле, в каком смысле!.. Кому принадлежит дом?

— Директорский дом музею принадлежит, так сказать, собственность учреждения, тут всегда директора квартировали.

— И вы здесь жили, разбирали посуду, и никто к вам не забирался?

— Нет, конечно! У нас криминогенная обстановка отсутствует... — тут Александр осекся.

— А ценности? — спросил Боголюбов, подумав. — Старый директор ничего из музея домой не брал?

— У нас в музее не воруют, Андрей Ильич!

— Ах ты, господи!

— Я не знаю, может, он что-то и приносил, бумаги, например! Никакие воры не станут красть бумаги! — Иванушкин покраснел пятнами. — И вообще! Может, вам показалось? Лишнего выпили?

— Поаккуратней, — попросил Андрей Ильич. — Мне ничего просто так не кажется, и выпил я вчера всего ничего.

— Вон молоко, а это творог. Если хотите, могу яичницу...

— Хочу, — сказал Боголюбов и вышел на крыльцо.

Загремела и проволоклась цепь, из-под крыльца выскочила собака и захрипела ему в лицо. Он посмотрел на нее. Она была черная, очень грязная, довольно большая. Одного глаза нет, оскаленная морда в потеках и струпьях.

— Как ее зовут? — крикнул Андрей Ильич в дом, стараясь перекричать истошный лай.

— Кого?! — в проеме показался Александр, вытирая руки полотенцем, повязанным, как фартук.

Боголюбов ногой показал на собаку.

— Как же ее?.. Забыл!.. Мотя, что ли!..

— Чья она?

— Покойного директора! Давайте дверь закроем, Андрей Ильич! А то она не уймется!.. Фу, проклятая! Замолчи!..

Боголюбов махнул рукой, сошел с крыльца и по широкой дуге, под яблонями, пошел за дом, обходя собаку.

— Вы куда?! А?! У меня там яичница сейчас сгорит!..

Под водосточной трубой с жестяным раструбом стояла кадушка, до половины наполненная водой. Боголюбов заглянул в кадушку. В темной воде плавали коричневые прошлогодние листья, березовые сережки и отражалось небо, голубое, весеннее.

— Ау! — сказал Боголюбов в кадушку, как в колодец. Вода сморщилась и задрожала, стены отозвались сырым и глухим звуком.

Сад был довольно большой, просторный, в глубине покосившаяся беседка — как же без нее! — увитая голыми плетьми дикого винограда. Казалось, держится беседка только потому, что виноградные плети не дают ей упасть. В отдалении у забора ровные длинные грядки, заботливо накрытые серым полиэтиленом, — интересно, кто это тут огородничает?

Андрей подошел под окно и посмотрел. Решетка была не то что выбита, а как бы выставлена — впрочем, наличники, к которым она прикручивалась, оказались совсем трухлявыми, он поковырял пальцем. Должно быть, вывалилась от одного удара, даже не слишком сильного. Она громыхнула по каменной отмостке — ночью Андрей Ильич как раз и услышал, как она загрохотала, — и упала на мягкую землю.

Боголюбов присел и стал изучать следы.

— Что там? А?.. Нашли что-нибудь?

Саша Иванушкин висел над ним, высунувшись из окна почти по пояс. Вид у него был возбужденный, веснушчатые щеки покраснели от наклонного положения.

Боголюбов поднял с земли решетку, прислонил к стене и огляделся. Неопределенные, расплывчатые следы уходили под яблони в дальний конец сада.

— А там что? За забором?

— Ничего, — сообщила голова Иванушкина. — То есть как ничего!.. Там прудик и баня. Ручей когда-то давно запрудили и на берегу баню построили. Дань традиции, так сказать. Куда русский человек без бани, сами понимаете...

— Значит, соседей с той стороны нет?

— Нет, там пруд и баня!.. Идите, Андрей Ильич, яичница готова.

Боголюбов пробормотал: «Сейчас» — и пошел к забору, пригибаясь под низкими корявыми ветками.

...Ну да. Вот здесь загадочный вор, забравшийся в дом и ничего так и не взявший, — ну, на первый взгляд! — перепрыгнул штакетник. Боголюбов примерился и тоже попробовал перепрыгнуть. С одного раза, пожалуй, затруднительно, так не перемахнешь, перелезать нужно.

Андрей Ильич перелез на ту сторону. Здесь было очень сыро, под ногами хлюпало. Бережок спускался к круглому прудику, вокруг которого в беспорядке толпились голые ивы и кое-где торчала изломанная ржавая осока. По периметру стояли черные бани, три или четыре, от каждой в прудик выдавались мостки. Неопределенные следы, по которым Андрей Ильич шел наподобие сыщика из кино, резко сворачивали вправо и пропадали в прошлогодней жухлой траве.

— Жил-был у бабушки серенький козлик, — пропел Андрей Ильич на мотив «Сердце красавицы склонно к измене» из «Риголетто», — жил-был у бабушки серый козел!

Он перелез забор, проворно подбежал к дому, подпрыгнул, уцепился за подоконник и стал подтягиваться. Ноги болтались, перевешивали, лезть было неудобно. Собака припадочно забрехала с той стороны дома.

Боголюбов кое-как перевалился через подоконник, уселся, свесил ноги и стал стаскивать башмаки. На каждом было примерно по пуду черной жирной земли.

— Андрей Ильич! — удивился возникший на пороге Саша Иванушкин. — А что это вы... в окно?

— Залезть довольно трудно, — сообщил Боголюбов. — Высоковато.

Держа снятые ботинки в отставленной руке, он обошел Сашу, вышел в коридор и с грохотом вышвырнул на крыльцо ботинки.

— Собака услышала, хотя я не шумел. Окно было открыто!.. Я просто влез, решетку не снимал и шурупы не вывинчивал. Она все равно услышала.

— Ну, услышала, — согласился Саша. — Это же собака!..

— А ночью она, выходит, ничего не слышала. Приступ глухоты ее поразил!.. Когда я пришел из трактира «Монпансье», она спала под крыльцом и выскочила, только когда я стал подниматься.

— И... что это значит?

— Это значит, милый Александр, что в моем доме был человек, которого Мотя прекрасно знает! И ей в голову не пришло на него бросаться.

— А ведь правда! — согласился Саша и радостно улыбнулся, как будто Андрей Ильич сказал ему нечто очень приятное. — Если она не лаяла, значит, был кто-то свой!..

— И кто у нас тут свой?

Боголюбов вошел в кухню, потянул носом — пахло хорошо, вкусно! — спихнул со стула давешний ком, который он содеял из содранной со стола клеенки, боком сел и стал вилкой цеплять со сковороды яичницу.

— Давайте я на тарелку положу!

Андрей Ильич помотал головой и замычал с набитым ртом — не надо, и так прекрасно!..

Саша постоял, пожал плечами, пристроился напротив и налил себе молока в граненый стакан.

— Вы поймите, Андрей Ильич, — проникновенно сказал он, поставив стакан. На губе у него остались молочные усы. — У нас тут очень спокойная, даже скучная жизнь...

— Ммм?.. — не поверил Боголюбов.

Саша кивнул:

— Ну конечно!.. Это все очень, очень странно!.. Тут месяцами ничего не происходит, а чтобы шину разрезать!.. Хулиганствующие субъекты все в столицу переместились за развлечениями. Да и вольготней там намного, интересней!.. А здесь что?.. Музей наш знаменитый, но что музей?.. Фарфоровый завод до сих пор работает, посуду делает, статуэтки, японцы их очень любят. Девушка с книжкой. Женщина с корзиной. Поделки, конечно, пошлейшие, но почему-то пользуются спросом!.. Университет свой есть.

— Ммм? — опять удивился Боголюбов.

— Да, да, здесь когда-то давно, при советской власти, квартировали части стратегического назначения, военных городков по лесам полно было, вот и открыли университет, чтобы люди могли прямо на месте образование получать. Военных нет давно, а университет еще жив, набирают студентов каждый год полный курс. — Саша еще отпил молока. — Если и случаются ЧП, то только летом, когда туристов много. В прошлом году, говорят, в ресторане «Аист» подрались, даже наряд вызывали!.. А так... Тишь, гладь да Божья благодать.

— А шину мне порезали!

— Вот я и говорю, что странно это! — Саша почесал заросшую светлыми волосами макушку и подтянул манжеты клетчатой рубахи. — А в Москве у вас врагов нет?

Боголюбов засмеялся.

— Таких, которые последовали бы за мной в изгнанье и тут на месте стали резать мои колеса, нет, Саша. Что могли искать в этом доме? Ну, хоть предположите!..

— Я не знаю, — твердо сказал Иванушкин и так же твердо взглянул Боголюбову в лицо. — Предполагать не буду. Десятый час, нам в музей пора. Еще, не дай Бог, Анна Львовна раньше времени придет.

Боголюбов поставил в раковину пустую сковородку и пустил воду.

...Модест Петрович весь вечер стучал по крашеным полам галошами. В галошах перелезать через подоконники и перепрыгивать через заборы неудобно, считай, невозможно. Кто еще выходил?.. Аспирантка Настя Морозова и студент Митя, помогающий «с реставрацией некоторых полотен». Они выходили «покурить», это Боголюбов помнил совершенно точно. Красивая и задиристая Нина, кажется, тоже выходила или нет?.. Знаменитый писатель Сперанский, сын знаменитого художника Сперанского, весь вечер просидел возле Анны Львовны. Он мужчина... курпулентный и скакать через заборы вряд ли бы сподобился.

Кто-то из них забрался в дом Боголюбова, где до него квартировал покойный директор. Андрей Ильич был абсолютно уверен, что ночной визит как-то связан с музеем и его приездом сюда. Посторонний воришка, да еще из местных, вряд ли позарился бы на колченогие стулья и пустую посудную горку!.. Все местные в курсе, что директор помер и в доме нет ничего ценного. И собака!. Припадочная собака мирно спала, покуда он не явился, тогда она стала хрипеть и рваться!..

...Что делать с этой собакой? Утопить? Пристрелить?..

На площади перед музеем стоял двухэтажный автобус, похожий на пароход, на лавочках сидели бабушки-туристки в кроссовках и холщовых брючках. На шее у каждой из них болталось по фотоаппарату. Внучата туристических бабушек носились между лавочками, пугали толстых голубей, самые активные тыкали палками в не работающий по весеннему времени фонтан. На стоянке дремали какие-то машины.

В самом деле культурная жизнь бьет ключом!

Саша Иванушкин быстро и уверенно пошел к желтому крылечку с резным козырьком из начищенной жести с надписью «Служебный вход».

— Это Дмитрий Павлович постарался, Саутин, — говорил он на ходу. — Все подновил: и крыльцо, и наличники. Видите, как красиво стало! А то каждый день ждали, что стропила подломятся и крыша завалится.

По узкой лестнице, застеленной вытертой ковровой дорожкой, когда-то, должно быть, малиновой, они поднялись на второй этаж. Здесь был длинный и светлый коридор со множеством окон, выходивших в музейный парк, и множество дверей с табличками. На окнах висели капроновые музейные занавески на шнурках, крашеные доски пола поскрипывали.

— Нин, привет, — сказал Саша, заглянув в одну из дверей. — Анны Львовны нет еще?

— Как бы не так! — ответили из-за двери злорадно. — В экспозиции давно!

— Опоздали! — прокудахтал Саша. — Бежим, Андрей Ильич, бежим скорее!..

Дверь распахнулась так широко и так резко, что Боголюбову пришлось ее придержать, чтоб не получить в лоб, и из нее выскочила Нина. Сегодня она была в джинсах и черном свитерке с иностранными буками на рельефной груди — ну ничего, ничего похожего на музейную работницу! Боголюбов даже засмотрелся.

— Что вы смотрите? — спросила Нина задиристо. — Хотите получить заявление по собственному желанию? Так вот, не стану я писать никаких заявлений! Вы здесь временно, это я вам точно говорю! А потом справедливость восторжествует.

— Какая справедливость? — пробормотал Андрей Ильич.

Саша тянул его за собой, и пришлось идти, вместо того чтобы насладиться препирательствами с хорошенькой девушкой, невзлюбившей его с первого взгляда.

...Она, пожалуй, вполне могла скакать через подоконники и перелезать заборы!

Саша открывал какие-то двери, почти тащил нового директора за собой, сзади что-то язвительное говорила Нина. Всей процессией они выскочили в просторный белый зал с колоннами, пролетели его и оказались в следующем, поменьше. Возле одной из картин толпились экскурсанты и Ася что-то говорила, уныло и монотонно.

— Мы поменялись, — сказала Нина и улыбнулась Саше. — Я лучше еще разок Анну Львовну послушаю. Анна Львовна, вот и мы.

Бывшая и. о. директора музея повернулась, взметнулись шелковые одежды, Дмитрий Саутин бережно поддержал ее под локоть.

— Извините за опоздание, — прощебетала Нина, — мы тут ни при чем...

— Нет никакого опоздания! — возразил Боголюбов с досадой. — Договаривались на десять, а сейчас, — он посмотрел на часы, — как раз ровно.

— Мы иногда группы пораньше пускаем, — сообщила Анна Львовна доверительно. — Музей по пятницам работает с десяти, а в остальные дни, кроме понедельника, с одиннадцати. В понедельник, как водится, выходной.

— Это Анна Львовна придумала раньше открывать, — похвасталась Нина. — Группы иногда с самого утра приезжают, людям приходится ждать, Анне Львовне всех жалко, вы понимаете...

— Ниночка, ну что ты?.. Итак, приступим!.. Я предлагаю начать с первого этажа.

Тут Нина вдруг всполошилась.

— Зачем, Анна Львовна! Давайте отсюда! Здесь основная экспозиция, внизу только местные художники. Я потом сама могу показать... — Она запнулась.

— Андрею Ильичу, — подсказал Иванушкин услужливо, и Нина усмехнулась саркастически.

...Выслуживаешься — вот как она усмехнулась. Надеешься, у нового руководства будут свои любимчики, в них метишь!.. Я все вижу, все знаю. Ну, мы еще посмотрим, кто кого!..

— Нет, нет, давайте спустимся.

— Не затрудняйте себя, — поддержал Нину Дмитрий Саутин. — Ну, первый этаж можно напоследок оставить, если вы считаете, что он необходим.

— Оттуда и начнем, — заключила Анна Львовна и твердо взяла Дмитрия под руку.

— Сердце у нее плохое, — негромко сказал Саша Андрею Ильичу, — по лестнице подниматься трудно, задыхается. Но упрямится, не слушает.

Они пропустили группу, которая затопала по парадной мраморной лестнице десятками ног.

— Наш музей существует девяносто лет, с двадцать четвертого года, — говорила Анна Львовна. — В усадьбе никогда не было никаких... государственных или советских учреждений!.. Наоборот, как только приняли решение о создании музея, сюда стали свозить произведения искусства и предметы интерьера из всех окрестных дворянских домов. Гражданская война по нашей губернии прошлась как молотом по наковальне. Отечественная тоже наделала немало бед и разрушений. До конца пятидесятых музей был в плачевном состоянии, но постепенно все наладилось. На восстановление понадобилось много лет!

Она опиралась на руку Дмитрия, шла медленно и говорила, слегка задыхаясь.

— В этой усадьбе, а она принадлежала Муромцевым, как вы знаете, бывали Тютчев, Батюшков, Грибоедов проездом!.. Аристарх Венедиктович, первый хозяин усадьбы, был очень богатым и образованным человеком. Столичную жизнь презирал и сыновей готовил именно в помещики, а не в гвардию, как было принято после Петра.

Боголюбов, который все знал и про усадьбу, и про Муромцева, не столько слушал, сколько смотрел по сторонам и на Анну Львовну.

Музей, похоже, на самом деле содержался в идеальном порядке: нигде никакого запустения, пыли, следов недавнего потопа или чего-то в этом роде. Многочисленные полотна на стенах грамотно и аккуратно подсвечены, в залах и на лестнице датчики влажности и температуры, бесценные паркеты сияют, как будто их чистили только что. Для экскурсантов положены ковровые дорожки, застеленные сверху серой холстинкой — свежей, никаких отпечатков ног, хотя на улице сыро.

— Интерьеры — у нас интерьерная экспозиция называется не слишком оригинально: «Быт помещика» — в той части музея, а здесь десять залов изобразительного искусства. Коллекция богатейшая! Имеем возможность даже делать тематические выставки — из собственных запасников, между прочим!..

— В прошлом году была «Весна в произведениях русских художников», — сунулась Нина. — Очень хорошая выставка!..

— А на первом этаже представлены наши земляки, Богданов-Бельский, Зворыкин, Крыжицкий, Сверчков.

Растянувшаяся группа плелась по залу в сторону Аси, которая, глядя в пол, стояла возле стены с овальными портретами.

— Лучше бы ты сама провела, Нина, — сказала Анна Львовна с тихим неудовольствием. — Люди за экскурсию деньги платят и хотят, чтобы...

Ася, хоть и смотрела в пол, начальство заметила, встрепенулась, бледный носик пошел красными нервическими пятнами. По всей видимости, и она не ожидала, что Анна Львовна спустится на первый этаж.

Боголюбов прошел вперед: ему интересно было определить время, когда писались портреты в овальных рамах и как именно они подобраны. Композиционно они смотрелись великолепно — ай да Анна Львовна!..

Он не дошел до бархатного каната на металлических блестящих стойках нескольких шагов. За его спиной кто-то хрипло вскрикнул.

Боголюбов оглянулся.

Анна Львовна с ужасом смотрела на Асю. Одной рукой она махала перед собой, как бы стараясь отогнать нечто невидимое, а второй схватилась за горло.

От изумления Боголюбову показалось, что она сама себя душит и вот-вот задушит. Лицо Анны

Львовны вмиг стало белым и плоским, только шевелились ярко накрашенные алым губы.

— Не... может... быть, — выговорили эти губы, и Анна Львовна повалилась навзничь.

На похороны скоропостижно скончавшейся Анны Львовны собрался весь город. Огромная толпа прошла за гробом по центральным улицам и поднялась на горку. Боголюбов, проезжая мимо в первый раз, думал, что на горке рощица, светлая, просторная, а оказалось — городское кладбище.

В толпе говорили про обширный инфаркт, «удар», «не перенесла унижения», «сердце и не выдержало».

На Боголюбова смотрели, как будто он был во всем виноват, за спиной громко и укоризненно говорили про москвичей, от которых исходят все беды. К нему никто не подходил, даже Саша Иванушкин стоял отдельно.

Андрей Ильич, не присутствовавший на отпевании и приехавший только на кладбище, ругал себя за это. Не пойти было нельзя, но лучше бы не ходил!.. Под тихими березами, чуть подернутыми влажной зеленой дымкой, он на самом деле чувствовал себя виноватым, хотя ни в чем не был виноват!..

...Трудности и неприятности оказались намного труднее и неприятней, чем он ожидал.

Он уехал сразу, как только закончилась прощальная церемония. Сбежал с холма, сел в машину и уехал.

Из-за прилаженной вместо изуродованного колеса запаски ему казалось, что машина медленно передвигается на костылях, хотя запаска ничем от других колес не отличалась.

...От чего мог приключиться этот самый «удар»?! Когда утром в пятницу Боголюбов отправился с Анной Львовной на экскурсию, оказавшуюся для нее последней, она была в прекрасном расположении духа! Не задыхалась, не хваталась за сердце, не принимала таблеток!.. Почему она прошептала: «Не может быть!» Даже не прошептала, а прохрипела!.. И чего именно не могло быть?.. Она смотрела... куда она смотрела?

Сзади миролюбиво посигналили, и Боголюбов понял, что проспал светофор.

...Она смотрела на Асю и музейную стену с овальными портретами. Он, кажется, еще подумал что-то про композицию!.. Кто еще там был, кроме группы экскурсантов? Он сам, Нина, Дмитрий Саутин, Саша Иванушкин.

Боголюбов закрыл глаза и представил. Вот он оборачивается на странных вскрик или стон и видит Анну Львовну с рукой, стискивающей горло. Она одна, рядом с ней никого нет, остальные чуть впереди. Она показывает рукой и выговаривает с трудом: «Не может быть». Кого не может быть?.. Чего не может быть?..

Она умерла еще до приезда «Скорой», а «Скорая» приехала через пять минут!.. Что ее так напугало? Или потрясло?..

Удар, говорили в толпе. Сердце не выдержало. Чего именно не выдержало сердце Анны Львовны?..

Собака бросилась ему под ноги, когда он начал подниматься на крыльцо, захрипела и стала рваться, и Боголюбов вдруг озверел. Он сбежал со ступеней, пошел прямо на нее, она шарахнулась и залаяла еще громче. Он с мясом выдрал из стены дома металлическое кольцо, к которому была прикручена цепь, и швырнул цепь в собаку. Та взвизгнула и откатилась в сторону.

— Пошла вон! — заорал Боголюбов страшным голосом. — Ну?! Давай отсюда!..

Приседая на грязных лапах, скалясь и оглядываясь, собака понеслась между яблонями. Цепь волоклась за ней и гремела.

— Чтоб ты сдохла где-нибудь!..

Псина протиснулась между старым штакетником, металлические звенья зацепились, она задавленно вскрикнула, упала в грязь и опять понеслась. Освободившаяся цепь волоклась за ней.

Моментально со всех дворов Красной площади залаяли собаки, поднялся шум и гвалт.

Андрей Ильич махнул рукой и сел на крыльцо.

Нужно съездить в музей на место, где все случилось. Наверняка там сейчас нет никого, с кладбища все отправятся на поминки Анны Львовны в трактир «Монпансье», где только что был банкет в ее же честь.

Разве так может быть — третьего дня чествование, а сегодня поминки?.. Разве так бывает?..

Боголюбов встал и похлопал себя по карманам в поисках ключей от машины. Ему казалось очень важным как следует рассмотреть портреты на той самой стене. Или дело вовсе не в портретах, а в тех людях, что стояли перед ней? Как теперь это узнать?..

У калитки Андрей Ильич сообразил: ехать на машине в музей глупо и незачем, идти быстрее и приятней. Он все никак не мог привыкнуть к тому, что в этом городе нет никакой надобности выезжать за три часа, смотреть в навигатор, выбирая «маршруты объезда», нервно стучать по рулю, метаться из ряда в ряд, проклинать пробки, движение, власти, приезжих и радиоведущих с их натужными попытками развлечь! Ни пробок, ни движения. Радиостанций тоже никаких, кроме радио «Шансон», которое звучит из всех автомобилей!

— Поедем с тобой на озера, — сказал своей машине Боголюбов. — Ты это любишь. Я пойду на лодке далеко. Здесь озера знатные.

Он дошагал до музея и вошел — на площади никого, все лавочки пустуют, ни старушек, ни внучков, ни автобусов, похожих на корабли, и только тут вспомнил, что музей закрыт, заперт!..

Сегодня понедельник, выходной, да еще и похороны Анны Львовны!..

Боголюбов потоптался возле не работающего по весеннему времени фонтана, ругая себя — как это он забыл?! — а потом все же подошел к ухоженной дверце флигеля с надписью «Служебный вход» и неизвестно зачем потянул кованую ручку. Дверь неслышно отворилась, так легко, что Боголюбов от неожиданности чуть не повалился назад.

Он вошел в тихое помещение и на всякий случай сказал громко:

— Добрый день!..

Никто не отозвался. Он прислушался. Из глубины старинного дома не доносилось ни звука.

Направо была еще какая-то дверь, запертая, и он пошел вверх по лестнице, как тогда с Сашей. В солнечном коридоре не оказалось ни души. Сейчас, кажется, налево, там короткий переход и большой белый зал, а помещение, где все случилось, на первом этаже.

— Есть кто-нибудь? — громко спросил Андрей Ильич и прислушался.

За кудрявой капроновой занавеской раздалось хлопанье крыльев, и с жестяного откоса сорвался жирный голубь. Дал круг, прибыл обратно и через стекло уставился на Боголюбова круглым немигающим глазом.

Голубей Андрей Ильич не любил.

Боголюбов дошел до высоких двустворчатых дверей, за которыми вроде бы был просторный белый зал с колоннами. Двери, ясное дело, оказались заперты. Красный глазок сигнализации мерно мигал под потолком. Боголюбов подергал начищенные медные ручки, впрочем, не слишком сильно. Еще не хватает разбирательств с охраной, если таковая прибудет по тревоге!..

Как попасть на первый этаж другим путем и есть ли этот путь, Андрей Ильич не знал.

Он вернулся в затопленный весенним солнцем коридор, стал у окна, сунул руки в карманы и спел про серенького козлика на мотив «Сердце красавицы».

И насторожился.

Через внутренний двор музея вдоль стены кто-то шел, он видел тень, неторопливо скользившую по круглой клумбе, похожей из-за только что распустившихся первоцветов на бело-голубое облако. Андрей Ильич прижался носом к стеклу и вывернул шею, пытаясь рассмотреть идущего.

...Музей закрыт, калитка и ворота в парк, кажется, тоже заперты. На воротах висячий замок, он видел его совершенно точно! Кто там ходит?.. Кто пришел сюда и открыл дверцу с надписью «Служебный вход», несмотря на понедельник и похороны Анны Львовны?..

Тень переломилась на дальней стороне цветочного облака и выступила на солнечный свет.

Андрей Ильич от неожиданности тихо присвистнул.

По музейному двору неторопливо шагала убогая Евпраксия или как ее?.. Ефросинья?.. Вещунья, предсказавшая скорый конец всего.

Андрей Ильич вдруг вспомнил: и городу, и дому быть пусту. Никого не останется. Одного уморили, за другим дело стало.

— Стойте, — громко сказал он и застучал в окно. — Подождите, мне нужно с вами поговорить!..

Она то ли не слышала, то ли не обратила внимания.

Он скатился с лестницы, выскочил на улицу и подбежал к высоченным кованым воротам, закрывавшим путь во внутренний двор и парк. Ворота были заперты. Андрей Ильич налег на чугунную створку, которая, разумеется, даже не дрогнула. Калитка с левой стороны тоже оказалась на замке. Мигал красный огонек сигнализации.

— Эй! — крикнул Андрей Ильич, пытаясь просунуться между прутьями решетки. Это было никак невозможно. — Вы меня слышите? Как вы туда попали?!

Никого и ничего.

Он отбежал немного и взглядом оценил решетку. Она была высока — значительно выше человеческого роста! — начищенные копья жарко горели под солнцем.

Боголюбов побежал вдоль решетки сначала налево, она спускалась к шустрой узкой речке, резко поворачивала и уходила в лес, а потом направо. С этой стороны она продолжалась серым бетонным забором, ощетинившимся по верху ржавой колючей проволокой.

Он вернулся к крыльцу с резным жестяным кокошником и вытер вспотевший лоб.

...Нет ничего странного и удивительного в том, что по музейному парку в неурочный час ходит какой-то человек. Наверняка парк не везде обнесен забором, как казначейство или пулеметный дот, есть и дырки и лазейки!.. Тем не менее Андрею Ильичу это показалось странным и зловещим.

Он сел на лавочку, прищурился на солнце и подумал немного.

Ефросинья или Евпраксия уж точно не могла состоять на службе в музее!.. Анна Львовна не была похожа на сердобольную старушку, помогающую всем сирым и убогим, несмотря на то что и Дмитрий Саутин, и Нина, и Александр Иванушкин пытались убедить его в обратном!.. Визит убогой в трактир «Монпансье» Анну Львовну напугал и встревожил, кажется, ей даже капли предлагали!.. А убогая совершенно четко заявила, что «никого не останется» и что уже «одного уморили»! Что она имела в виду, хотелось бы знать?..

Ни в ясновидение, ни в гороскопы, ни в предсказателей судеб Андрей Ильич не верил.

Вдалеке прогрохотал грузовик, тянувший на прицепе желтую бочку с синими буквами «Молоко». Боголюбов проводил его глазами и вернулся в музей.

По-прежнему никого не было на узкой лестничке и в залитом солнцем коридоре на втором этаже.

В человека-невидимку Боголюбов не верил тоже!..

Открытой оказалась только одна дверь с табличкой «Директор». Андрей Ильич вошел в тесную приемную, где стояли желтый стол, зеленый диван и три коричневых стула.

— Есть кто? — громко спросил Андрей Ильич, злясь все сильнее.

Разумеется, никто не отозвался, и он зашел в кабинет. Здесь царил полумрак, шторы задернуты и большое зеркало в деревянной раме занавешено черной тафтой. На стенах висели какие-то картины, письменный стол был абсолютно пуст и чист, ни единой бумажки, зато в белом фарфоровом кувшине стояли свежие первоцветы.

Андрей Ильич подошел и потрогал. Кувшин был влажный, очевидно, поставили только что.

Он сел в жесткое неудобное кресло с высокой спинкой и огляделся. Массивные тумбы с выдвижными ящиками, книги в растрепанных переплетах, сложенные почему-то прямо на полу. С правой стороны — шкафы, в них тоже пусто. С левой — громоздкий сейф с приоткрытой толстенной дверцей.

Боголюбов чувствовал себя, как будто забрался в чужой дом в отсутствие хозяев, неловко ему было и очень хотелось поскорее выйти на улицу. Уйти он не мог: в конце концов, это теперь его музей, он за него отвечает и так до сих пор и не понял, кто и зачем в выходной день открыл дверь, почему прячется, как попала в парк черная тень по имени Ефросинья!..

Андрей Ильич встал, выглянул в коридор — никого! — подошел и потянул на себя дверь несгораемого шкафа. Внутри почти ничего не было, только несколько папок с белыми тесемками.

Он вытащил папки, но в директорское кресло возвращаться не стал, пристроился на стул напротив. На одной папке было написано черным маркером «Личные дела», и туда он заглядывать не стал. На другой «Ремонт» — в ней оказались копии счетов и чеков с фиолетовыми штампами. «Фанера первой категории, — прочитал Андрей Ильич, — кол-во листов 12, цена за 1 шт. 520 руб. 78 коп.».

Была еще одна папка ярко-зеленого цвета, самая нижняя. Боголюбов вытащил ее и открыл.

Он ничего не успел разобрать. Сзади что-то мелькнуло, он не увидел, но почувствовал. Оглянуться он тоже не успел. Взмах, как будто что-то просвистело в воздухе, страшный удар обрушился ему на затылок, и Андрей Боголюбов упал лицом в раскрытую зеленую папку.

Он очень замерз. Так замерз, что не чувствовал ни рук, ни ног. Как это ему пришло в голову спать на улице, да еще без спального мешка?! Он точно помнил, что, собираясь на охоту, закинул этот самый мешок в багажник! Почему он лег без него и под открытым небом, а не в машине или палатке?..

Он стал подтягивать ноги и не понял, подтянул или нет и есть ли у него вообще ноги. Потом медленно сел. Перед глазами все плыло и качалось.

Качался какой-то фонарь, плыли кирпичи в каменной кладке, за ними извивались деревья. От качки его сильно затошнило. Андрей взялся за голову. Голова была холодная и огромная, как будто чужая.

Он замычал. Тошнота только усилилась.

Перебирая обеими руками по каменной кладке, он поднялся на ноги, прислонился лбом к стене и постоял немного.

...Я не ездил на охоту. Я ходил в музей. Я сидел в кабинете и рассматривал папки. Больше ничего не помню.

Боголюбов не мог сообразить, где он. Кирпичная стена под фонарем казалась бесконечной. За желтым кругом было темно, и это означало, что пролежал он здесь долго, почти полдня.

Путаясь ногами и придерживаясь за стену, Боголюбов побрел куда-то, но быстро наткнулся на непреодолимое препятствие. Он повернулся и побрел обратно.

...Меня ударили по голове. Я сидел за столом спиной к двери, передо мной лежали папки. Кто-то вошел и ударил меня. А потом приволок сюда.

Стена повернула, и Андрей Ильич повернул вместе с ней. Руку он не опускал. Ему казалось, если опустит, то непременно упадет.

... де я? В катакомбах, в руинах?.. Что с головой? Она цела или развалилась на части?

— ...Смотри, смотри!..

— Это кто там?

— Да вроде новый директор музея! Нализался, что ли?..

— Точно нализался! Ах, москвичи проклятые, одни безобразия от них!

— Тише, может, он слышит!

— Да ничего он не слышит, на ногах не стоит!

— Где я? — спросил Андрей Ильич пустоту, говорившую человеческими голосами. — Помогите мне.

— Пошли отсюда, ну его, — с сомнением отозвалась пустота после паузы. — Может, у него белая горячка!..

И снова тишина.

Кирпичная стена кончилась. Впереди замаячило что-то белое, и Андрей Ильич качнулся вперед к этому белому. Оно оказалось холодным, округлым и широким, и он понял, что это колонна, подпиравшая своды торговых рядов. За ней горели фонари, и по площади ходили люди.

Андрей Ильич постоял немного, унимая тошноту и качание. Нужно добраться до дома. Расколотая голова — бред. Он может стоять и даже кое-как двигаться, значит, голова на месте и более или менее цела. Нужно добраться до дому и сунуть ее под холодную воду. Только и всего.

Шел он долго. В расколотой не до конца голове засела мысль, что никто не должен видеть, как он идет, это казалось сейчас самым важным. Он обходил фонари и время от времени останавливался в темноте под деревьями, отдыхал и закрывал глаза, опасаясь, что его вырвет. Направление он определял по колокольне, на которой горел прожектор, и ему казалось, что он не дойдет никогда. Самым трудным было перейти Красную площадь, но он перешел и не упал и потом долго пытался открыть вертушку на калитке и не помнил, как открыл.

До крыльца он шел уже из последних сил и рухнул на ступени в изнеможении.

— Сейчас, сейчас, — сказал он себе и закрыл глаза. — Я просто посижу немного.

Холодало, и от холода Боголюбову легчало, только руки и ноги сильно затряслись. Высыпали крупные звезды, и между корявыми ветками старых яблонь повисла луна.

...Почему-то собака не бросается и не хрипит. Ах да. Я же ее выгнал.

Он нашарил в переднем кармане ключ, с трудом поднялся, отомкнул дверь и зажег электричество. Свет вывалился наружу. Луна сразу померкла, а звезды совсем пропали.

Чье-то присутствие явственно обозначилось позади — так отчетливо, что зашевелились волосы на разбитой голове. Боголюбов нагнулся — его сильно качнуло, — и схватил топор, прислоненный в углу под дверью.

...Все, хватит. Больше я не дамся!..

И развернулся с топором в руке.

Перед крыльцом в световом конусе сидела собака. Обрывок цепи болтался на шее. Ее, как и Боголюбова, сильно трясло.

— Дура, — сказал ей Андрей Ильич. — Идиотка. Пошла вон!..

Собака отбежала немного, но не ушла. Он вернулся на крыльцо, сел, положил подбородок на топорище и закрыл глаза.

Из темноты за ним наблюдали луна и мерзкая собака.

— Зачем ты вернулась? — спросил Боголюбов у псины. — Ты меня ненавидишь, и я тебя ненавижу. А хозяин твой помер давно.

«Мне некуда идти, — помолчав, ответила собака. — Я в лес собиралась, но глаз не видит ничего».

— В лес! — фыркнул Боголюбов. — В лесу жить надо умеючи! А ты что умеешь? Брехать только и на людей кидаться! Я тоже всю жизнь в Москве прожил, сюда приехал и ничего не понимаю!

«Вот и я в лесу не смогу, — сказала собака. — Волки загрызут, тут волков пропасть. И не уйти мне! Я дом стерегу. Хозяина нет, но дом-то остался. А я на службе. Со службы меня никто не отпускал».

— И я на службе, — согласился Боголюбов. — И никто меня с нее не отпустит. Только я не думал, что на ней могут убить.

«Меня все время хотят убить, — отозвалась собака даже немного залихватски. — Кто ни придет, все повторяют — утоплю, пристрелю. А как я службу брошу?.. Меня охранять взяли. Я охраняю, а меня все убить грозятся».

— Ну и дура, — повторил Боголюбов. — Как тебя зовут-то хоть?

Собака промолчала.

Он поднялся, позабыв, что его голову подпирает топор. Тот упал и сильно загрохотал. Собака отскочила в темноту. Андрей Ильич с трудом спустился с крыльца и, держась рукой за стену, пошел за дом. Взялся за края кадушки, сильно выдохнул и сунулся головой в ледяную воду. Заломило лоб, заложило уши, он выдержал сколько мог, вынырнул и постоял немного. Со лба и ушей холодные тяжелые капли шлепались в кадушку с сочным звуком.

— Вот так-то, — сказал Андрей Ильич и пошел в дом.

В буфете с оторванной дверцей он разыскал эмалированную миску, набулькал в нее молока из бутылки и выставил на крыльцо.

— Пей, — велел Андрей Ильич в темноту. — Подумаешь, на службе она!..

Подхватил с крыльца топор и ушел, позабыв про распахнутую дверь.

На этот раз Боголюбов зашел через парадный вход. Охранник в форме поднялся ему навстречу.

— Доброе утро, товарищ директор!

— Доброе, — согласился Андрей Ильич. — Где Иванушкин?

— В экспозиции, — отрапортовал охранник. — Давно пришли и теперь в экспозиции. Вот сюда, потом направо.

Боголюбов поднялся по широким мраморным ступеням и повернул направо.

Саша Иванушкин с Ниной и московской аспиранткой по фамилии, кажется, Морозова сооружали какую-то композицию. На полу ворохом лежали цветы, какие-то фотографии и большой портрет. Саша ползал на коленях вокруг орехового стола на изогнутых ножках.

— Групп сегодня нет, Андрей Ильич, и мы решили этим заняться, — заговорил он, хотя Боголюбов его ни о чем не спрашивал. — В честь Анны Львовны, так сказать. А стол из интерьерной части принесли.

— Могли бы сами распорядиться, — под нос себе буркнула Нина. — Догадались бы уж!.. Анна Львовна таким человеком была...

На глаза ее навернулись слезы, и она быстро смахнула их тыльной стороной ладони.

— Может, вас в кабинет проводить? Это на втором этаже, — спросил Саша.

Боголюбов со вчерашнего дня и, видимо, навсегда запомнил, где в этом здании находится директорский кабинет!..

— А у вас научное звание какое? — вдруг спросила аспирантка Морозова.

Боголюбов не сразу сообразил, какое у него научное звание.

— А что такое?

— Я монографию пишу, на нее отзыв нужен. Мне
Анна Львовна обещала прислать его из Кисловод-
ска, она же к сыну собиралась! Дадите отзыв, Андрей Ильич?

— Я сначала монографию прочитаю, — мрачно
сказал Боголюбов. — Дадите монографию? Саша,
проводите меня. Где тот зал, помните, в который мы
тогда спустились с Анной Львовной?..

Иванушкин с готовностью поднялся и пошел,
Боголюбов двинулся за ним. Девушки проводили их
глазами.

— Ужас, — выговорила Нина, и слеза все-таки
капнула на ореховый стол. — Почему, почему так бывает?! Вся жизнь теперь пропала!

— Монографию он будет читать, — поддержала ее
Настя. — Что он понимает в древнерусском искусстве, а? Я никогда не слышала такой фамилии — Боголюбов! Ни статей, ни научных работ не читала.

— Да какие работы, Настя! Ты посмотри на него!
Шкаф ходячий! Лодку с мотором на прицепе привез!
Из него такой же ученый, как из меня... спецназо-
вец! Ты когда-нибудь видела ученых, которые на рыбалку ходят?..

Настя подумала. Она видела множество разных
ученых, некоторые из них не только на рыбалку ходили, но еще и с упоением резались в дурака и пре-
феранс по полкопейки, и это никак не умаляло их
заслуг перед наукой, но сейчас говорить об этом не
стоило. Нина всей душой ненавидела Боголюбова,
считала его врагом, и следовало поддержать ее в не-

нависти, а не охлаждать. В конце концов, этот Боголюбов и впрямь нежелательное осложнение!.. Кто его знает, что он за человек и для чего его сюда прислали.

— А дурачок Сашка вокруг него скачет, — презрительно сказала Нина. — Выслужиться хочет! Анна Львовна его в грош не ставила, ни к каким серьезным темам не подпускала! Подумаешь, заместитель по научной части! Она мне обещала, что...

— Что обещала? — спросила Настя, навострив уши.

— Да какая теперь разница! — Нина махнула рукой. — Он работу Пивчика из современного искусства вверх ногами присобачил, когда выставку готовили! Вот клянусь тебе! Заместитель по научной части!

— Может, Дмитрия Павловича попросить? — вздохнув, сказала Настя и взялась за ватман. — Он же все может, у него в Москве связи большие...

— О чем попросить?..

— Ну, чтобы Боголюбова этого убрали.

— А кого назначили?

— Тебя, — выпалила Настя, решив играть всерьез. — Или вон Иванушкина. Мы все-таки его лучше знаем. И он управляемый, дурашка!.. Справимся как-нибудь.

— Если бы Дима мог, он бы ни за что этого назначения не допустил, — печально сказала Нина. — Его ведь не спрашивали! А теперь уже поздно.

— Нинуль, никогда не поздно! И мы же не за себя, мы за дело болеем. Развалится здесь все без Анны Львовны.

— Анна Львовна умерла, и ее больше никогда не будет, — вздохнула Нина, и Настя перепугалась, что она заплачет.

Настя терпеть не могла слез, утешать не умела, чужие страдания считала проявлением слабости и сама никогда не страдала.

— Можно коллективное письмо написать, — быстро предложила она, чтобы отвлечь Нину. — Работники музея против нового директора!. Слушай, а он вчера на поминках так и не появился, да?

— Еще не хватало, — проборматала Нина и все-таки всхлипнула. — Какие поминки!.. Его и с кладбища нужно было выгнать, не хотелось только при Анне Львовне скандал затевать.

— Странно, что она умерла. Вроде нормально себя чувствовала.

— Ничего не нормально!.. Она каждый день Сперанскому говорила, что у нее сердце не выдержит. И не выдержало!

— Слушай, а может, Сперанский напишет!

— Кому он напишет?

Настя подумала немного.

— Президенту, — выпалила она и округлила глаза. — А что? Сейчас такое время, все пишут президенту!..

— Вот зачем он в тот зал пошел, где все случилось? — И Нина с ненавистью посмотрела в сторону высоких двустворчатых дверей. — Что ему там понадобилось, а? Этот зал вообще надо закрыть на время!

Словно отвечая на это, из «того» зала показался Саша Иванушкин и тихонько, одну за другой, прикрыл обе двери.

Девушки посмотрели друг на друга, и Настя пожала плечами. Нина поднялась, осторожно подошла и приложила ухо к щели двери.

Боголюбов по ту сторону изучал портреты в овальных рамах.

— Может, вам рассказать, чьи это работы? Верхний ряд Неврев, Каменев, затем Корзухин...

Андрей Ильич перебил Сашу:

— Это давняя экспозиция? Или новая?

— Нет, нет, давняя, Андрей Ильич! Тут не все художники наши земляки, конечно, но большинство. Да я могу вам рассказать...

— Здесь ничего не трогали и не меняли?

Александр Иванушкин посмотрел на стену с интересом, как будто проверяя, меняли или нет, и пожал плечами. Он вообще любил пожимать плечами, Боголюбов это заметил.

— Не трогали и не меняли. Анна Львовна тут сама экспозицию составляла, и это было очень давно, насколько я знаю. Еще до меня. А что у вас на шее, Андрей Ильич? Ободрались?..

На шее у него была царапина такого размера, что пришлось раскопать в вещах водолазку, чтобы не сойти за повешенного, который в последнюю секунду сорвался. Боголюбов повел шеей, провел пальцем под воротником, отступил на шаг и еще посмотрел.

Скорее всего, здесь действительно ничего не трогали и не меняли.

...Она стояла вот тут, где сейчас стою я. Возле стены с портретами лениво и неохотно собиралась тянувшаяся с лестницы группа, которой надоело слушать нудную Асю, смотревшую в пол. Впрочем, когда появилась Анна Львовна со свитой, Ася взволновалась так, что у нее нос покраснел. Чего она испугалась? Старого начальства, которое должно было показывать музей новому? Или чего-то еще? Как узнать?..

...Она стояла вот здесь, а мы все были чуть впереди. Нина, Иванушкин и Саутин слева. Я прямо перед ней. Прямо перед ней... Она что-то увидела. Или кого-то!.. Сказала: «Не может быть» — и умерла.

...Слабое сердце, удар — все это возможно. Но накануне в дом старого директора забрался вор. Или не вор, а неизвестно кто, и собака не лаяла. А в день похорон меня чуть не убили в этом прекрасном, ухоженном, дивном провинциальном музее. Как связаны смерть Анны Львовны и все эти события? И вообще, связаны они или нет?..

— Что вы там хотите разглядеть, Андрей Ильич?

— У кого есть ключи от служебного входа?

— В каком смысле?!

Боголюбов вздохнул.

— В прямом. У кого ключи?

Саша пожал плечами.

— У всех. А как же иначе? У нас штат крохотный, вдруг кто заболеет или в отпуске? У меня есть ключ, у Нины, у Аси Хромовой. Даже у Василия есть на всякий случай!

— Кто такой Василий?

— Сторож наш! Он же истопник. Вы его еще не видели, он в прошлую пятницу запил... некстати.

— Он алкоголик? И у него есть ключи от музея?!

— Андрей Ильич, поймите правильно! Он хоть и пьющий, но честнейший человек, правда! Кристальный! И у него обязательно должны быть ключи, потому что сигнализация иногда сама по себе срабатывает, а старый директор про нее вообще забывал! Группа приезжает, и как быть, если у сторожа ключей нет?..

— Не знаю, — буркнул Боголюбов. — Я только знаю, что здесь у вас ценностей на многие миллионы.

— Так у нас охранная сигнализация новейшая!

— Кто имеет право снимать музей с новейшей сигнализации? Только не надо уточнять, в каком смысле!

Саша, как раз собиравшийся уточнить, моргнул.

— Да мы все имеем, Андрей Ильич, — ответил он виновато. — У кого ключи, тот и с сигнализации снимает. Нет, бабушки-смотрительницы права не имеют, конечно, а мы...

— Кто вчера снимал?

Боголюбов был уверен, что сейчас Иванушкин дрогнет и выдаст себя — если знает, конечно!.. — и он поймет, врет Саша или нет. Андрей был уверен, что врет Саша плохо, неумело.

— Вчера похороны были, — сказал Иванушкин. — Здесь не было никого. Никто не снимал.

Боголюбов точно знал, что снимали, да еще как!..

— А почему вы спрашиваете? Похороны, да еще и понедельник, никого здесь не могло быть!

— Это очень просто проверить, — сказал Боголюбов. — Позвонить в охрану, и они скажут.

— Можно и позвонить, — легко согласился Саша, — только не было в музее никого. Все пошли на кладбище, а потом на поминки.

Боголюбов еще посмотрел на стену с портретами, широкими шагами направился к высоким дверям и распахнул их. Нина с той стороны отпрыгнула и чуть не упала.

— Вы вчера не снимали музей с охраны? — вежливо спросил Боголюбов.

Нина с ненавистью смотрела на него.

— Я вчера похоронила любимого учителя и близкого человека, — выпалила она ему в лицо. — И если бы вы не прикатили, она была бы жива и здорова!

— Нина!.. — одернул ее Саша.

— А ты выслуживайся, выслуживайся! Может, к майским праздникам премию выпишут за лизоблюдство!.. И ты еще пару полотен вверх ногами повесишь!

Она повернулась и побежала по белому залу с колоннами. При виде колонн Боголюбова затошнило.

Он поднялся на второй этаж и уставился в окно на клумбу, похожую на бело-голубое облако.

— Извините ее, Андрей Ильич. На самом деле никто не думает, что вы виноваты...

— В каком смысле? — уточнил Боголюбов. — На самом деле все думают, что как раз я виноват! Где картина, которую преподнес Анне Львовне писатель?

— Я не знаю, — ответил Саша с изумлением. — Должно быть, у нее дома.

— Я хочу взглянуть на портрет.

— Зачем?!

Боголюбов усмехнулся.

— Из эстетического интереса, Саша! Это можно устроить?

— Не знаю, Андрей Ильич. Анна Львовна жила одна, пока сын не приедет, к ней в дом заходить нельзя, наверное...

— У вас есть ключи? Или у кого они есть? У всех, как водится?..

— У меня нет, — твердо сказал Саша. — Может быть, у Нины или у Алексея Степановича! А у меня нет.

— Кто такой Алексей Степанович?

— Сперанский, писатель!

— Да, да, — согласился Боголюбов, глядя в окно. — Знаменитый, я вспомнил.

Длинная черная тень прочертила клумбу с первоцветами, мрачная фигура выступила на свет. Боголюбов сорвался с места и побежал по лестнице вниз, чуть не падая на ковровой дорожке.

— Андрей Ильич, вы куда?!

Боголюбов выскочил на площадь перед музеем, зажмурился от солнца и вбежал в распахнутые чугунные ворота. Убогая — как же ее зовут?! — неторопливо обходила цветочное облако.

— Постойте!

Она оглянулась и остановилась. Боголюбов подбежал. От резких движений колотило в висках, и голова как будто опять немного треснула.

— Как вы вчера сюда попали? Я видел вас в окно! Ворота были закрыты, калитка тоже! Как вы прошли?

Убогая постояла немного и двинулась дальше. Боголюбов схватил ее за руку.

— Вы не понимаете меня? Как вы вчера здесь оказались?

— Андрей Ильич, — выговорил подбежавший Саша, — что случилось?

— Вот это, — убогая нагнулась и потрогала нежные лепестки, — мышиные слезы. А это крокусы. Кудрявчики — гиацинты. Беленькие — подснежники. А тюльпанов еще нет. Тюльпаны только пролезают.

— Я вчера вас здесь видел. Как вы попали в парк?..

— Уезжай, — равнодушно сказала убогая. — Может, еще успеешь.

И скорой походкой двинулась в сторону темневших на ярком солнце деревьев. Боголюбов двинулся было за ней, но Саша его удержал.

— Что вы, Андрей Ильич? Она не в себе!

— Насколько не в себе? Вчера она здесь разгуливала, а ворота и калитка были заперты! С той стороны бетонный забор с колючкой, а с другой лес и речка! Как она попала в парк?

— С чего вы взяли, что она попала!

— Я ее видел! Из окна, как сегодня!

— Вы вчера были в музее? Как вы вошли?

— Дверь была открыта! — заорал Боголюбов. — Служебный вход!.. Я зашел, а эта Евпраксия разгуливала по парку!

— Ефросинья, — машинально поправил Саша. — Это совершенно невозможно. Каждую весну Анна Львовна...

При упоминании этого имени Боголюбов застонал, а Саша продолжал с недоумением:

— ...непременно нанимает людей, чтобы обошли забор и заделали все дыры. Так повелось с тех пор, как туристы костер разложили и несколько деревьев погибло, они сгорели. Столетние липы! Музей в пять закрывается, сторож обходит парк, всех просит на выход, и так до утра. В выходные парк закрыт, Андрей Ильич.

Тут он посмотрел на Боголюбова как-то жалостливо и придвинулся поближе:

— Может, вам... показалось просто? Вы когда возле решетки гуляли, во сколько?

— Я не гулял, — выговорил Боголюбов сквозь зубы. — Я видел эту вашу Ефросинью со второго этажа из окна. Это она гуляла по парку!..

Саша засмеялся.

— Ну нет, это невозможно.

Тут Боголюбов вдруг сообразил.

Он вернулся к служебному входу, прошел коридорчик с лестницей, толкнул противоположную дверь и оказался во внутреннем дворе почти перед клумбой.

...Вот так она и зашла. Она просто открыла двери. Видимо, тот, кто ударил меня по голове и чуть не убил, тоже был на улице. По крайней мере в помещении его не было! Он вернулся, застал меня в директорском кабинете и ударил. Или это она ударила, убогая Ефросинья? Боголюбов огляделся, как бестолковая охотничья собака, потерявшая дичь. Следы? Какие здесь могут быть следы?!

Он ворвался в помещение и нос к носу столкнулся с Иванушкиным.

— Я вчера пришел сюда, — сказал он Саше. — Эта дверь была открыта, а ту я не проверял. Я поднялся на второй этаж. Директорский кабинет тоже был открыт.

— Как?!

Боголюбов взбежал по ступеням и вошел в кабинет. Там ничего не изменилось, только не было на столе белого кувшина с первоцветами. Папки с тесемками по-прежнему лежали в несгораемом шкафу. Боголюбов вытащил папки.

— Весь архив у меня в том кабинете, — сообщил Саша, вошедший следом, и махнул рукой куда-то в сторону. — Анна Львовна отдала, когда стала собираться. Какие-то незначительные бумаги у нее остались. Вы личные дела будете изучать? Я принесу.

Но Боголюбову было не до личных дел сотрудников. Он быстро перебирал папки.

Папка с надписью «Ремонт», папка с надписью «Личные дела»... Фанера первой категории!.. Зеленая папка, которую он едва успел открыть, исчезла!

— А зеленая? — беспомощно спросил он у Саши. — Здесь совершенно точно была еще одна, зеленая!..

Саша посмотрел на него и пожал плечами, но спрашивать «в каком смысле?» не стал.

Боголюбов сел в неудобное жесткое кресло с высокой спинкой и еще раз переложил туда-сюда папки.

— Мне нужно увидеть картину, которую подарили Анне Львовне, — сказал он наконец. — Устройте мне это.

— Да я даже не знаю...

— В каких отношениях она была с покойным директором?

Саша немного приободрился. Похоже, за последние полчаса он из нейтральной полосы значительно продвинулся в сторону противника, вот-вот окажется по другую линию фронта!.. Уж очень странно ведет себя новый начальник. Странно и подозрительно.

— Анна Львовна со всеми умела ладить, — сказал Саша и пристроился напротив. На этом стуле сидел Боголюбов, когда его ударили по голове. — И с директором она ладила прекрасно! Он ее уважал и с ней считался.

— Он признавал за ней первенство во всех вопросах?

— В каком смысле?

...Опять, что ты будешь делать?!

— Анна Львовна устраивала выставки, принимала иностранцев, гостей из Москвы и была лучом света в темном царстве, — неприятным тоном перечислил Боголюбов. — С ней все дружили, ее все любили. О том, что в музее до последнего времени был директор, никто и не вспоминал! И его такое положение устраивало?

— Наверное, — ответил Саша. — Я как-то не задумывался.

...Ты врешь, холодно подумал Боголюбов, вот сейчас совершенно точно врешь. Зачем? Что я такого спросил?

— Чем он занимался при ней?

— Да я как-то даже... и не знаю. Он научные работы, кажется, писал. В специализированные журналы. Рисованием увлекался, у него мастерская дома была и телескоп. Телескоп потом родственники забрали. У него дочь взрослая и внуки. В Ярославле живут.

— То есть он отдыхал, Анна Львовна трудилась, и это всех устраивало?

— Похоже на правду. Нет, он ее любил! Ее все любили! Он всегда с ней советовался, никаких серьезных решений без нее не принимал...

...Он принял одно очень серьезное решение, подумал Боголюбов. И ни словом не обмолвился о нем Анне Львовне.

— Если приезжало московское начальство, он старался на Анну Львовну все переложить, да она никогда и не возражала. Так всем было удобнее!.. Она в курсе дела была, а он... не очень. Он отпуск всегда полный брал, и академический тоже. Ему ведь академический отпуск полагался! И получалось, что его месяца по три на службе не бывало.

— Где он был? На курорте?

— Ну что вы, Андрей Ильич! Это из Москвы все повально на курорты едут, там у вас жизнь уж очень утомительная, устаете сильно. А здесь все попроще. Сады да озера. Все на месте отдыхают, так сказать, в родных пенатах.

— Директор в пенатах отдыхал по три месяца?

— Ну конечно! Он рыбак был знатный, с Модестом Петровичем на пару, грибы-ягоды тоже любил собирать. Варенье варил самое лучшее в городе. Да у вас в подполе земляничное осталось, родственники не стали забирать, я вам достану. Сока яблочного полно, у нас тут сады...

— Я варенья не ем.

— Если что-то надо подписать или еще какое-то срочное дело, к нему на дом бумаги приносили, ну и все. Анна Львовна прекрасно руководила, а он во всем ее поддерживал.

...Не во всем, подумал Андрей Ильич. По всей видимости, старый директор тоже врал, только вот непонятно когда. Когда во всем соглашался с Анной Львовной или уже потом?..

— Что держали в зеленой папке? Здесь вчера была зеленая папка, довольно увесистая, я ее видел своими глазами. Какие в ней хранились бумаги?

Саша виновато пожал плечами — он не знал.

В распахнутую дверь постучали костяшкой согнутого пальца, и на пороге появилась Настя Морозова, вид постный.

— Извините, пожалуйста. Саша, Нина хочет домой уйти и просит, чтобы ты подошел.

— Он подойдет, когда я его отпущу, — отрезал Андрей Ильич. — Сейчас мы заняты.

Настя моментально скрылась.

— Зря вы так, Андрей Ильич. Все нервничают и беспокоятся...

— Я тоже нервничаю, — заявил Боголюбов. — И беспокоюсь!.. Где ваш кабинет, куда перенесли весь архив? Проводите меня!

Сашин кабинет, заваленный бумагами, оказался за стеной. Папки, конверты, кипы и кучи бумаг громоздились на столе, на подоконниках и стульях. Боголюбов огляделся. На поиски зеленой папки уйдет месяц, не меньше!.. Впрочем, если ее вчера забрал Саша, ударив Боголюбова по голове, вряд ли она найдется в его собственном кабинете!

Андрей Ильич присел на корточки перед одним из стульев и стал безнадежно перекладывать картонки. От них летела пыль и хотелось чихать.

— Давайте я тоже поищу, — предложил Саша. — Только вы мне скажите, что именно.

— Зеленую старомодную картонную папку с тесемками! В ней были какие-то документы, очень много.

Саша сунул ему под нос одну.

— Не эта?

На папке было выведено «Боровиковский, даты и факты». Боголюбов оттолкнул ее рукой и сел на пол, спиной к стене. В голове у него гудело.

— Давайте отложим зеленые и потом их посмотрим как следует, Андрей Ильич. Так, наверное, быстрее будет...

— Александр Игоревич, я ухожу домой, — объявила с порога Нина. — Я очень плохо себя чувствую. Если понадобится больничный, я вам его предоставлю.

Боголюбов рылся в папках и никак не отреагировал. Иванушкин покосился на него.

— Ну-у-у, — протянул Саша, — иди, конечно, Нин. И не придумывай ты ничего. Не нужны мне никакие больничные...

— Нет, все должно быть по правилам, — отчеканила Нина. — Отныне и навсегда.

— Хорошо бы, — под нос себе пробормотал Боголюбов. — Хорошо, если отныне и навсегда все будет по правилам.

— Я не буду с вами работать, — заявила Нина. — Я хочу уважать себя. Я все равно не смогу выполнять ваши... ценные указания. У меня свои правила и представления. Мне их привила Анна Львовна, и я...

Боголюбов отложил папки и потянул на колени следующую кипу.

— Да вы не трудитесь так-то уж, — сказал он, поднял голову и поморщился, так стало больно в затылке. — Я зафиксировал, что вы меня ненавидите, работать со мной не желаете, будете жить по своим правилам. Окружающие тоже зафиксировали, и достаточно. Вы переигрываете!.. Или у вас в сценарии так написано: девушка Нина отвлекает нового директора своей жгучей ненавистью? Если так, от чего вы меня отвлекаете?

Нина вдруг залилась краской так, что даже уши загорелись, тяжело задышала и выскочила из кабинета. Иванушкин проводил ее взглядом.

— Не нужно сейчас у меня спрашивать, в каком смысле она переигрывает. — Боголюбов не дал Саше рта раскрыть. — Вы же не идиот!.. Она устраивает показательные выступления с самой первой минуты, как мы встретились в «Монпансье» у Модеста. Это видно невооруженным глазом. Она действует согласно сценарию. Кто автор сценария? Ну?..

Саша поднял брови и неловко почесал шею под тесным воротником клетчатой рубашки. Боголюбов мог дать на отсечение свою больную голову, что ему вдруг стало весело. Что такое?..

— А может, она на самом деле... вас ненавидит?

Боголюбов поморщился, перебирая папки:

— Бросьте. Вы все участвуете в заговоре, это очевидно. Каждому определены роли. Ты тихой сапой втираешься ко мне в доверие. Нина каждую минуту заявляет, что она меня ненавидит. Настя Морозова пытается поставить меня в неловкое положение, и желательно публично. Про остальных я пока не понял. Я спрашиваю: сценарий чей?

— Не мой, — быстро ответил Саша.

— Но сценарий есть, — подытожил Боголюбов, и Иванушкин промолчал.

Боголюбов, привыкший действовать методично и со слоновьим упорством, перебрал все папки до единой и, конечно, не нашел той, пропавшей из директорского кабинета, зато, ползая по полу между бумажными завалами, оказался прямо перед мусорной корзиной, стыдливо задвинутой в самый угол.

В корзине лежал привядший букет первоцветов. Этот букет стоял на столе у директрисы, когда Андрей Ильич вчера зашел в ее кабинет.

Выходит, Саша забрал его и выбросил? Интересно, зачем?..

Знаменитый писатель А. С. Сперанский жил на окраине города в старинном особнячке.

Это был именно особнячок с тремя деревянными колоннами, поддерживающими портик, закругленными ступенями широкого крыльца — по обе стороны круглые, чуть взявшиеся зеленеть кусты. На первый взгляд Боголюбов оценил дату постройки примерно началом двадцатого века. Все окрестные дома были самыми обыкновенными, деревенскими, не слишком ухоженными. За заборами брехали и звенели цепями собаки.

Андрей Ильич взошел на крыльцо и постучал в часто переплетенную раму стеклянной двери.

Довольно долго ничего не происходило, и Боголюбов решил, что писателя дома нет. Саша Иванушкин отговаривал его от неурочного визита, утверждал, будто писатель этого не любит, просто терпеть не может, и сопровождать Андрея Ильича наотрез отказался.

Он еще раз постучал, посильнее, и даже подергал хлипкую дверь.

...Должно быть, в этом городе на самом деле не происходит ничего криминального — дверца, как в сказке, сама и откроется, если на нее поднажать хорошенько. И впрямь, должно быть, хулиганствующие элементы всем скопом отбыли в Москву!.. Саша сказал, что им там веселее и простору больше.

— Что вам нужно? — так неожиданно и громко спросили из-за двери, что Боголюбов, собиравшийся уходить, вздрогнул в изумлении.

— Алексей Степанович, я на минутку! Это Андрей Ильич, новый директор музея!..

— Я вас не звал.

— Ничего страшного! — прокричал Боголюбов жизнерадостно. — Я без приглашения явился!..

За дверью подумали.

— Работать не даете, ей-богу...

И дверь распахнулась.

Почему-то Боголюбов был уверен, что писатель Сперанский встретит его в халате с кистями и персидских туфлях. Лицо, представлялось Боголюбову, непременно желтое и отечное, под глазами мешки, перегаром несет так, что рядом стоять нельзя, — по идее, писатель должен в данный момент заливать горе.

Алексей Степанович был в джинсах и футболке, довольно мрачен, но абсолютно свеж, ни перегара, ни мешков, ни даже персидских туфель.

— Проходите. Вон направо, в столовую.

— Да я ненадолго, — неизвестно зачем промямлил Андрей Ильич.

В тесной и темной передней стояли старинная вешалка с перекладиной — за перекладину предполагалось засовывать полы шуб и пальто, чтобы не торчали, — полосатая кушетка и табурет, о который Андрей Ильич немедленно споткнулся. Табурет загрохотал.

В столовой, выходившей окнами в сад, было светлее. Стены сплошь увешаны картинами, на удивление однообразными, и, пожалуй, Андрей Ильич даже узнал руку художника.

— У вас дело или просто визит вежливости? — спросил Сперанский нетерпеливо. — Если визит, прошу меня извинить, я не готов.

И оглянулся на распахнутую дверь, за которой виднелся письменный стол, заваленный какими-то бумагами. На самом деле работает, что ли?..

— Алексей Степанович, — начал Боголюбов проникновенно, — не сердитесь на меня. Я устал уже — все на меня сердятся!

Сперанский криво усмехнулся.

— Я бы хотел взглянуть на картину, которую вы в пятницу преподнесли Анне Львовне. Как мне это сделать?..

— Зачем вам?

К этому вопросу Андрей Ильич подготовился заранее:

— Я у вас человек новый. Приехал надолго и с совершенно определенной целью.

— Какой же?

Боголюбов развел руками:

— Как?.. Возглавить музей и способствовать его, так сказать, процветанию.

Сперанский кивнул, принимая его объяснение.

...Я тебе не верю, не надейся, вот что означал его кивок, но правду ты все равно не скажешь, так что сделаем вид, будто так оно и есть.

— Я раньше никогда не бывал в ваших краях, местной специфики не знаю. Анна Львовна собирала картины вашего отца, так ведь? Ценила их и восхищалась ими. А я ничего не знаю о таком художнике! Мне бы хотелось изучить, понять его творчество. Он же здесь работал, в городе?..

Сперанский оценивающе посмотрел на Боголюбова. Андрей Ильич сомневался, не переигрывает ли на манер девушки Нины или то, что он говорит, звучит убедительно, сценического опыта у него не было никакого. На всякий случай он улыбнулся Сперанскому и попросил кофе.

— Кофе я сейчас сварю, — сказал тот, — а картины отца здесь кругом. Можете пока изучить.

И показал рукой вокруг себя. Андрей Ильич кивнул с благодарностью и уставился на стену. Сперанский вышел и плотно прикрыл за собой дверь.

Боголюбов некоторое время смотрел ему вслед, потом прислушался. За толстыми стенами старого дома расслышать ничего было невозможно. Он вздохнул, повернулся к картинам и стал внимательно их рассматривать.

То, что все они написаны одной рукой, не вызывало никаких сомнений. Андрей Ильич колупнул краску и понюхал холст.

...В основном пейзажи и портреты. Портреты крестьян и крестьянок, то есть колхозников и колхозниц. Вот колхозники в поле, вот они же на току, вот на фоне красного знамени, позади трактор. Пейзажи смотреть было веселее. В основном, конечно, осень и ненастье — именно осенью и в ненастье среднерусская природа делается особенно унылой и прекрасной, милой сердцу каждого. Березка в поле, по небу плывут свинцовые тучи. Всклокоченная от дождя речка, на берегу плакучие ивы. Солнечный день, зеленые елки и разноцветный кряжистый дуб — контраст между умиранием и продолжением жизни, надо понимать. Городской пейзаж тоже был широко представлен. Собор с колокольней, ракурс такой, как будто памятник Ленину поставлен прямо перед нею — должно быть, шутка художника, столкновение идеологий, так сказать. Вот обличитель попов и борец со всяческим «опиумом для народа», а прямо за ним колоколенка — триста лет стояла и еще столько же простоит! А вон и собственный Андрея Ильича домик, а за ним сад, яблони в цвету. Здание музея, чугунные ворота в завитушках, копья решетки жарко горят под солнцем.

Боголюбов оглянулся на дверь.

...Таких картин сколько угодно именно в провинции, где жизнь нетороплива и бессуетна. Такие картины учат писать в изостудии при Доме пионеров. Они могут быть чуть лучше или чуть хуже, по мере таланта живописца, но в них нет ничего особенного, великого, гениального!.. Анна Львовна, искусствовед и тонкий ценитель, не могла этого не понимать и все-таки пришла в неописуемый восторг, когда Алешенька, писатель Сперанский, преподнес ей бородатого мужчину с косой. В чем тут дело?.. Ее и отца Сперанского что-то связывало? Некие личные мотивы, воспоминания, может, давняя любовная история? Как узнать?

И еще. Андрей Ильич решительно не понимал, как теперь быть — восхищаться или сказать как есть? Они все — все до одного! — что-то скрывают, прячут от него, путают следы, отвлекают, как Нина с ее показательной ненавистью. Если поспешить, они станут прятать еще старательней, и тогда он, Боголюбов, никогда ничего не поймет!..

Сперанский возник на пороге с подносом в руках. Его он держал за витые серебряные ручки. Поднос, как и весь особнячок, был настоящий, старинный, правильный.

...А сам писатель? Настоящий?

Андрей Ильич взял предложенную чашку с полустертыми вензелями и спросил:

— Анна Львовна и ваш отец дружили?

Алексей Степанович усмехнулся:

— Картины вас удивили, да?.. Вы ожидали увидеть шедевры?

Боголюбов посмотрел на него внимательно.

— Мой отец не Рокотов и не Левицкий! Он был просто очень хороший художник, писавший исключительно наши места. Вы не поймете, конечно, со своим московским менталитетом, но для всех нас это очень важно. И Анна Львовна ценила его именно за это.

— Чего я не пойму... со своим менталитетом? — уточнил Боголюбов.

— Да ничего не поймете, — грубо сказал Сперанский и чашкой показал на стену. — Не шедевры, конечно, но зато честные и приятные глазу работы, которые художник посвящал родной земле и своим корням.

— Ну, это-то немудрено понять, — пробормотал Андрей Ильич.

— Мудрено-немудрено, но никто не понимает! А те, кто понимал, потихоньку вымирают. Скоро все перемрут, никого не останется! Вот Анна Львовна ушла... Вы откуда родом?

— Из Москвы, — удивился Боголюбов.

— Нет, это вы приехали из Москвы! А родились где? В Пензе? В Тамбове?

— В Потаповском переулке я родился, — ответил Андрей Ильич. — Это если по Маросейке ехать, налево надо повернуть, знаете?.. Там еще поблизости костел и синагога. Так сказать, свобода вероисповедания! В праздники народ со всей Москвы собирается.

На этот раз удивился Сперанский:

— Надо же! А я был уверен, что вы, как и все, покинули родные места в поисках лучшей доли.

Андрей Ильич засмеялся:

— Все правильно! Я и покинул. Из Москвы сюда приехал, жить здесь собираюсь!

...Ну, если не прикончат, пронеслось в голове. Один раз уже пытались, видимо, будет и второй. Двери вы не запираете, ключи от музея есть у половины города, местных художников почитаете, все это так. Но среди вас есть кто-то, готовый убивать и уже совершивший попытку. Как мне с моим московским менталитетом понять, кто из вас ее сделал?..

— Нынче жить там, где родился, не принято, — продолжал Сперанский. — Считается, что жить можно только в Москве и Питере. Москва — порт пяти морей и город великих возможностей!.. Все мальчики и девочки взапуски мчатся в Москву. Да что мальчики! Взрослые люди едут, и все за возможностями. Не хватает им возможностей!

— Знаете, — сказал Боголюбов, которого занимал разговор, — я с детства не понимал песню «Снится мне деревня», помните такую? Ну, про лужок, про то, что «печеным хлебом пахнет в доме нашем и бежит куда-то под горой река»?

Сперанский пожал плечами.

— Я никак не мог понять, в чем дело!.. Если в деревне человеку было так хорошо, какого лешего его понесло в город, где ему так плохо, что он об этом даже песню сложил?

— За возможностями! — с силой произнес Сперанский. — Ведь он в городе песню-то сложил. Про деревню. В городе есть все возможности для творчества, а в деревне никаких. Человеку нужны возможности! В большинстве случаев он сам не знает, какие именно и зачем, но просто необходимы! А мой отец никогда никуда не рвался, и за одно это его можно уважать. Хотя он был человек не без способностей, как и тот, по всей видимости, который песню про деревню придумал.

— Но песню услышали миллионы, я вот даже слова помню, а вашего отца так никто и не знает.

— Хорошо, а если бы миллионы не услышали песню про деревню?.. Это что-то серьезно изменило бы в их жизни?

Андрей Ильич не знал.

— Моего отца почитал и любил небольшой круг людей, и этого ему было достаточно. Он жил, как хотел и как считал нужным, а не как ему предписывали правила соревнования за успех! Вы ведь все там, в вашей Москве, соревнуетесь за успех. Участвуете в забеге.

— Далась вам моя Москва, Алексей Степанович!

— Мне-то она не нужна, — твердо сказал Сперанский и посмотрел на картины, как показалось Боголюбову, с грустью. — Я туда не собираюсь. Но если бы вы знали, сколько от нас молодых уехало! И еще уедет!.. И все — за возможностями! Мой отец прекрасно знал цену своим способностям и возможностям. И делал дело, только и всего.

— Анна Львовна любила вашего отца или все-таки его картины?

Тут писатель Сперанский как будто с силой захлопнул дверь перед любопытным носом Андрея Ильича.

— Она ценила его работы, — произнес он совершенно другим тоном. — И уважала его личность. У вас еще какие-то вопросы? Мне работать надо.

Андрей Ильич поспешно извинился за вторжение, похвалил кофе, еще, сколько было прилично, посмотрел на картины, подал свою визитную карточку со всеми телефонами. Сперанский нетерпеливо дергал головой.

— А ваши книги есть в городской библиотеке? — с фальшивой заинтересованностью спросил Андрей Ильич уже на крыльце. — Я бы с удовольствием почитал.

Сперанский помедлил.

— Да зачем в библиотеке, — сказал он с досадой, как будто Андрей Ильич собирался не читать его книги, а занять у него денег, — сейчас, минутку.

Следом за ним Боголюбов неслышным шагом прошел по узкому коридору и заглянул в кабинет.

Роскошный письменный стол был завален бумагами, и это были бумаги явно... делового человека, а вовсе не писателя. По крайней мере, как это представлялось Андрею Ильичу. Ни книг, ни справочников, ни рукописей. Повсюду файловые папки, какие-то таблицы, похожие на бухгалтерские, счета на желтой бумаге и компьютерные диски. Сперанский оглянулся, и они встретились глазами.

— Автограф дадите? — спросил Андрей Ильич, чтобы что-нибудь сказать.

Писатель распахнул книгу и что-то быстро написал.

— Спасибо! Я обязательно прочитаю!

— Можете не трудиться. Уже достаточно политеса — вы попросили книгу, я дал вам автограф. Все по правилам!

Андрей Ильич с книгой в руке вышел на улицу в весну, солнце и теплый воздух.

— Погода-то! — сказал он с дорожки. — Вчера было еще холодно, а сегодня уже совсем лето!.. Помните у Толстого? Пасха была на снегу?.. Когда в этом году Пасха, не помните?

— Всего доброго, — попрощался Сперанский и захлопнул дверь.

Андрей дошел до калитки, вышел и посмотрел по сторонам. Никого не было на тихой и чистой улице, только в отдалении фырчала машина и дядька в кепке вытаскивал с прицепа длинные громыхавшие доски.

...Все не так. Все неправильно!.. Тот Сперанский, который преподнес Анне Львовне шедевр своего отца, был совершенно другим человеком! Он по-другому выглядел, по-другому держался, по-другому говорил. Он говорил «фигу с маслом», называл Боголюбова «юношей», а Анну Львовну «голубушкой» и тогда полностью соответствовал роли барина, уездной знаменитости и всеобщего любимца. Сегодняшний Сперанский был мрачен, сдержан, деловит и толковал о возможностях, которые так и не реализовал его отец, и до конца непонятно было, гордится он им, осуждает или завидует.

Боголюбов открыл книгу. На первом листе стояли размашистая подпись и дата, больше ни слова. Он перелистнул на середину и прочитал наугад: «Я всегда опасался подлости и предательства, этих неизменных спутников любой благородной человеческой натуры. Натура благородная не умеет различать предателей и подлецов, ибо сама ни на что подобное не способна».

Андрей Ильич захлопнул книгу, оглянулся на дом в зеленоватой дымке распускающихся деревьев и вернулся на участок писателя.

Стараясь не шуметь, он поднялся по широким ступеням и осторожно потянул на себя холодную дверную ручку. Он точно знал, что Сперанский не поворачивал замок.

— ...только что, — говорил Алексей Степанович в глубине дома. Голос его звучал глухо. — Картины его интересовали!.. Говорю тебе, он догадался! Как, как, не знаю как!.. А тогда почему картины?! Ну и что?! Да я не психую!.. Не знаю. Не знаю, говорю, надо думать!.. Только быстрей, иначе поздно... Подожди, у меня дверь открылась. Подожди секунду!

Боголюбов неслышным шагом ринулся обратно, скатился с террасы, сиганул в сторону, понимая, что бежать ему некуда — весенний прозрачный сад, залитый солнцем, как на ладони, — и спрятался за круглым густым кустом. Сердце колотилось в горле, и голова опять как будто треснула в том месте, где его вчера ударили.

Сперанский выглянул на улицу, посмотрел по сторонам и скрылся. В замке повернулся ключ. Андрей Ильич под кустом переместился — так, чтобы его не заметили из окна, — еще немного посидел, а потом быстро ушел.

На его собственном участке с утра многое изменилось. Иглами пролезла молодая трава — когда Андрей Ильич уходил на работу, не было никакой молодой травы, — ожила и повеселела сирень перед крыльцом, и старые яблони уже не казались умершими, а, наоборот, приободрились и расправились.

— Вот молодцы, — сказал яблоням Боголюбов.

Он разыскал в сарае грабли с длинной, как будто отполированной ручкой и стал сгребать прошлогодние листья. Андрей Ильич сгребал листья и думал, и то, о чем он думал, пугало его.

Вскоре посреди участка получилась огромная куча, и Андрей Ильич, с непривычки тяжело дыша, оглянулся в поисках ржавой бочки. На таких участках обязательно должна быть ржавая бочка без дна, установленная на кирпичи. В бочке жгут листья, ветки и всякий мусор. Бочка оказалась в самом углу, возле штакетника, и Андрей Ильич стал охапками носить и утрамбовывать в ней листья.

Откуда-то явилась его припадочная собака, остановилась в отдалении и стала смотреть, как он носит листья.

— Помогай, — велел ей Боголюбов. — И так целый день без дела болтаешься!..

Собака неуверенно шевельнула хвостом, и это движение так поразило Боголюбова, что он даже приостановился с ворохом листьев в руках.

— Ну ты даешь! — оценил он. — Собака — друг человека, да?..

Довольно много времени он потратил, пытаясь поджечь содержимое бочки. Он прыгал вокруг нее на корточках, как павиан, становился на колени и дул бочке в дно — зола летела ему в лицо, он жмурился и отворачивался, — просовывал между кирпичами горящие спички и осторожно клал на слабый огонек, почти не видный в солнечном свете, сухие прутики. Ничего не помогало! Бочка была безучастна. Тогда он раскопал в сарае плотную стопку старых газет и извел примерно половину, прежде чем огонь наконец разгорелся. Затрещали ветки, повалил белый дым, над ржавым краем заструился горячий воздух.

Андрей Ильич вытер лоб. Пожалуй, в Москве, городе невиданных возможностей, он совершенно разучился жить человеческой жизнью, грести листья, к примеру, от элементарных размеренных движений начинал задыхаться; разжигать огонь — вон сколько у него на это ушло времени и усилий!..

Боголюбов лег на спину на сухой островок рядом с бочкой и стал смотреть в небо. Это у него тоже получалось не очень, потому что он не столько смотрел, сколько думал, и тогда он наугад вытащил из пожелтевшей пачки газету, которую лениво шевелил теплый ветер, и стал читать.

«Коллектив чукотского совхоза «Энмитагино», центральная усадьба которого находится на арктическом острове Айон в Северном Ледовитом океане, первым среди сельскохозяйственных предприятий Магаданской области разработал пятилетний план социального развития хозяйства, в основу этого документа положены решения XXIV съезда КПСС».

«Нефтяники Башкирии сердечно встретили писателей Азербайджана. Гости выступили на заводах и промыслах Уфы, Салавата, Октябрьского».

«В колхозах и совхозах Ташкентской области поспели дыни и арбузы ранних сортов. Сорок железнодорожных эшелонов дынь и арбузов намечено отправить в этом сезоне трудящимся Москвы и Ленинграда».

«Главный зоотехник Россонского районного управления сельского хозяйства Нина Прохоровна Петроченкова бегло просмотрела только что принесенную из ЦСУ сводку о надоях молока и разочарованно сказала:

— Недотянули до прошлогоднего. Досадно...

Тревогу специалиста можно понять. Длительное время район занимает одно из последних мест в Витебской области по производству молока. Нынешний год не принес каких-либо сдвигов».

Зачитавшийся Андрей Ильич очнулся от какой-то вони, вдруг надвинувшейся на него. До этого пахло хорошо, дымом, листьями, влажной землей, а тут понесло тухлятиной и навозом.

Должно быть, соседи грядки удобряют. Нашли время.

Андрей Ильич отбросил газету, сел, приставил ладонь козырьком к глазам и огляделся.

Соседи ни при чем. Воняло от собаки, которая осторожно улеглась неподалеку. Когда он сел, она подскочила и отбежала.

— Жуть какая, — сказал Андрей Ильич с отвращением.

Она издалека слабо шевельнула хвостом, всего одно движение.

— Да ну тебя к шутам, — рассердился Боголюбов.

Он поднялся, отряхнул руки — ладони были грязные, в земле — и пошел в дом. Там он немного постоял в нерешительности.

То, что он собирался делать, не входило в его планы и меняло все. Он так это понимал. Если он сейчас сделает это, к прежней жизни, к Москве, к тому Андрею Боголюбову, который просто выполнял трудную и опасную работу, возврата не будет.

Точка этого самого невозврата окажется пройденной.

Сердито сопя, Андрей Ильич стянул джинсы и водолазку. Поморщился, когда задел вздутую, едва поджившую царапину, и как был, в трусах и носках, обошел весь дом и поотворял все шкафы. В шкафах была только его собственная одежда, и больше ничего. Тогда он полез на чердак, сняв перекладину, которой была заложена дверь. Здесь оказалось очень светло, пыльно и холодно. Оставив внимательный осмотр на потом, Андрей Боголюбов добрался до старинного комода и выдвинул ящик.

В комоде, ясное дело, нашлось все, что ему требовалось. По-другому и быть не могло!..

— Жил-был у бабушки, — напевал Андрей Ильич, появляясь на крыльце, — серенький козлик. Жилбыл у бабушки серый козел!.. Иди сюда! Иди ко мне, собака!..

Она немедленно вскочила, постояла в нерешительности, а потом все же приблизилась.

— Как тебя зовут? — спрашивал Андрей Ильич. — Маша, что ли?.. Или как?..

Первым делом он с трудом расстегнул и снял с грязной шеи заскорузлый ошейник с обрывком цепи и отбросил в сторону. Собака проводила ошейник взглядом. Потом, продвигаясь от головы к хвосту, повытаскивал из свалявшейся черной шерсти палки, ветки и прошлогодние листья. Потом обеими руками взял ее за голову и осмотрел одноглазую морду в потеках и струпьях. Собака тихо и нестрашно зарычала.

— Ну конечно, — пробормотал Боголюбов, — не дыши на меня, а то я в обморок упаду!

Сторона с вытекшим глазом раздулась от уха до губы и была намного больше другой, отчего собака казалась совсем уж невозможным уродом. Очень осторожно, стараясь ее не напугать, Боголюбов повернул собачью голову так, чтобы солнце падало на раздутую сторону. Под ухом, над глазной впадиной и на скуле виднелось несколько круглых красных ранок, сильно воспаленных. Андрей Ильич подушечками пальцев потрогал вокруг ран и чуть было не отдернул руку — из всех ран фонтаном хлынул гной. Он не капал, а тек, изливался, и собака слабо постанывала, но не сопротивлялась.

— Терпи, — приговаривал Боголюбов, морщась от отвращения, — я же терплю!..

Все это продолжалось очень долго и принесло результаты, неожиданные для обоих. Чудовищный отек спал. У собаки обнаружился второй глаз — совершенно целый, коричневый, с золотым ободком вокруг зрачка.

— Ну ты даешь, — сказал Боголюбов. — Выходит, никакой ты не одноглазый полководец Кутузов, а гнусный симулянт! Симулянтка то есть!..

Собака, для которой вдруг изменился мир, припала на передние лапы и стала крутить башкой, вырываясь. Ей хотелось немедленно проверить давно забытые ощущения — когда голова на привычном месте и привычного размера, когда видишь обоими глазами и куда-то делся отвратительный вонючий тяжелый мешок, который только что был на месте морды!..

— Стой, куда! Стой, говорю!..

Она дала круг вокруг дома, попила из лужи и стала с остервенением чесаться.

— Не чешись, опять заразу занесешь!.. Да что ты будешь делать! Головой соображать надо! На что тебе голова дана?!

Собака брякнулась на спину, покаталась из стороны в сторону по траве, подбежала к Боголюбову и лизнула ему ладонь. Он поймал ее, прижал немного и продолжил исследования.

Из круглой раны вместе с гноем выдавилась блестящая дробина.

— Так я и думал. Стреляли в тебя, да?..

— Андрей Ильич, — окликнули с дорожки. — Вы что?!

Боголюбов посмотрел в ту сторону и опять уставился на свою собаку:

— А что?

Саша Иванушкин от изумления даже рот открыл.

Новый директор музея, грозный, загадочный Андрей Боголюбов, сидел на траве и обнимал за голову отвратительное грязное животное. Одет он был в черные тренировочные штаны с засохшими пятнами зеленой масляной краски, лыжные ботинки без шнурков, синюю олимпийку со сломанной молнией — олимпийка была ему маловата, задиралась на спине — и почему-то шапку с помпоном, побитую молью настолько, что насквозь просвечивали дырки.

— В нее, видишь, из дробовика стреляли, — сообщил новый Андрей Ильич. — Дробь застряла, глаз воспалился. Должно быть, в лесу шлялась или по помойкам лазала, вот в нее и пальнули недоумки какие-нибудь. А так цел глаз-то, цел! Зоркий сокол, а не собака! Как ее звать, я забыл?..

— Му... Мо...

— Муму, что ли?!

— Мотя, Андрей Ильич! — выговорил наконец Саша. — А... почему вы ее... гладите? Она же... заразная, наверное.

— Сам ты заразный.

Он еще что-то поделал с ее глазом — Мотя повизгивала, крутилась и непрерывно, как по секундомеру, махала хвостом.

— Может, вам помочь?..

— Саш, дуй в ветеринарный магазин. Где здесь такой?

— Сразу... за «Калачной», в той стороне. — Саша подошел и посмотрел. — Два шага.

— Деньги возьми у меня в кармане в штанах. Штаны где-то там в доме валяются.

— А что... покупать?

Андрей Ильич, у которого никогда не было собак, воздел глаза к небу и прикинул:

— Антисептик раны залить, шампунь от блох, какую-нибудь химию от клещей. Спроси у них, они лучше знают!..

— Сейчас, — растерянно сказал Саша. — Я сейчас, Андрей Ильич.

Он забежал в дом, протопал по крыльцу, выскочил назад и помчался по дорожке. Мотя зарычала по привычке, а потом сунулась мордой Боголюбову в ладони.

Когда Саша вернулся с пакетом, Андрей Ильич чесал ей живот. Руки у него были черные, как будто в навозе.

— Давайте шланг к теплой воде прикрутим и помоем ее, — издалека громко заговорил Саша, — в сарае точно шланг есть! Я шампунь принес. Они сказали — ядреный!

— Шланг я видел, — согласился Андрей Ильич. — Только найди себе что-нибудь переодеться, уж больно она грязна. Там на чердаке всего навалом.

— Вы были на чердаке?!

Боголюбов посмотрел на него.

— Да, а что такое?..

Саша пожал плечами — он вообще любил пожимать плечами — и скрылся в доме.

Явился он через несколько минут. Его тренировочные штаны оказались синими — в пару к олимпийке Андрея Ильича, — кофта дамской, на груди слева и справа по заплате, симметрично, а шапки не было вовсе.

Вдвоем они мыли под яблоней собаку, которая сначала вырывалась, визжала и не давалась, но вскоре притихла и стояла молча, торжественно, как будто принимала некое чудодейственное омовение. Вода текла с нее — сначала черная, навозная, потом серая, земляная и, наконец, прозрачная, фиалковая. У собачьего шампуня был отчетливый запах фиалки. Отдельно мыли морду — Боголюбов держал Мотю за уши и намыливал, а Саша поливал то место, куда указывал Андрей Ильич.

Напоследок окатили всю с головы до ног, от макушки до хвоста, бросили шланг и кинулись в разные стороны. Собака неторопливо, как в замедленной съемке, с наслаждением, с чувством отряхнулась — брызги полетели так, что в них на миг зажглась радуга. В кидании в разные стороны не было никакого смысла. Оба, и начальник, и заместитель, были грязные, мокрые, в собачьей шерсти — абсолютно счастливые!..

— Вот как, вот как, — пел Андрей Ильич, вытирая руки о полу олимпийки, — серый козел!..

Саша завернул в доме воду, спустился с крыльца и стал сматывать шланг.

— Там, в пакете, еще какие-то капли, их велели на холку накапать. От паразитов. Я еще ошейник взял на всякий случай...

— Это зря, — откликнулся Боголюбов. — Ошейник — серьезное дело! Его надо вместе покупать.

Он заглянул в пакет, вытащил ошейник и мятую бумажку чека, отчего-то фыркнул и пакет бросил.

— Вместе с кем? — не понял Саша.

— С тем, кто его будет носить, с кем, с кем!.. Иди сюда, Мотя! Иди, будем вытираться!..

Обновленная Мотя подбежала к Боголюбову, но вытереть себя не давала — то и дело припадала на передние лапы, взлаивала, крутилась и туда-сюда поворачивала голову, проверяя, есть ли у нее второй глаз.

— Стой! Стой, кому говорю!..

Боголюбов поймал ее и стал энергично вытирать старой шторой, выуженной из того же чердачного комода..

— Как это вы ее приручили, Андрей Ильич? Она же не давалась!

— Она сама приручилась.

Из пластмассового флакона обильно побрызгали антисептиком раны на собачьей морде. Старую штору повесили на штакетник сушиться. Андрей Ильич выбрасывать ее не велел — каждый раз новую брать, штор не напасешься!.. Потом вооружился совковой лопатой и стал выгребать из-под крыльца то, что там накопилось.

Саша топтался рядом, смотрел и вздыхал.

— Ее привязали, когда старый директор слег. Пока он на ногах был, она вольготно жила, не бросалась ни на кого, но дом хорошо охраняла. Просто так не зайдешь, не пустит. А потом... привязали.

Боголюбов молча орудовал лопатой.

— Еду ей туда кидали. Она срывалась несколько раз, убегала, но возвращалась, куда ей деваться-то?.. А потом на цепь посадили. С цепи она уже не убегала.

— Кому это в голову пришло? — пробормотал Андрей Ильич. — Живую-здоровую собаку под крыльцо загнать и не выпускать?.. Ты посмотри, что там у нее!.. А она в этом столько времени просидела!

И он хмуро кивнул на кучу, которая все росла. Саша посмотрел и отвел глаза.

— Так кому пришло-то?..

Саше не хотелось говорить, и Боголюбов видел, что ему не хочется.

— Анна Львовна распорядилась?

Саша кивнул.

— Нет, вы не подумайте, Андрей Ильич, что она жестокая...

— Давай на «ты» и по имени, Саш, — предложил Боголюбов, оперся на лопату и утер влажный лоб. Жизнь в русской провинции с яблонями, собаками, листьями, бочками и старыми газетами требовала от него непривычных усилий. — Тебе сколько лет?..

— Тридцать два.

— А мне тридцать шесть, — проинформировал Боголюбов. — И если ты ко мне по имени-отчеству, тогда и я к тебе по имени-отчеству обращаться должен!.. Так правила хорошего тона предписывают. А мне неудобно. С моим московским менталитетом и амикошонством.

— Про менталитет вам Сперанский говорил?

— Откуда ты знаешь?

— Он про это часто говорит. Ненавидит москвичей.

— За что?

Саша пожал плечами.

— Вези из сарая тачку, — приказал Боголюбов. — Хотел бы я знать, за что Анна Львовна так ценила картины папы Сперанского!.. Что-то в историю о корнях и праведной жизни на одном месте я не очень верю. А он сам? Всю жизнь здесь провел?

— Насколько я знаю, да.

— А ты его книги читал?

Саша улыбнулся:

— Пробовал.

— И что? Не пошло?

— Скучно очень, Андрей Ильич. Я правда пытался несколько раз!.. Анна Львовна даже экзаменовала меня по прочитанному. А я — ну не могу! Только открою книжку, только начну читать, а потом оказывается, что уже утро и я заснул.

Вдвоем они нагрузили тачку, и Боголюбов повез ее на задний двор. Саша сказал, что там выкопана специальная яма «для перегноя», куда сбрасывали разные отходы. Мотя, валявшаяся на сухой траве, как только Андрей тронулся, вскочила и потрусила за ним. Иванушкин проводил их глазами — странная пара!.. И человек странный. Саша составил себе представление в первую же минуту — столичный чиновник, себе на уме, хваткий, как нынче принято говорить — «хороший управленец». В провинции быстро соскучится, пару раз съездит в Москву, на третий вернется с новым назначением — в Министерство культуры, например, или в музейный комплекс «Петропавловская крепость», что в Питере, там повеселее и попросторней. С облегчением сдаст дела, прицепит на буксир свою лодку и — только его и видели.

Теперь выходило по-другому.

«Хороший управленец» не полез бы разбираться, из-за чего внезапно умерла Анна Львовна, не стал бы изучать картины художника Сперанского и уж тем более мыть из шланга отвратительную собаку, нарядившись в обвисшие тренировочные штаны и лыжные ботинки без шнурков!.. Чего-то в Андрее Боголюбове Саша Иванушкин не понял или не учел, и это его тревожило. На то он здесь и поставлен, чтобы понимать и учитывать, разбираться дотошно и внимательно, не упуская никаких деталей! Какие детали он упустил...

— Сколько времени? — спросил Андрей Ильич совсем рядом.

Саша стряхнул на запястье часы, застрявшие под дамской кофтой с двумя симметричными заплатами на груди.

— Полвосьмого! И когда время прошло?..

— Так вся жизнь пройдет, — неожиданно изрек развеселившийся Андрей Ильич. — Ну что? Выпивать и закусывать к Модесту после трудов праведных?

— Ну его, — перепугался Саша. — Мы у него в последнее время то и дело выпиваем и закусываем, и все по разным поводам! И там сейчас народу полно, автобус только подошел, видели?..

— А у меня есть нечего.

— Я могу мяса принести, — предложил Саша, подумав. — Я в пятницу у Модеста свинину брал. Лук зеленый есть, редиска парниковая. Помидоры рыночные.

— Тащи, — распорядился Боголюбов. — А жарить-то где станем? В бочке с листьями?

— Зачем в бочке, Андрей Ильич!.. За сараем мангал, хороший. Когда старый директор умер, Сперанский хотел его себе забрать, но что-то не собрался.

Боголюбов вытащил мангал, утвердил его на сухом и свободном месте между яблонями, сложил дрова шалашиком, подсунул газету и, вывернув шею, опять почитал немного: «На полный хозрасчет Бердский племенной совхоз переведен более полутора лет назад. Это экономически крепкое, хорошо известное в Сибири хозяйство. За большие успехи коллектив его награжден орденом Ленина. С сельскохозяйственной наукой у совхоза связи самые прямые и непосредственные уже по той хотя бы причине, что возглавляет его ученый: директор хозяйства И. И. Леунов успешно защитил кандидатскую диссертацию». Сухая береста занялась сразу, запахло березовым дымом совсем по-летнему, когда вечера долгие и светлые, когда не хочется и незачем заходить в дом, а так и сидеть бы в кресле под старыми яблонями, слушать, как квакают в пруду лягушки, смотреть, как из-за леса выкатывается огромная загадочная луна. Сидеть бы и думать, что жизнь прекрасна.

Занятый светлыми весенними мыслями, Боголюбов не заметил, откуда на дорожке появилась темная фигура. Он оглянулся, когда она была уже близко, шла деловито, как будто сто раз тут ходила. Мотя трусила за ней, тоже привычно.

— Подайте ради Христа, — дежурным голосом сказала убогая, дойдя до Андрея Ильича.

Андрей Ильич подумал, вытащил наружу карманы тренировочных штанов и потряс ими. Один был совсем дырявый, из второго высыпалось немного подсолнечной шелухи.

— Ничего нет, — констатировал Андрей Ильич.

Убогая посмотрела равнодушно и выпростала из своих одеяний бумажный листочек в файловой папке:

— Просили передать.

Боголюбов не глядя взял папку.

— Вы вчера были на похоронах? Я вас не видел.

— Упокой, Господи, душу грешную, — выговорила убогая и вознамерилась уходить.

— Зачем после похорон вы пошли в музей? Кто вас пустил?

— Сама иду куда хочу, — сказала она. — Для вас замки и засовы, для нас сады и просторы.

— Как вы попали в парк? Через служебный вход? Вы видели, кто его открыл?

— Ты бы свои-то глаза открыл, — посоветовала убогая. — Уезжать тебе надо. Может, еще успеешь.

— Куда? — осведомился Боголюбов. — На последний пароход?

Убогая зорко посмотрела по сторонам, нагнулась и погладила Мотю, крутившуюся вокруг ее черного подола.

— Всякая тварь — живая душа. Погубить живую душу — грех.

Свернутой в трубку файловой папкой Андрей Ильич почесал себя за ухом. Он решил ни за что не смотреть, что там написано, покуда убогая не уберется прочь.

— Уезжай, — повторила она. — Ты тоже живая душа. А тебя погубить хотят.

— Кто? — не удержался Андрей Ильич. — Злодеи?

Она все не уходила. Очевидно, задание было выполнено не до конца — в том, что она выполняла чье-то задание, Боголюбов нисколько не сомневался. Что-то требовалось еще, чего он пока не сделал. Может, он должен прочесть, что там написано, непременно при ней, а она должна передать, как он изменился в лице, побледнел, упал в обморок или что-то подобное!..

— Хороший у вас город, — выдал Боголюбов. — Просторный, чистый. И люди все хорошие! Как один.

Убогая изменилась в лице.

— Люди есть люди, — процедила она. — Грешные, страшные. Собаки не грешат. Неразумные они. Ни в чем не виноваты.

— Не знаю, как ваши собаки, — заявил Боголюбов. — А наши разумные!.. Мотя, покажи тете, как весна пришла!

Мотя ни с того ни с его брякнулась на траву и стала кататься туда-сюда. Боголюбов захохотал, и убогая засмеялась с изумлением. Спохватилась и замолчала.

— Уезжай, — сказала она Боголюбову неуверенно. — Послушай меня.

— Вы тем, кто вас прислал, привет передавайте. — Боголюбов нагнулся и файловой папкой почесал за ухом на этот раз Мотю. — Скажите, что я пока остаюсь.

Она пошла по дорожке, он провожал ее глазами. У калитки приостановилась и оглянулась.

— Погода-то какая! — издалека прокричал приготовившийся Боголюбов. — Сказка, да? А когда в этом году Пасха?

Убогая скрылась, а он зашел в дом.

Мобильный телефон лежал в спальне на тумбочке. Андрей Ильич совершенно про него позабыл — в этом городе телефон казался чем-то лишним, чужеродным и даже немного глуповатым. Ну кому здесь звонить?.. Все рядом, только улицу перейти!.. Да и в доме есть нормальный телефон, никакой не мобильный. Если кому-нибудь взбредет в голову его разыскивать, можно позвонить в музей или «на квартиру», больше ему быть негде! Разве что закусывать у Модеста в трактире «Монпансье», но до него дойти два шага, да и там есть телефон!..

Андрей разыскал номер старого приятеля Володи Толстого, который директорствовал в Ясной Поляне. Вот в Ясную Поляну позвонить — милое дело! До нее не дойдешь.

— Владимир Ильич, — сказал Андрей, когда ответили. — Привет, это Боголюбов.

— Рад слышать, Андрей. Ты где? В Переславле? Ты вроде собирался.

— Да, уже несколько дней. У меня к тебе деловой вопрос.

Пока Володя давал разъяснения по деловому вопросу, Боголюбов, придерживая трубку плечом, вытаскивал из буфета тарелки, вилки и стаканы. Посуду он купил в лавке под названием «Скопинский фарфор» на углу Красной площади и Земляного Вала. Тарелки были большие, увесистые, с красивыми картинками. Еще ему очень понравилась «миниатюра» — называлась она «Медведь на воеводстве». Коричневый, гладкий, хитроватый фарфоровый медведь с бердышом на плече стоял на задних лапах возле фарфорового пня. Андрей Ильич заодно купил и миниатюру тоже.

— Спасибо, Володь, — сказал он, когда Толстой все ему разъяснил. — Приезжай ко мне. Я тут только охоту-рыбалку разведаю, и приезжай.

— Приеду с удовольствием, — откликнулся Володя. — Сейчас лето подойдет, и приеду. В усадьбе работы прибавится, зато всякие совещания-заседания до осени затихнут. Ты не поверишь, как мне надоело заседания заседать!..

Боголюбов ему посочувствовал. На заседаниях он тоже чувствовал себя лишним, неуместным, косноязычным и с тоской думал только о том, что время уходит, бездарно растрачивается, упускается, и не остановить его не вернуть.

Напоследок он спросил Толстого, когда в этом году Пасха, кинул телефон на кровать, выволок на улицу посуду и стаканы и поставил на крыльцо. Мотя сунулась понюхать.

— Это человеческая посуда, а не собачья, — строго сказал Боголюбов. — У тебя своя есть! Надо нам миску купить, что ли...

Он вытащил из-за пояса тренировочных штанов мятую папку, уселся на крыльце и быстро прочитал.

«Уважаемый Сергей Георгиевич, считаю своим долгом предупредить вас о том, что вновь назначенный директор музея изобразительных искусств и музейного комплекса Боголюбов А. И. обладает крайне подмоченной репутацией. В отношении него в 2012 г. проводилось служебное расследование по факту превышения полномочий на его тогдашнем месте работы. Во время своей трудовой деятельности Боголюбов А. И. не раз демонстрировал полную и вопиющую некомпетентность, что должно быть хорошо известно в Министерстве культуры, которое вы возглавляете. Наш музейный комплекс является учреждением всероссийского значения, культурным центром области и всего края. Под руководством Боголюбова А. И. все достижения могут быть утрачены, ибо он человек невежественный. Прошу вас пересмотреть решение о назначении Боголюбова А. И. на эту должность». Число и подпись.

Подпись Анны Львовны. Число — за день до того, как Боголюбов сюда приехал. Сверху на бумажке стоял синий прямоугольный штамп «Копия».

— Крайне подмоченная репутация — это какая? — спросил Боголюбов у Моти. — Она или подмоченная, или уж тогда абсолютно сухая и кристально чистая! И зачем мне это принесли? И что я должен с этим делать? Ехать в министерство разбираться? Требовать объяснений у подчиненных?

Мотя стучала по ступенькам хвостом и ответов на вопросы не знала.

Боголюбов скомкал листок и зашвырнул его в коридор. Потом встал, подобрал, расправил и отнес в кабинет. Опять рассердился, скомкал и кинул его в угол.

Вскоре явился Саша с пакетами и кастрюлями. Вдвоем они вынесли из трухлявой беседки стол и поставили рядом с мангалом.

— Вот картошка, а там мясо, Андрей Ильич. А на кухне за плитой есть решетка, я сейчас достану.

— Зачем Анна Львовна настрочила на меня кляузу министру культуры?

— В каком смысле?

— В прямом! — рявкнул Боголюбов. Он не хотел себе признаваться, но бумага с синим штампом «Копия» его сильно расстроила. — Не делай вид, что ты не знал. Ты не мог не знать.

— Да что за кляуза, Андрей Ильич?!

— Обыкновенная, Александр Игоревич. Посмотрите, в кабинете на полу она валяется.

Саша пожал плечами, помедлил и зашел в дом. Боголюбов размешал в чугунном корыте угли. Он злился, и от злости есть хотелось все сильнее.

— Я ничего не знал об этом письме, Андрей, — серьезно сказал Саша, возникнув у него за плечом. — Если бы знал, постарался бы... переубедить.

— Ты имел на нее влияние? На Анну Львовну?

— Никакого. — Саша улыбнулся. — Но все равно постарался бы. Это очень глупое письмо. Тем более, я так понимаю, к тому времени, когда оно было написано, вопрос о твоем назначении был решен окончательно и бесповоротно.

— Вот именно! — заорал Андрей Ильич, и Мотя зарычала негромко и стала скрести лапами — заволновалась. — Вопрос был решен! И решал его не я! И не эта ваша Анна Львовна!

— А где ты взял письмо? Я никогда его не видел, и официальным путем оно не проходило. Утащил из директорского кабинета в понедельник?

— На дом принесли, — буркнул Боголюбов. — Соблюдаем традиции! Старому директору всю корреспонденцию на дом носили, теперь мне приносят.

— Кто?!

Боголюбов махнул рукой.

— Что здесь творится, а?

Саша пожал плечами.

— Не скажешь, да?..

Иванушкин посмотрел исподлобья.

— Понятно. Водки нет, только виски. Ты виски употребляешь?

— Мне все равно, — торопливо ответил Саша. Ему не хотелось ссориться с Боголюбовым. — Я и то, и другое могу.

Мясо, взятое у Модеста в пятницу, оказалось превосходным, кастрюлю с картошкой закопали в угли, и она варилась тут же, на мангале. Мотя крутилась рядом, делала умильную морду и то и дело вскидывала лапы на грудь Андрею Ильичу.

— Значит, так, — сказал Боголюбов, тяпнув виски из граненого стакана. Саша переворачивал решетку с мясом, дощатый стол украшали тарелки скопинского фарфора и композиция «Медведь на воеводстве», принесенная из дому. — Как только я приехал и ты меня встретил, объявилась убогая...

— Ефросинья, — подсказал Саша, отворачиваясь от дыма.

— А как ее на самом деле зовут? Ну не Ефросинья же!..

— Почему?

— Она молодая тетка и не монашка. Ты сам говорил, что монашеского звания она не имеет! Значит, у нее есть какое-то человеческое имя.

Саша пожал плечами — согласился.

— Она первым делом мне сказала, что городу и дому быть пусту и чтоб я уезжал отсюда. Кто ее послал ко мне?

— Послал?..

— А ну тебя. — Боголюбов налил себе еще. — Или разговаривай по-человечески, или я лучше буду газету читать. Вон у меня сколько газет, и все шестьдесят первого года выпуска.

— Я не знаю, кто ее послал.

— А тебя Анна Львовна просила? Встретить меня в доме?

Саша кивнул.

— В тот же вечер мне шину пропороли. Я колесо на запаску поменял. Но проколотое нужно отвезти на шиномонтаж. Где он здесь?..

— У Модеста сын этим занимается, у него приличная мастерская, к нему все ездят. Это на том конце города, где новый район.

— А что, здесь есть новый район?!

— Ну, — Саша улыбнулся широко, — он относительно новый, как твои газеты. Строили при советской власти, когда здесь военных много было. Обыкновенный городской микрорайон — многоэтажки, магазины, таксисты. Там в основном фабричный народ живет и приезжие.

— Много приезжих?

— Мало здесь приезжих, — сказал Саша и понюхал мясо. — Уехавших больше.

— Так, значит, шину мне разрезали. Кто? И зачем?.. Прицепили к ножику бумажку, на бумажке написано — «уезжай». То есть то же самое, что говорила мне Ефросинья, будем ее пока так называть. Тем же вечером у Модеста состоялся прием в честь Анны Львовны. Ефросинья туда тоже пришла и там выступила. Анне Львовне подавали капли, а Ефросинью я вывел. Как вы все связаны? Ты, Нина, Дмитрий Саутин, Модест Петрович, экскурсоводша Ася с ее очками, писатель Сперанский, аспирантка Настя и студент-реставратор Митя, которого я с тех пор так и не видел? Где он, кстати?

Саша хотел пожать плечами, но раздумал и сообщил:

— Уехал. Отпросился у меня на неделю и уехал.

— Куда и зачем?

— Я не знаю. Сказал, что ему очень срочно нужно уехать.

— Хорошо, — продолжал Боголюбов, хотя ничего хорошего не было. — В тот же вечер ко мне в дом забрался некто, и я его спугнул. Зачем он забрался и что ему было нужно? Собака не лаяла. На меня так просто бросалась, но всех вас она, как я понимаю, хорошо знает!.. Значит, это был кто-то из вас.

— Никаких «нас» нет, Андрей.

— Назавтра мы пришли в музей, — продолжал Боголюбов, не слушая, — и встретились с Анной Львовной. Она была в прекрасном настроении и собиралась провести для меня экскурсию. На эту экскурсию еще напросились Саутин и Нина. Нина поменялась с Асей. Она должна была вести группу, но ее заменила Ася. Мы все спустились на первый этаж. На этом настаивала Анна Львовна, хотя все ее отговаривали. Мы вошли в зал, и она умерла на месте. Сказала — «этого не может быть». И показала рукой. На что она показывала? Чего не может быть? Что именно она увидела? Картину? Она их видела сто раз! Человека? Какого? Из экскурсионной группы?.. Или кого-то из вас?..

— Нет никаких «нас»!

— В день похорон я пошел в музей. Понимаешь, я забыл, что понедельник!.. Но дверь служебного входа была открыта. Я вошел, увидел из окна Ефросинью. Она слонялась возле клумбы. Ворота и калитка в парк были заперты, по всей видимости, вошла она через внутреннюю дверь. Если наружная была открыта, то и внутренняя вполне могла быть, а я не догадался!.. Я побегал вдоль решетки, вернулся и зашел в директорский кабинет. Там меня ударили по голове. Сильно. Очнулся я позади торговых рядов. Сегодня утром выяснилось, что зеленой папки, которую я только открыл, когда меня ударили, нет. Пропала!.. И что в ней могло быть такого секретного, я ума не приложу. А ты? Можешь приложить?..

Саша сказал, что мясо готово. Боголюбов, морщась и отворачиваясь от бьющего в лицо пара, слил под смородиновый куст картошку. Они разложили еду в скопинские тарелки, и Андрей Ильич разлил виски.

— Ну, за процветание нашего музея!

Саша усмехнулся и залихватски тяпнул. У Боголюбова горело лицо. Он всегда от глотка спиртного становился похожим на Петрушку из детской книжки.

Мотя тактично сидела в некотором отдалении и смотрела на них. Она не претендует на жареное мясо, она вполне могла без него обойтись, и именно потому, что она не претендовала, Боголюбов выбрал кусок побольше и отнес ей, кидать не стал. Мотя приняла с благодарностью.

— Ну, что скажешь?..

— Я не понимаю, зачем Анна Львовна написала письмо в министерство, — заговорил Саша. — Все знали, что изменить уже ничего нельзя, а она написала! И где ты его взял, письмо-то?..

— Не скажу, — с полным ртом выговорил Боголюбов. Ему было вкусно, не хотелось ни думать, ни разговаривать про музей, но он знал, что придется. — Хорошо, допустим, про это письмо ты ничего не знал. А про первое знал?

— Про какое... первое? — не понял Саша Иванушкин. От виски он тоже раскраснелся так, что в морковном цвете пропали все его веснушки.

— Письмо, которое написал покойный директор, — пояснил Боголюбов. — Тоже министру культуры, между прочим!.. Он категорически настаивал на том, чтобы после его кончины в музей назначили человека со стороны. Ни в коем случае не Анну Львовну.

— Да ладно, — сказал Саша и положил вилку. — Быть не может!

Боголюбов покивал:

— Я видел это письмо. Да он приезжал, директор-то!

— Куда... приезжал?

— В Москву, в министерство. Просил о том же самом. Найдите человека со стороны, не назначайте Анну Львовну.

— Когда... когда это было?

Боголюбов с мстительным видом пожал плечами:

— Я точно не знаю. Кажется, осенью. А ты говоришь, у них были прекрасные отношения и он шагу не мог без нее ступить! Во всем с ней советовался и прислушивался. Он совершил один очень серьезный шаг и с ней не посоветовался!.. Почему он так поступил? Или это было восстание рабов? Мотя, иди сюда! Иди сюда, собака!..

Она подошла, и Боголюбов сунул ей еще кусочек.

— Это все меняет, — задумчиво проговорил Саша. — Всю картину мира.

— Твою?

Он кивнул.

— А какая у тебя картина мира?

Саша вздохнул:

— Андрей, я не знаю, чего ты доискиваешься! Ну, у нас тут... да, свои дела. Анна Львовна умерла, теперь какая разница, о чем просил старый директор! Или зачем она на тебя кляузу написала! Все уже сложилось так, как сложилось.

— А если так сложится, что в следующий раз, когда я приду на работу, меня зарежут?..

— Не зарежут.

— Я не уверен.

— Ты просто многого пока не понимаешь. Но со временем...

— У меня нет времени, — нетерпеливо сказал Боголюбов. — Ты на самом деле повесил картину вверх ногами?

Саша уставился на него.

— Нина говорила, что ты вешал картину и повесил вверх ногами. Это шутка такая?

— А, Пивчика! — вспомнил Саша. — Правда, было. Я просто не понял, где у нее верх, а где низ, у той картины.

— Вот ты врешь, — заявил Боголюбов, — а когда я узнаю правду, что ты будешь делать?..

— Ничего не буду, — ответил Саша быстро. — И я не вру.

Боголюбов кивнул.

Солнце садилось, становилось холодно, но ему очень не хотелось уходить в дом. Для полноты ощущений теперь нужен самовар с трубой и корзина с еловыми шишками. Еще, конечно, хорошо бы гамак и теплый плед.

— Где можно купить гамак?

— Не знаю. На рынке, наверное. Или в магазине «1000 мелочей». Это за «Калачной № 3», вниз по улице.

— Постой, там же собачий магазин!

— А напротив хозяйственный!

Вдалеке мимо забора медленно проползла машина и остановилась. Постояла, развернулась, опять поехала и остановилась у калитки.

— Приехал кто-то, — констатировал Боголюбов и поднялся. — Ты про земляничное варенье говорил, помнишь? Или тоже врал?

— Андрей, я не вру. А ты, между прочим, говорил, что варенья не ешь!

— Доставай варенье, а я куртку накину и самовар поставлю.

— Так ведь приехал кто-то!

— Это не ко мне, — уверенно сказал Боголюбов. — Должно быть, к соседям.

Он ушел в дом. Мотя бодро взбежала за ним на крыльцо, но дальше не пошла, постеснялась.

— Заходи, — пригласил Боголюбов. — Теперь можно заходить. Мы теперь с тобой вместе жить станем. А лаз под крыльцом заколотим, чтобы о плохом не вспоминать.

Мотя неуверенно мялась на пороге, но в дом не шла.

— Ну, как хочешь. — Боголюбов посмотрел на куртку, в которой приехал из Москвы, понял, что она ему не подходит, и привычной дорогой полез на чердак. Тут в груде старой одежды он раскопал пыльное коричневое пальто с барашковым воротником и подкладными плечами и нечто вроде бушлата из толстого солдатского сукна.

Пальто он немедленно напялил на себя, усмехнулся и сунул бушлат под мышку. Ступив на лестницу, он услышал припадочный лай, какие-то громкие голоса, показавшиеся незнакомыми, и вдруг забеспокоился и заспешил.

— Мотя, замолчи! Что ты орешь?!

— К тебе... гости, Андрей Ильич, — сообщил неуверенно Саша.

— Какие, к лешему, гости, — начал Боголюбов и осекся.

На дорожке под старыми яблонями жались друг к другу две красавицы, как будто свалившиеся с Луны.

Они жались потому, что боялись Мотю.

Мотя лаяла и кидалась.

— Твою мать, — выговорил Боголюбов отчетливо, подошел и крепко взял свою собаку за шелковый загривок. — Все. Хватит, Мотя. Успокойся.

— Она не укусит? — дрожащим голосом спросила одна из красавиц, он не разобрал, какая именно. — Ты ее держишь, Андрюш?..

Саша Иванушкин вытаращил глаза.

— Может, и укусит, кто ее знает. — Боголюбов погладил Мотю, которая уже не брехала, но все же рычала довольно грозно. — Добрый вечер. Предупреждать надо.

— Я тебе звонила, — сказала вторая красавица, — но ты трубку не берешь.

Боголюбов потрепал Мотю за уши. Она вопросительно на него посмотрела. Он был растерян и не знал, что делать, и Мотя понимала, что он растерян.

— Можно... пройти?

— Куда?

— В дом... наверное. В дом можно пройти?

Боголюбов пожал плечами на манер Саши Иванушкина.

— Проходите.

Красавицы одна за другой, сторонясь собаки, «прошли» в дом, а Боголюбов не прошел. Он сунул Саше бушлат, который тот принял, подкинул в мангал полено, уселся на свое место и запахнул полы коричневого пальто. После чего сказал:

113

— Хорошо! — и плеснул виски в стаканы себе и Саше. Мотя улеглась у его ног в позе благородного животного, несущего караульную службу.

— А это кто?

— Где? — осведомился Андрей Ильич.

— Андрюш, можно тебя? — тоненько закричали с крыльца. Мотя навострила уши и зарычала. — На минуточку!..

— Я отдыхаю! — крикнул в ответ Андрей Ильич. — Саша, ты достал варенье?

— Кто это приехал, Андрей?!

Красавицы рядышком постояли на крыльце, а потом осторожно сошли на землю. Их каблучки оставляли на дорожке ровные круглые дырки, очень глубокие.

— Если она кусается, ее, наверное, лучше увести. Андрюш, уведи ее, пожалуйста. Мы боимся.

— Куда же я ее уведу? Она здесь живет.

— Иванушкин Александр, — выпалил Саша и покраснел как рак. — Я заместитель директора музея. Ну, то есть Андрея Ильича.

И покосился на Боголюбова. Тот качался в садовом кресле и напевал «Жил-был у бабушки серенький козлик» на мотив «Сердце красавицы склонно к измене» из «Риголетто».

— Юля, — представилась одна из красавиц и протянула узкую холодную руку. Саша взял ее и пожал очень аккуратно.

— Лера, — представилась вторая, но руки не протянула.

Красавицы были красивы красотой несколько неестественной, журнальной, фотографической. Так выглядят девушки в телевизионной программе про моду и стиль, где их представляют как «модель и телеведущая» такая-то или «актриса и писательница» сякая-то. В обычной жизни Саша Иванушкин таких девушек не видывал.

Та, что назвалась Юлей, была темноволосой смуглянкой, крепко упакованной снизу в узкие джинсы, сверху в плотную маечку и коротенькую курточку. Та, которая Лера, была персиковой, нежной, короткие белые волосы продуманно и очень женственно взлохмачены. Она тоже была в джинсах, но свободных, рваных и ярко-желтой толстовке с иностранными буквами на груди. Фиолетовая кожаная куртка расстегнута, на носу темные очки. Должно быть, так, согласно журналам, следует одеваться в дальнюю дорогу.

— Андрюша, мы страшно хотим есть, — сообщила в сторону коричневого пальто и садового кресла та, что звалась Юлей. — Мы с утра едем.

Персиковая Лера молчала, смотрела в сторону. В огромных темных очках отражался закат.

Андрюша остался безучастен, а Саша засуетился. Он открыл кастрюлю с остатками мяса, уронил крышку, поднял, подул на нее, сдувая невидимые соринки, закрыл кастрюлю, оглядел дощатый стол с миниатюрой «Медведь на воеводстве» в центре, помчался в дом, вернулся с чистыми скопинскими тарелками и гранеными стаканами, выложил из пакета зеленый лук и красный помидор, помешал кочергой угли в мангале и плюхнул на решетку остатки мяса.

Андрей Ильич в кресле перешел к исполнению романса «Отцвели уж давно хризантемы в саду». У его ног лежало благородное животное, несущее караульную службу. Красавицы молчали. Солнце садилось.

— Мясо свежее, — сообщил Саша и откашлялся. — Я в пятницу у Модеста Петровича брал. На той стороне Красной площади ресторан «Монпансье», не обратили внимания? Модест Петрович его хозяин. Он кур держит, поросенка, овечек...

Он постепенно съезжал в пианиссимо, съехал и умолк в растерянности.

— Андрей, у нас выхода не было, — сказала персиковая Лера, глядя на закат. Закат по-прежнему отражался в ее очках. — Ты понимаешь, просто так мы не стали бы тебя... беспокоить.

— И ледяное хладнокровье, — пропел Андрей Ильич, — и мой обманчивый покой!..

— Ты можешь не стараться, — заметила вторая, Юлия. — Нам все равно деваться некуда. Мы не уедем.

— Куда же уезжать на ночь глядя, — вступил Саша Иванушкин и покраснел еще пуще. — Сейчас поужинаем, утро вечера мудренее, завтра на свежую голову... Вы присаживайтесь, Юлия. Я еще стульев вынесу, у нас в них недостатка нет, так что не стесняйтесь, располагайтесь, и мясо уже скоро будет...

Андрей Ильич выбрался из кресла и мимо красавиц, проводивших его глазами, пошел в сарай. Мотя бежала за ним благородной рысью животного на караульной службе. Боголюбов вытащил самовар, ополоснул его под садовым краном, набрал воды и подволок к столу.

— Труба есть? — спросил он у Саши.

— Должна быть в сарае.

— А варенье где?..

— В подполе на кухне.

— Андрюш, поговори с нами, — попросила Юлия. — Спроси что-нибудь.

— Зачем? — удивился Андрей Ильич. — Все ясно. У вас не было выхода, и вам все равно некуда деваться.

— Я тебе говорила, — грустно сказала Юлия подруге. — А ты — давай попробуем, давай попробуем!.. Так я и знала.

— Юлька, нам ведь вправду деваться некуда.

— Спасение утопающих, — сообщила Юлия так же грустно, — дело рук самих утопающих.

— А кто... утопает? — спросил Саша, и они обе на него посмотрели с изумлением. Персиковая Лера даже сняла с носа свои необыкновенные очки.

Без них она оказалась не такой уж юной и как будто очень усталой.

— У нас неприятности... личного характера, — сказала она Саше и улыбнулась. — Мы надеялись, что Андрей нам поможет.

— Ну конечно, поможет! — воскликнул Саша. — Разумеется, поможет!..

— Мне надоели ваши неприятности личного характера, — заявил Андрей Ильич негромко. — Они мне еще в Москве надоели хуже горькой редьки.

— Я могу уехать, — равнодушно проинформировала его Лера. — Юлька останется, а я уеду.

— Ну конечно, — согласился Боголюбов. — Вполне в твоем духе. Самопожертвование, готовность служить ближнему и не быть никому обузой.

— Андрей, я понимаю, тебе не хочется меня видеть...

— Вот совсем не хочется, — перебил ее Андрей Ильич. Саша переводил взгляд с одного на другую. — Нисколько не хочется! Но это не в счет, да? Какая разница, чего там мне хочется или не хочется! Самое главное, что тебе так удобно. Теперь вся ответственность на мне. Если я не желаю решать ваши проблемы, — значит, я свинья. Если желаю, это нормально и в порядке вещей. А это не нормально и не в порядке вещей!

— Андрей, мы поговорим потом.

— Мы не станем разговаривать потом. Мы уже говорим сейчас.

— Пахнет вкусно, — сказала Юлия Саше. — Есть так хочется!.. Мы собирались на заправке поесть, а потом решили не задерживаться, чтобы засветло приехать.

— Сейчас поздно темнеет, — поддержал светскую беседу Саша. — День заметно прибавился. И еще долго будет прибавляться! Я так люблю, когда день прибавляется!

— Вы в музее работаете?

— Да, заместителем директора. Андрей Ильич только прибыл, а я здесь уже несколько месяцев.

— У вас хорошо, красиво. И леса кругом замечательные. Берендеевские.

Саша пришел в восторг:

— Совершенно точно!.. Это вы верное слово нашли, Юлия.

— А гостиница в вашем городе есть? — спросила Лера.

Саша покосился на Боголюбова, который сосредоточенно дул в самовар.

— Есть, — сказал он с некотором заминкой. — Называется «Меблированные комнаты мещанки Зыковой». Только там, скорее всего, занято все, у нас весной и летом туристов много. Нужно заранее договариваться... Да у Андрея Ильича места вполне достаточно. Да, Андрей Ильич?

— Смотря для чего, — откликнулся Боголюбов, и Лера усмехнулась быстрой грустной усмешкой.

— Мясо готово, — возвестил Саша. — И там еще картошка осталась, могу погреть. Но она и холодная хороша, с укропом, с чесноком.

Предлагая красавицам холодную картошку с чесноком и укропом, он чувствовал себя последним дураком. Наверняка они не едят ни картошки, ни свинины, а едят спаржу и устриц. Помимо всего прочего, пост. Замечено, что красавицы обязательно и непременно постятся, причем в самом примитивном смысле — не едят мяса. Они наряжаются, ссорятся, мирятся, наводят красоту, ходят по ресторанам, сплетничают с подружками, посещают клубы и дискотеки, но мяса не едят. Это на их языке и называется пост, и Саше всегда делалось немного стыдно, когда в кафе он видел непременную вкладку под названием «Постное меню». Саша был серьезным молодым человеком и к подобного рода вещам относился серьезно.

Боголюбовские красавицы возвещать о том, что постятся, не стали — на удивление. Смуглая Юлия ловко разложила по тарелкам остывшую картошку, облизала пальцы и спросила, нет ли яблочного сока — запить виски.

Саша выразил немедленную готовность поискать, убежал в дом и вскоре вернулся с двумя банками, большой и маленькой.

В маленькой оказалось земляничное варенье, а в большой яблочный сок.

— Старый директор гнал, — объяснил он, отколупывая с трехлитровой банки жестяную крышку. Внутри тяжело, как ртуть, плескался тягучий и мутный яблочный сок. — Здесь у всех яблоневые сады и в урожайный год яблок горы!.. Еще даже антоновка осталась настоящая. Теперь ее почти нигде нет, а тут уцелела.

Красавицы слушали с интересом. Саша чувствовал себя дураком.

— Да, — молвила Лера, когда он дорассказал про яблоки, — какая у вас интересная жизнь.

Все махнули виски — фрондерствующий Андрей Ильич присоединился, — запили директорским соком цвета темного меда и зажевали мясом, сделав вдумчивые лица.

— Мотя, иди сюда. Банкет продолжается.

Саша, который понимал, что нужно говорить, просто чтобы не молчать, иначе дело кончится крупной ссорой, рассказал немного про Мотю и ее несчастья.

— Мы ее сегодня вымыли, и она теперь от Андрея не отходит. А ведь усыпить хотели, проходу не давала, кидалась на людей!..

— Я не знала, что ты любитель собак, — заметила Лера сдержанно.

— Я не то чтобы собак люблю, — откликнулся Андрей Ильич с любезностью в голосе, — я издевательств терпеть не могу!.. Вот когда один над другим издевается, ненавижу просто. И не важно над кем, над собакой или над человеком.

— Ну да, — согласилась или не согласилась Лера. — Конечно.

Луна выкатилась из-за леса и повисла между старыми яблонями, голубым светом залило прошлогоднюю траву, бок деревянного дома и дорожки. Пахло дымом и прелой листвой, и стало совсем холодно.

Андрей Ильич ушел в дом и долго не возвращался. Совершенно изнемогший Саша рассказывал красавицам про музей — очаг культуры и животворный источник, — про окрестные озера и леса, полные зверья и птицы, про минувшее Рождество и лошадь Звездочку, опрокинувшую сани. Красавицы слушали из последних сил, позевывали в кулачки.

Вернулся Боголюбов и сообщил, что постелил красавицам в кабинете на диванах. Ванна в кухне, а дальше сами разберутся. Они тут же выразили немедленную готовность разбираться и, к Сашиному изумлению, в два счета убрали со стола остатки пира, оставив композицию «Медведь на воеводстве», стаканы и выпивку. С его точки зрения, хрустальные пальчики подобных див служат исключительно для того, чтобы взбивать локоны.

— Какие... красивые девушки, — сказал он негромко, когда они убрались в дом.

— И ловкие, — поддержал Андрей Ильич. — Сверх всякой меры ловкие! И ты зря старался. Плевать они на тебя хотели.

— А... кто это? Откуда они взялись?

— Взялись, по всей видимости, из Москвы, больше неоткуда. Юлька — моя сестра, а Лера бывшая жена.

— Чья? — глупо спросил Иванушкин.

— Моя же. У них то и дело случаются проблемы в личной жизни. Неразрешимые.

— Елки-палки.

— Я думал, хоть тут... — И Боголюбов махнул рукой на луну. Мотя подняла голову и навострила уши.

Помолчали.

— Может, на самом деле им помощь нужна? — наконец предположил Саша. — Не зря же они столько километров проехали. Может, имеет смысл поговорить?

— Я разберусь, Саш.

— Мне бы кастрюли забрать.

Крадучись, один за другим, они вошли в дом, где было тихо, ни звука, и пробрались на кухню. Вся посуда была перемыта, отчищенные кастрюли стояли на плите.

Саша улыбнулся. Ему понравились отчищенные кастрюли, и вдруг стало интересно как-то по-новому, всерьез.

Он решил, что завтра непременно выведает у Боголюбова, что приключилось у красавиц, зачем они приехали. Ни в какие «личные» проблемы он не поверил.

Наутро после бессонной ночи, давшейся трудно, Андрей Ильич струсил окончательно и ушел из дому еще до девяти, чтобы не встретиться с родственницами, бывшей и настоящей. Он решил, что в крайнем случае посидит до открытия на лавочке перед музеем, и наплевать, кто и что подумает!..

Он кругом обошел собор с колокольней — собор был подновленный, недавно отремонтированный, а колокольня запущенная, облупившаяся, видно, руки еще не дошли. Над речным обрывом школьники рисовали утро, учитель переходил от одного мольберта к другому и показывал, как надо рисовать. По Красной площади расхаживали ленивые и толстые голуби. Андрей Ильич их пугнул: он не любил голубей.

— Что это ты шикаешь?! — недовольно спросили из-за спины, и он оглянулся. Грузная седая бабка с холщовой сумкой погрозила ему палкой. — Лучше бы хлебца птичкам покрошил! Ты чей такой?

— Я из музея, — ответил Андрей Ильич.

— Из музея, а шикает!..

Она утвердила свою палку, оперлась на нее локтем и достала из сумки полбатона. Со всей площади к ней ринулись голуби, из кустов порхнули стремительные воробьи, в одну минуту на тихой дремотной площади возник птичий базар и драка.

На углу Земляного Вала Андрей Ильич обнаружил, что идет не один. За ним в некотором отдалении следует сторожевая собака Мотя, за которой он как следует поухаживал: обработал ссадины и раны антисептиком, почесал за ухом, потрепал по шее и велел сидеть дома и караулить.

— Зачем ты за мной идешь? — спросил Андрей Ильич, обрадовавшись компании. — Ты что должна делать? Ты должна дом стеречь!..

Мотя приблизилась, посмотрела умильно и немного помела хвостом.

— Пойдем тогда ошейник покупать!

Некоторое время они посидели на траве возле зоомагазина, дождались глазастую девчонку, которая издалека закричала:

— Открываю, открываю!..

Она погремела ключами, распахнула дверь, подперла ее кирпичом и вбежала внутрь. Следом за ней они вошли в тесное помещение, заставленное пакетами и банками и увешанное клетками с кенарями. Андрей Ильич полюбовался на кенарей.

— Птичку хотите купить? — спросила девчонка, появляясь за прилавком.

— Ошейник, вот для этой собаки.

Он долго и с чувством выбирал ошейник. Мотя дальше порога не шла, следила за ним внимательным и настороженным взглядом, не понимала, что это он задумал, да и пахло в крохотном помещении тревожно и странно. Боголюбов снимал с крючков ошейники, подходил и прикладывал к Моте. Девчонка ему помогала и веселилась, а Мотя косилась.

Красный ошейник Боголюбов отверг, решил, что слишком гламурно, купил голубой с коричневыми заклепками и еще кожаный поводок.

— Вы из первого дома, да? Вчера Саша прибегал, сказал, что вы собаку моете!

— Мы из первого, да.

— Тогда зачем вам поводок? Она непривычная. У нас собак на поводках не водят.

— Ничего, привыкнет, — сказал Андрей Ильич, который понятия не имел, куда и зачем станет водить Мотю на поводке. — Так положено.

Дальше они пошли тем же порядком. Боголюбов с поводком в руке впереди, а чуть позади Мотя в голубом ошейнике.

В «Калачной № 3» они купили серого хлеба и бутылку кефира на завтрак, а в хозяйственном спросили, когда завезут гамаки.

— Затрудняюсь сказать, — ответил сухонький старичок в синем рабфаковском халате. — Давненько ничего такого не было. Вот, к примеру, есть в наличии качели детские. Не желаете?

Боголюбов покачал головой.

— Тогда имеет смысл на строительный рынок заглянуть. Который рядом со станцией. Там такого товару навалом, а к нам не возят.

На скамейке возле музея Боголюбов открыл кефир, глотнул, поморщился, — как только он откинул голову, сразу стало больно, — отломил горбушку и стал жевать.

— Хочешь?..

Мотя из деликатности взяла кусочек. Она никогда не ела так вкусно, как вчера, и воспоминания о жареном мясе были еще свежи и волновали. Кроме того, давно забытое чувство чистоты и сытости, всеобъемлющей, окончательной чистоты и сытости, настраивало на благородный и возвышенный лад. Она чувствовала себя не пропащей и нищей, а благородной собакой при хозяине и изо всех сил старалась ему угодить, чтобы он в ней не разочаровался.

— Зачем Юлька ее притащила? — спросил Андрей Ильич у Моти и прищурился на солнце. — Хотя это, конечно, большой вопрос, кто кого притащил.

Мотя прилегла и наставила уши — дала понять, что она слушает, а вовсе не дремлет.

— И главное, как всегда, вовремя! — продолжал Боголюбов. — Я никак не пойму, что здесь творится, а мне нужно это понять, вот в чем штука. И по голове я получил... знатно. Кому я так мешаю, а? Зачем Анна Львовна бумагу настрочила? И главное, глупая же бумага, бессмысленная! И зачем мне ее показали? Вот для чего?

Он глотнул кефиру и потряс бутылку, проверяя, сколько там осталось.

— Не хватало мне только Юльки с Лерой, понимаешь? И Саша! — Тут Боголюбов засмеялся, нагнулся и почесал Мотю за ухом. — Конспиратор! Просто король камуфляжа!.. Ну, с ним-то я разберусь как-нибудь. Картину вверх ногами повесил!..

К тротуару причалил двухэтажный автобус. Андрей Ильич вздохнул и допил кефир.

День начинается. Вот и туристы приехали. Площадь моментально заполнилась народом, вываливающимся из плавно отъехавших дверей, откуда-то взялись бабульки, раскинувшие туристические столики и в два счета разложившие товар: деревянные расчески, губные гармошки, глиняные тарелки и керамические магниты на холодильник. Андрей Ильич наблюдал за суетой.

К двери флигеля под жестяным кокошником потянулись сотрудники музея. Первой прибежала зачуханная Ася, то и дело поправляющая на носу нелепые очки, потом аспирантка Настя Морозова, потом кучкой прошли тетки-смотрительницы.

Андрей Ильич взял на поводок удивившуюся Мотю и поднялся.

— Господин Боголюбов!

Теперь удивился Андрей Ильич. И оглянулся.

От сверкающей черной машины, причалившей позади автобуса, к нему подходил улыбающийся Дмитрий Саутин.

— Собачку завели? Или из Москвы с ней приехали?

— Нет, это местная собачка, — бодро откликнулся Боголюбов. — Доброе утро, Дмитрий Павлович.

Саутин вдруг что-то сообразил и посмотрел на Мотю с изумлением. Та почему-то зарычала негромко, но выразительно.

— Я, собственно, мимо ехал, увидел вас и решил спросить, как дела?.. Осваиваетесь?

— Да как вам сказать!.. Скорее нет, чем да.

— А что так? У Анны Львовны полный порядок по всем вопросам, разобраться, я думаю, вам нетрудно будет.

— Да что-то пока никак не получается у меня разобраться, — признался Андрей Ильич. — Должно быть, оттого, что соображаю плохо, голова болит. Хотя, конечно, отделался я легко. Как вы думаете, я должен этому радоваться?

Дмитрий Саутин как-то странно дрогнул.

— У вас что-то случилось, Андрей Ильич?

— Ничего особенного, получил по голове. А Иванушкин утверждает, что в вашем городе разбойные нападения — редкость.

— Вы скажите толком, — хмуро попросил Саутин.

Пока Боголюбов рассказывал, они дошли до крылечка с жестяным кокошником и табличкой «Служебный вход» и остановились.

— Дяденька, а можно собаку погладить?

— Отойди, мальчик, не приставай, — велел Саутин.

— Конечно, можно, — разрешил Боголюбов, и они уставились друг на друга.

Мальчишка в красной кепке присел перед Мотей на корточки и аккуратно погладил ее по голове. Мотя горделиво выпрямилась.

— Невероятная история, — констатировал Дмитрий неуверенно. — А вам... нет, я все понимаю, конечно, но... может, вы сами... упали?

— Мы сами не упали, — возразил Боголюбов с досадой. — Зайдете, Дмитрий Павлович?

— Собаку надо на улице оставить.

— Собака со мной пойдет.

— Новая метла? — будто сам у себя спросил Саутин негромко.

Они поднялись по узкой лестнице на второй этаж. Боголюбов подергал дверь, директорский кабинет был закрыт.

— Ключи, должно быть, у Иванушкина, я пока не обзавелся. А вы часто здесь бывали, Дмитрий Павлович?

— Да почти каждый день... Нет, но если то, что вы рассказали, правда, нужно в отделение обратиться, это так нельзя оставить.

Боголюбов потрогал царапину на шее.

— Так ведь не хочется обращаться! Шум поднимать на весь город. Я же все понимаю — приехал хлыщ из Москвы, сгубил Анну Львовну, вот-вот сгубит и музей тоже, какие-то истории уголовные сочиняет!

— Ну, это вы напрасно...

— Ничего не напрасно, — произнес Андрей Ильич проникновенно. — Давайте в зал спустимся, я у вас спрошу заодно...

Он привязал Мотю на лестнице и пропустил Саутина вперед.

— Анна Львовна в тот день ведь не собиралась в музей, правильно? — на ходу говорил Боголюбов. — Мы встретились в трактире, и я попросил ее провести для меня экскурсию. Она подумала и согласилась. Насколько я помню, Нина ее отговаривала, но Анна Львовна была большая кокетка, верно?

— Кокетка?.. — переспросил Саутин.

Боголюбов кивнул:

— Ей стало интересно немного... поводить меня за нос. Она же собиралась поводить меня за нос? Или уличить в невежестве, так сказать, прилюдно! И ее я понимаю, Дмитрий Павлович! Такой соблазн. В музейном деле я смыслю мало, наверняка она об этом знала! Да и вы знаете, как первый министр и гофмейстер двора. Почему бы не повеселиться за счет шута горохового, то есть за мой?..

— Вы... не правы, — пробормотал Саутин.

— Прав, прав, — бодро отозвался Андрей Ильич, — чего там!..

Они миновали музейную бабулю, в волнении поднявшуюся им навстречу.

— Доброе утро, Дмитрий Павлович, — пробормотала она.

— Здравствуйте, — откликнулся Боголюбов, хотя здоровалась бабуля вовсе не с ним, и остановился. — Вот здесь все случилось. Вы помните, как это было?

— Мне не хочется вспоминать.

— Анна Львовна посмотрела в ту сторону. Мы все стояли чуть-чуть впереди. Станьте туда.

Дмитрий Саутин почему-то подчинился, должно быть, потому, что тон и весь вид Андрея Ильича разительно изменился. Теперь он говорил и двигался так, что не подчиниться было нельзя.

— Она сказала: «Этого не может быть» — и еще вот так замахала рукой. Куда она при этом смотрела? Вы не помните?..

— По-моему... по-моему, вон туда. — И Саутин показал рукой в угол. Андрей Ильич стал рядом с ним и посмотрел. В углу располагался пластмассовый решетчатый ящик — увлажнитель воздуха, — и больше ничего не было.

Бабуля-смотрительница маячила в двери, в волнении дергала очки на цепочке, высовывала вперед голову, как черепаха, но ближе не подходила.

— А мне кажется, она смотрела на картины.

— Она их видела каждый день, Андрей Ильич!

— Вот именно, — согласился Боголюбов. — Каждый божий день. Но именно в то утро она не собиралась приходить в музей! Она собиралась уезжать. Насколько я помню, у нее был билет на поезд.

Саутин подумал немного:

— И что?

— Как знать, — загадочно сказал Андрей Ильич. — Может быть, именно в тот день она совершенно неожиданно для себя обнаружила нечто такое... А вы хорошо знаете эти работы?

Дмитрий задумчиво смотрел на него, потом спохватился и подошел к стене с овальными портретами.

— Да не то чтобы очень... Но много раз их видел, конечно. Это, так сказать, местный зал, тут в основном наши земляки представлены.

— А художник Сперанский здесь есть?

Саутин быстро на него взглянул.

— Сперанский?.. Здесь?..

...Испугался, понял Андрей Ильич. Ну наконец-то!..

— Анна Львовна его очень любила, — продолжал Боголюбов, глядя Саутину в лицо. — Так любила, что от счастья чуть не упала в обморок, когда писатель Сперанский преподнес ей картину отца! Помните?

Саутин кивнул.

— Она выставляла его работы?

Саутин покачал головой.

— Я не эксперт, конечно, но мне кажется, что вот этот «Портрет неизвестной» очень похож по стилю на работы Сперанского! — И Боголюбов показал на одну из картин в овальной раме. — Кто автор?

Он подошел поближе и громко прочитал то, что и так знал:

— Неизвестный художник. — И фыркнул: — Надо же, и художник неизвестен, и кто изображен, неизвестно!.. Не известно ничего!

Пока он рассматривал табличку, Дмитрий успел немного подготовиться. Боголюбов спиной чувствовал, как он готовится.

— Я тут вам помочь не могу, — сообщил Саутин. — Я больше по хозяйственной части, нет, даже не по хозяйственной, а по материальной. Оборудование какое-нибудь купить, выпуск альбома профинансировать! А в картинах я не очень разбираюсь.

— Это понятно, — то ли похвалил его, то ли обидел Боголюбов. — Но все же!

— Вам лучше у искусствоведов спросить.

— Я спрошу. А вы в этом городе выросли, Дмитрий Павлович?

— И родился тоже здесь!

— Может, вы помните, какие отношения связывали Анну Львовну и художника Сперанского?..

— Я не знаю, — резко ответил Саутин. — Она очень уважала его талант. И потом, когда я был маленький, меня не интересовали ни музеи, ни художники!.. Мы жили в новом микрорайоне, и, когда наш класс водили в музей, я всегда прогуливал.

— Ценителем прекрасного стали уже в сознательном возрасте? — не удержался Боголюбов, и Саутин посмотрел на него.

Ничего особенного он не высмотрел. Новый директор музея имел вид простака, вынужденного решать сложную задачку. Голубые глаза чисты и прозрачны, в них — любопытство и больше ничего.

...Притворяется? Вот так ловко?.. Принесло на нашу голову, и что теперь делать, непонятно. И как держаться, и что отвечать на его идиотские вопросы, непонятно тоже!.. Лишь бы не промахнуться! И как ловко подвел, сам признался, что в музейном деле не особенно разбирается и всем вам, мол, об этом хорошо известно!..

— Я, когда стал зарабатывать деньги, понял, что должен помогать, — сказал Саутин, стараясь, чтобы прозвучало искренне. — Помогать тем, кто не умеет зарабатывать! Или не может, как музей. Я понял, насколько трудно все это сохранить, сберечь. У Анны Львовны получалось, и я, как мог, ей способствовал.

Боголюбов понимающе покивал.

...Ты врешь. Ты тоже врешь. Вы все врете и знаете, что долго вам не продержаться. Чего ты испугался? Фамилии Сперанский или чего-то еще?

— Надо по картотеке посмотреть, — пробормотал Андрей Ильич задумчиво. — Есть ли Сперанский в фондах, нет ли... А все-таки Анна Львовна тогда чего-то испугалась! Что-то она увидела такое, что ее убило. Что она могла увидеть?..

— Не знаю. Мне кажется, она умерла просто от... переживаний. Сердце не выдержало.

— А с покойным директором они не ссорились?

— Ну что вы, какие ссоры! — Дмитрий развел руками с облегчением, как будто некая опасность миновала. — Они друг друга обожали! Он без нее шагу не мог ступить!

Это я уже слышал, подумал Боголюбов. Он просил министра ни за что не назначать ее директором, вот как обожал.

— Я, пожалуй, выйду через главный вход. — Саутин задержался возле орехового стола, на котором стояли ваза с белыми лилиями и роскошный портрет Анны Львовны. — Вот это вы хорошо сделали. Оказали уважение.

— Это не я. Это Нина и Саша Иванушкин.

— Ну, значит, они молодцы. Поблагодарите их от меня.

Это была попытка нащупать прежний тон, который, видимо, был принят раньше, когда здесь царила

Анна Львовна, а Саутин был не только фаворит и камергер, но и финансист, отчасти начальник!

— Да вы сами поблагодарите! — воскликнул простак Боголюбов. — Им, наверное, приятнее будет от вас услышать! Вот Нина поправится — она внезапно заболела, — и вы ее поблагодарите.

— Чем она еще заболела? — процедил Саутин.

Боголюбов проводил его до охранника в форме, посторонился, пропуская экскурсию — среди ребят тот, в красной кепке, разглагольствовал громче всех и гримасничал особенно активно, — и вернулся на второй этаж.

Саша Иванушкин был на месте, директорский кабинет стоял нараспашку.

— Ты зачем собаку в музей привел? — страшным голосом спросил Саша, когда Боголюбов к нему заглянул. — Старушки все в ужасе, сейчас вторую кляузу министру настрочат!..

— Саш, камеры во дворе работают?

— Какие камеры? Ты бы ее хоть в кабинет завел, торчит на лестнице у всех на виду!..

— У меня ключа нет.

— Елки-палки, я забыл!..

— Камеры, — напомнил Боголюбов перепуганному перспективой кляузы заместителю. — Работают?

Саша некоторое время соображал, а потом покачал головой виновато.

— Только этого никто не знает, Андрей. Это же правилами категорически запрещено!.. Камеры должны работать, а у нас ни на фасаде, ни во внутреннем дворе!.. Ну, то есть работают, конечно, но с переменным успехом. Это уж мы так говорим, что у нас муха не пролетит...

— Почему? — осведомился Боголюбов. — Почему не работают?

— Да как стали переустанавливать систему, так с тех пор запустить и не могут! То работает, то не работает! Гроза пройдет или снегопад сильный, и все по новой начинается, хоть плачь! Вот Анна Львовна и придумала: лампочки сигнализации рядом с камерами вкрутили, значит, сигнализация вполне исправна, лампочки горят. Посторонний никогда не догадается, что камеры не работают.

— Хорошая придумка, — оценил Андрей Ильич и распорядился: — Значит, нужно сделать, чтобы камеры работали. — Он немного подумал. — А... давно это началось?

— Что?

— Катавасия с камерами?

Саша хотел было пожать плечами, но ограничился тем, что почесал нос.

— Я даже не знаю, — сказал он виновато. — Когда я пришел в музей, они уже не работали.

...Скорее всего, в тот момент, когда меня выволокли из здания музея и потащили в торговые ряды, камеры не работали, и увидеть злоумышленника не удастся. Ловко придумано, правда!.. Вот вопрос: чем Анне Львовне мешали музейные камеры?.. Сигнализация, выходит, не мешала, а камеры?..

...Что тут происходит, а?..

Саша притащил на поводке упиравшуюся Мотю и прикрыл дверь в директорский кабинет. Боголюбов, прищурившись, оглядывался по сторонам, как будто был здесь впервые, и напевал «Жил-был у бабушки серенький козлик» на мотив «Сердце красавицы склонно к измене». Он рассеянно потрепал Мотю по ушам и велел Саше снять черный креп с зеркала.

— Может, подождем? — спросил заместитель. — Хотя бы до девятого дня, а? Ну, чего людей нервировать, Андрей?

— Я сам нервничаю, когда на него смотрю, — заявил Андрей Ильич. — А я что, не человек?..

Тем не менее креп снимать не стали. Боголюбов, потянув за струну, по очереди поднял кудрявые музейные шторы, впустив в кабинет весеннее солнце, просунул руку в решетку, распахнул окно. Сразу стало слышно птиц, голоса на площади, фырчанье автобусов, похожих на пароходы. Андрей Ильич подышал полной грудью, повернулся и сел на подоконник. С этой стороны жизнь была пыльной, скучной и неуютной.

Странно, что Анна Львовна работала в таком неуюте, удивился он. Все же она была большая кокетка! Или она не здесь работала? Или она вообще не работала?.. А как она жила? Тоже неуютно?..

— Мне нужно посмотреть картину, которую директрисе подарил Сперанский, — сказал он, решив, что попасть в ее дом можно только под этим предлогом.

— Андрей, я не знаю, как это устроить.

— Надо позвонить ее сыну в Кисловодск или куда?.. В Ессентуки? И спросить разрешения. Есть телефон?

— Куда позвонить?! А, сыну. Не знаю, Андрей, у меня его телефона нет. Наверное, у Саутина есть. Зачем он сегодня приезжал?

— Я не понял, — честно признался Боголюбов. — На меня посмотреть, себя показать. Он же при Анне Львовне здесь был главным, насколько я понимаю. Ты говорил, что в пятидесятые годы музей переживал не лучшие времена. Тогда пропали какие-то работы?

— Это не я говорил, это Анна Львовна рассказывала, — сказал Саша, подумав. — Работы во время войны пропали, а в пятидесятые их стали возвращать! Музей долго восстанавливали!

— А картины папаши Сперанского когда в фондах появились?

Саша все-таки пожал плечами. Плечам и особенно шее было тесно в клетчатой рубахе с наглухо застегнутым воротником.

— Это надо уточнить, — сам себе сказал Андрей Ильич.

— Дался тебе этот Сперанский.

Боголюбов на подоконнике поболтал ногами.

— Я не могу понять, в чем тут штука. За что Анна Львовна так его любила? Почему пришла в такой восторг, когда писатель притащил ей картину? Я ее долго рассматривал! Ну, картина и картина!.. У него в доме на стене еще три десятка таких висит.

И задумался.

Загадочное превращение уездного писателя из шалуна и всеобщего любимца в почти делового человека, случившееся сразу после похорон Анны Львовны, тоже было необъяснимо. Алексей Сперанский в трактире «Монпансье» отличался от Алексея Сперанского в собственном доме разительно! Который из них настоящий?

А убогая Ефросинья? Кто ею руководит и зачем? Что нужно неведомому руководителю от Андрея Боголюбова? Поначалу она пыталась его напугать, это очевидно. А потом? Зачем она принесла письмо Анны Львовны с синим прямоугольным штампом «Копия»? Что он должен сделать с этим письмом? Ознакомиться и еще раз убедиться, что покойная и. о. директора не желала, чтобы он возглавил музей? Он убедился, и что дальше?

Кто такой Дмитрий Саутин? Местный предприниматель, которому некуда деньги девать, и по доброте душевной он «помогает музею» — такова официальная версия! Но он не просто помогает, он в курсе всех дел, музейные старушки подобострастно кланяются ему, а вовсе не новому директору, он распоряжается, кого похвалить, а кого поругать и за что! Какой у него может быть... интерес? И как его выявить, этот самый интерес?..

Почему Нина вчера ушла среди дня и больше не показывается на глаза? Или кто-то в данный момент в спешке переписывает сценарий, потому что прежний устарел и играть по нему больше не имеет смысла? Куда делся студент Митя? Почему пропал так внезапно, не сказав новому директору ни слова?.. Зачем все время врет хороший парень Саша Иванушкин? Кто в понедельник открыл дверь музея и снял его с сигнализации? Откуда в музейном парке взялась убогая Ефросинья и что она там на самом деле делала?

Кто ударил его по голове так, что он пришел в себя только под вечер? Как его вытащили из музея? Кому это под силу? Или злоумышленников было несколько? Боголюбов представил себе, как несколько злоумышленников тащат его бездыханное тело по площади, голуби шарахаются в разные стороны, а местные бабуси грозят вслед крючковатыми пальцами: «Из музея, а тащат!..»

И захохотал.

Мотя застучала хвостом и негромко и недоуменно гавкнула. Саша тоже удивился:

— Ты что, Андрей?

— Давай личные дела сотрудников. Где они, у тебя? Или в архиве? И ключи давай.

— Какие ключи?

— От этого кабинета, какие, какие!.. А секретарша есть? Или кто должен написать приказ, что я, как новый директор, имею право приходить в музей, отключать сигнализацию и прочее?

— У нас этими делами Ася занимается. На пол-ставки. Специального секретаря нет.

— Зачем ты выкинул цветы? — Боголюбов, сидя на подоконнике, откинулся назад, выпрямил ноги и поводил ими в воздухе — сделал гимнастическое упражнение «ножницы». — Когда я в понедельник был здесь, на столе стоял букет. Кувшин мокрый, только принесли. Потом цветы исчезли, и я обнаружил их в твоей мусорной корзине.

Саша исподлобья смотрел на Андрея Ильича. Тот еще немного поделал гимнастику.

— Так зачем ты их выбросил?

— Из личных соображений, Андрей Ильич, — сказал наконец Саша. — Поверьте мне, эти соображения никого не касаются и не имеют отношения к делу.

— Я не верю.

Саша все-таки пожал плечами.

До вечера Андрей Ильич «работал с документами». Отложив личные дела на потом, он пересматривал папки, оставшиеся ему в наследство от Анны Львовны, и пересмотрел, должно быть, десятую часть. Ничего особенного или интересного в этих папках не было, да он и сам не знал хорошенько, что значит «особенное» или «интересное». Была неторопливая, бедная, трудная жизнь большого российского музея в глубинке. Ничего не хватало: в первую очередь, конечно, денег, кадров, внимания начальства, заинтересованности государства в таких мелочах, как «культурное наследие». Все сотрудники до одного, за исключением Иванушкина, совмещали несколько «ставок», как Ася. Сторож Василий, которого Боголюбов так ни разу и не видел, к примеру, был еще «кочегар» и «садовник». Что именно и как именно он кочегарил, Андрею Ильичу так и не удалось узнать.

Часов в пять, когда за окнами зафырчал последний отъезжающий автобус, явилась прекрасная Нина. Боголюбов поднял голову, почувствовав, что на него кто-то смотрит, и обнаружил ее в дверях своего кабинета.

— Вы давно стоите? — осведомился он, после того как они некоторое время молча сверлили друг друга глазами.

— Не очень.

— Проходите.

Она зашла и тихонько присела на краешек стула — того самого, на котором сидел Боголюбов, когда получил удар по голове. Она была смирная, смотрела в пол, руки сложила на коленях.

— Как ваше здоровье?

— Спасибо, хорошо, — ответила Нина, не поднимая глаз.

— Идете на поправку?

— Вы... вы только поймите меня правильно... Я на самом деле...

Боголюбов бросил ручку и искоса глянул на Мотю — просто чтобы не смотреть на Нину.

— Я не хотела вам хамить, — выговорила она с большим трудом. — Правда, не хотела!.. Но... просто так получилось!.. Я думала, все будет по-другому, и растерялась... Я... думала, что Анна Львовна будет жить вечно, понимаете? И никогда ничего не изменится! А когда она умерла...

Крупная слеза капнула на стол, Нина торопливо смахнула ее ладонью. Боголюбов вздохнул.

— Я хотела попросить у вас прощения, Андрей Ильич.

— Я вас извиняю, Нина... как вас по батюшке?

— Лучше просто Нина.

Он кивнул.

— Возвращайтесь к работе, — сказал он и вооружился ручкой. — И все наладится.

— Вы думаете?

— Я почти уверен.

Но она все не уходила.

— Можно мне пригласить вас... на ужин? Или хотя бы на чай?.. Нет, вы не подумайте, что я... Просто мне неудобно, что я так ужасно себя вела...

— Спасибо, — поблагодарил Боголюбов, рассматривая ее, — при случае с удовольствием.

Нина встала, посмотрела на него, как будто хотела еще что-то сказать, раздумала и вышла, почти выбежала из кабинета.

— Вот это номер, — задумчиво сообщил Боголюбов Моте. — Какие перемены!.. Хотелось бы мне знать, чем они вызваны.

Он выбрался из-за стола, задраил все окна — помыть бы их не мешало! — взял собаку на поводок и замкнул дверь на ключ.

У ворот своего дома он вдруг как будто вспомнил о Юльке с Лерой и их непреодолимых жизненных сложностях, которые начинались как раз за забором — на участке играла музыка, машина за хлипким штакетником стояла нараспашку, в глубине сада мелькало что-то неестественно яркое. Андрей Ильич потоптался у калитки, а потом все же зашел: куда деваться-то?..

С бывшей женой он разговаривать, конечно, не станет, а сестре скажет, чтобы забирала подругу и убиралась. Сейчас не до них.

— У тебя такое лицо, — сказали из-за яблонь негромко, — как будто ты уксусу выпил.

— Да ну? — удивился Боголюбов. — Быть не может.

Дощатый стол был накрыт веселой скатертью, ветер слегка шевелил ее, как будто гладил. «Медведь на воеводстве» в центре сиял под вечерним солнцем, вокруг толпились чистые чашки и тарелки. Самовар отставлен на пенек, садовые кресла застелены пледами.

Андрей Ильич стиснул зубы.

Его бывшая жена везде и всегда умела устраиваться с наибольшим комфортом для себя!

— Я хочу извиниться, Андрей. Прости меня, пожалуйста.

— Как?! — вскричал Боголюбов. — И ты тоже?!

Лера вышла из-за яблонь.

— Я не знаю, кто еще «тоже», но я-то должна. Приехать к тебе — моя идея, и не самая... умная, наверное.

— Вот это точно.

— Я уеду завтра.

Боголюбов кивнул. Ему хотелось спросить, почему не сегодня.

Лера оглянулась на крылечко, помедлила и подошла поближе.

— Ты только Юльку не отпускай в Москву, — сказала она почти умоляюще, понизив голос. — Хорошо? Ей туда нельзя.

— Жил-был у бабушки серенький козлик, — пропел Андрей Ильич, — жил-был у бабушки серый козел!.. Вот как, вот как, серый козел!

— То есть ты ничего не хочешь слушать?

Он помотал головой.

— Понятно.

Она отвернулась, а он быстро и воровато посмотрел на нее, как будто украл. Сегодня она была причесана попроще — видимо, сказалась ночь на бывшем директорском диване, — короткие белые вихры торчат совсем по-девичьи, в наивных розовых ушах сверкают бриллиантовые капли, его подарок к прошлому дню рождения. Личико умытое, нераскрашенное и от этого свежее, юное. Когда-то ему нравилось, что его жена такая... разная. В официальных костюмах — строгая, холодная и взрослая, а в джинсах и маечке — совершеннейшая девчонка.

— У тебя хорошая собака.

Он отвел глаза, нагнулся и отцепил Мотю с поводка.

— Ты освоился на новом месте?

Он пожал плечами.

— Ужинать будешь?

Он пошел по дорожке к дому, остановился и сказал издалека, очень серьезно:

— Лер, постарайся со мной не разговаривать. Цивилизованный развод двух цивилизованных людей — это история не про меня, я тебе уже говорил когда-то. Я дикий человек. Самодур. Ты завтра уедешь, да? А до завтра перетерпи как-нибудь, не изображай интерес и заботу, воздержись. Хорошо?..

И поднялся на крыльцо.

Все окна в доме были распахнуты настежь, играло радио — «московское время восемнадцать часов две, нет, уже три минуты, у нас в эфире танцевальная музыка в стиле ретро!» — крашеные полы отмыты до блеска.

— Всегда быть рядом не могут люди, — громко распевала Юлька, подпевая приемнику, — всегда быть вместе не могут люди, нельзя любви, земной любви пылать без конца!..

Злыми шагами Боголюбов вошел в кабинет. Его сестра сидела на подоконнике, свесившись на улицу, и терла стекло скомканной газетой.

— Привет, Андрюха! — из-за стекла прокричала она и помахала газетой. — Смотри, какая чистота!.. Ботинки нужно снимать, куда ты на мытые полы приперся?!

— Юль, что происходит, а?

— А что происходит? Уборка происходит!.. Мы всю твою посуду в шкаф переставили в ту комнату. Шкаф тоже помыли. Скажи, зачем мы друг друга любим, считая дни, сжигая сердца?.. — опять затянула она.

Он подошел и за руку втянул ее внутрь. Она спрыгнула с подоконника, вид у нее сделался несчастный и независимый одновременно.

— Юль, ты что, дура? Вы мне тут не нужны, ни ты, ни она!.. Ты бы хоть разрешения спросила!

— А ты бы разрешил нам приехать?

— Нет.

— Вот именно, — воинственно сказала Юлька и кинула на пол газетный ком. — И мы пытались тебе позвонить, но ты не отвечал! Значит, сам виноват.

— Это точно, — согласился Боголюбов. — Я всегда сам виноват. Во всем.

— В Москву я не поеду, — заявила Юлька. — У меня отпуск до пятого, а там еще выходные! Я останусь у тебя. И не делай такое лицо, я тебя не боюсь.

— Андрей Ильич, — закричали с улицы, и собака забрехала. — Можно вас на минуточку?

Боголюбов сквозь зубы выговорил нечто длинное и витиеватое и выскочил на крыльцо.

Модест Петрович заглядывал в дверной проем, вид у него был самый благожелательный. Лера с граблями в руках маячила на заднем плане.

— Добрый вечер, Андрей Ильич. Не ко времени я, должно быть, гости у вас.

— В самый раз, в самый раз, — любезно перебил его Боголюбов.

...Сегодня ко мне повышенное внимание — и Саутин, и Нина, и Модест!.. Что-то произошло или только должно произойти? Я что-то упускаю, не замечаю?..

— Я, собственно, с приглашеньицем к вам. Мы с сыном на рыбалку в ночь наладились, может, вы с нами?.. Своими глазами, так сказать, увидите наши заповедные места!

— Очень неожиданно, — пробормотал Боголюбов. — Я не готов...

— Да чего там, готов не готов! У нас-то все давно готово, и места мы знаем! Посидим у костерка, уши-цу похлебаем, поговорим за жизнь! Соглашайтесь, Андрей Ильич. Право слово, соглашайтесь!..

Если бы за могучим плечом Модеста не маячила трепетная Лера, не причесывала граблями траву, не прислушивалась к каждому слову, не поправляла белые волосы тыльной стороной ладони, он бы отказался, конечно.

Но она маячила, прислушивалась, и Андрей Ильич приглашение принял.

Модест Петрович как будто удивился даже, Боголюбов это его удивление заметил.

— Значит, часика через два мы у ворот посигналим.

— Я на своей поеду, Модест Петрович.

— Да это как вам больше нравится!.. Снаряженьице предоставим — палатку возьмем, котелки, треноги, сапожки резиновые. Все есть.

— У меня свои сапожки, Модест Петрович. И снаряжение свое.

Тот оглянулся на зачехленный прицеп с моторкой. Половина боголюбовского, бывшего директорского участка была теперь заставлена разнообразными транспортными средствами. Модест Петрович усмехнулся.

— А что? Можно и лодочку подцепить. Там у нас местечко есть, плиты уложены, катки, чтобы спустить ее удобней. Отчего же не побаловаться?..

Проводив трактирщика, Боголюбов в два счета разложил, повытаскивал сапоги, штаны, спальник, кинул на траву увесистый мешок с палаткой, прислонил к борту чехол с удочками.

— Андрюш! — закричала с крыльца Юлька. — Ты что? Уезжаешь? А ужинать?

...Куда-то подевалась сковородка. Котелки все на месте — до одного, — а сковородка пропала. Куда на рыбалку без сковородки?.. Налегая животом на борт так, что прицеп качался, Боголюбов перекидывал узлы. Куда она делась-то?.. Забыть ее в Москве он никак не мог.

Его собака сидела рядом с прицепом и таращилась во все глаза.

— Ищи давай, — велел ей Боголюбов. — Что ты без дела сидишь?

Она подошла и понюхала увесистый палаточный чехол.

— Да не палатку, а сковороду!..

— А это мы... взяли, — сказала у него за спиной Лера. Он оглянулся. Она стояла совсем рядом. — Мы паэлью готовили, а подходящей сковородки не было, так мы у тебя вытащили. Я же знаю, где она лежит.

— Что вы готовили? — помедлив, переспросил Боголюбов.

Лера виновато кивнула на мангал. Над ним вился белый дымок.

Андрей Ильич посмотрел. Его знаменитая рыбацкая сковорода — чугунная, тяжеленная, закопченная, настоящая, без дураков — стояла на углях внутри мангала. Он поднял крышку, отшатнулся от пара и понюхал. Пахло умопомрачительно.

— Мы решили, что Юлька моет окна, а я готовлю ужин. Вот я и подумала, что на огне будет вкуснее. Ты же любишь, когда на огне...

Должно быть, дело завершилось бы скандалом, если б не появление Саши Иванушкина.

— Андрей! — закричал он так громко и так неожиданно близко, что Боголюбов уронил крышку. Она сильно загрохотала. — Я ключи принес! Ты от кабинета взял, а от наружных дверей нет, мы про них забыли!.. Так я решил...

Боголюбов вернул крышку на диковинное блюдо паэлью.

...Ключи вполне могли подождать до завтра. Вечером они мне ни к чему. Что происходит? Что им всем от меня нужно — именно сегодня?..

— Здравствуйте, — радостно продолжал Саша, поклонился Лере и пошарил глазами в поисках Юльки. — Освоились? Я думал, вы в музей заглянете! Наш музей — одна из главных достопримечательностей города и всей округи.

Он посмотрел на Леру и Боголюбова — мрачнее тучи, — замолчал и продолжил совершенно другим тоном:

— Я на минуту. Вот ключи, Андрей. Этот от служебного входа, длинный от калитки, а сложный от...

— Добрый вечер, Саша, — лисичкиным голосом молвила Юля.

Таким голосом, ласковым, вкрадчивым и фальшивым, говорила героиня сказки «Лисичка со скалочкой». Брату и сестре Боголюбовым эту сказку читал дед — на разные голоса.

— Поужинаете с нами? — Юлька пристроила на край стола жостовский поднос, когда-то, видимо, расписной и цветастый, а теперь вытертый, почти черный, с остатками роз и маков по краям. — Андрей нас бросает и уезжает на рыбалку. А вы? Ужинать будете?

— Я?! — поразился Саша. — Я... да. Наверное, буду.

— Вот и прекрасно. Так, еще салфетки и хлеб.

— Я принесу, — вызвалась Лера.

— Мне нужна моя сковорода, — процедил Боголюбов, чувствуя себя полным идиотом.

— Мы ее сейчас освободим, — пропела Юлька, — и ты ее немедленно заберешь и спрячешь. Лера, Лер!.. Там кувшин с соком, захвати!.. Александр, вы любите паэлью?.. Лера так ее готовит, с ума можно сойти.

— Я не знаю. — Саша посмотрел на Боголюбова, как бы уточняя, любит ли он паэлью. — Наверное, люблю.

— Это такое испанское блюдо. Раньше считалось деревенским, а теперь — изыск! Там все вместе, рис, курица, креветки. Можно еще ракушек, но в магазине были только какие-то подозрительные, мы не стали брать. Блюдо одной сковороды! Очень вкусно! Лера так вкусно делает, особенно если на огне...

— Юль, заткнись.

Боголюбов ушел к прицепу и стал там шуровать — совершенно бессмысленно.

— Ты в самом деле на рыбалку собрался?

— Саш, не отсвечивай. Иди и ешь паэлью, испанское блюдо.

Андрей Ильич затянул узел на рюкзаке, развязал узел на рюкзаке и полез в чехол со спиннингами.

— Прямо сейчас поедешь, что ли?

— Как Модест явится. Это его идея.

Саша помолчал. Боголюбов продолжал шуровать. Солнце висело между старыми яблонями, белый дым путался в ветках, пахло весной.

— Я с тобой поеду.

— Тебя не приглашали.

— Я без приглашения.

Андрей Ильич выглянул из-за прицепа.

— Даже так?

Саша кивнул очень серьезно, и Боголюбов больше ни о чем не стал спрашивать.

Лера с Юлей призывали и повторяли, что сейчас все остынет, и пришлось покориться. Изысканное испанское блюдо паэлья было съедено моментально. Боголюбов под уличным краном до блеска оттер сковороду и с мстительным видом сунул ее в багажник. Юлька показала на него глазами, засмеялась лисичкиным смехом и завела с Сашей светскую беседу. Он смущался и натягивал на запястья рукава клетчатой рубашки.

Когда явился Модест Петрович — в камуфляже и рыбацкой шляпе с полями, — Боголюбов уже не знал, куда деваться от собственной неловкости и неправильности происходящего.

Только на шоссе он вспомнил, что Саша поехал в чем был — джинсах и нелепой рубахе, — но спрашивать ни о чем не стал. Странное дело, Модест Петрович тоже ни о чем не спросил Сашу, когда увидел, что тот забирается в боголюбовскую машину. Как будто так и планировалось заранее.

...Или именно так и планировалось?.. А он, Боголюбов, опять ничего не понял?..

Лера закрыла на щеколду отсыревшую скрипучую створку ворот и посмотрела вслед уехавшим. Вот мигнули на повороте красные тормозные огни, и машины одна за другой перевалились через горку. Собака Мотя в голубом ошейнике тревожно, как и Лера, смотрела на улицу, вытягивала шею.

— Ничего, — сказала ей Лера. — К тебе-то он точно вернется, не переживай.

Мотя неопределенно шевельнула хвостом и улеглась у ворот.

— Лер, пойди сюда! Смотри, что я нашла!

Юлька сбежала с крыльца, в руке у нее был скомканный листок бумаги в файловой папке.

— В кабинете на полу валялась. Прямо за диваном.

«Вновь назначенный директор музея изобразительных искусств и музейного комплекса Боголюбов А. И. обладает крайне подмоченной репутацией, — читала Лера. — В отношении него в 2012 г. проводилось служебное расследование по факту превышения полномочий... Боголюбов А. И. не раз демонстрировал полную и вопиющую некомпетентность... Под руководством Боголюбова А. И. все достижения могут быть утрачены и потеряны, ибо он человек невежественный. Прошу вас пересмотреть...»

Лера зачем-то перевернула листок и посмотрела с обратной стороны — там ничего не было. Юлька заглянула ей в лицо.

— Да ну, — отмахнулась Лера. — Какая-то чепуха.

— Но это же кто-то написал!

— Юль, мало ли какие у них тут интриги и подковерные игры.

— Что за служебное расследование в двенадцатом году?! Ты что-нибудь об этом знаешь?

Лера покачала головой и еще раз перечитала бумагу. И вдруг рассердилась.

— Маразм, — сказала она. — Кому это в голову пришло?.. Невежественный человек!.. Еще не хватает!

— Вляпался братик в неприятности, — констатировала Юля. Ей понравилось, что Лера так рассердилась, что даже покраснела. — Это он умеет.

— У вас такая семейная склонность.

— А у вас? — моментально спросила Юлька, забрала у нее папку и ушла в дом. — Как ты думаешь, — прокричала она оттуда, — мне ее опять на пол бросить?

— Как хочешь, — себе под нос пробормотала Лера.

— Соседям доброго вечера, — поздоровались с соседнего участка, и она с изумлением посмотрела в ту сторону.

...Крайне подмоченная репутация — это какая?.. Она или подмоченная, или нет, эта самая репутация! Полная и вопиющая некомпетентность, невежественный человек!.. Господи! Кто это выдумал?! И зачем?..

— Ле-ер? Как ты думаешь, на чердаке тоже помыть? Я туда заглянула, там пылища-а-а!..

— Завтра помоешь.

— А ты?

— Что я?

— Ты не будешь мыть?

— Я завтра с утра уеду, Юль. Я бы прямо сейчас уехала, но куда на ночь глядя...

— Лера, — негромко сказала Юлька, — ты же хотела с ним поговорить.

— Он не станет со мной разговаривать. — Лера собирала со стола цветные тарелки скопинского фарфора. — Да это было ясно с самого начала! Непонятно, на что мы надеялись.

Юлька села в плетеное кресло, застеленное вытертым коричневым пледом. И сложила руки на коленях. И ссутулила плечи.

— Лера, — начала она, помолчав немного. — Но ведь так не бывает, чтобы... чтобы все!.. Раз, и все, и даже не поговорить. Он же нормальный человек, и ты тоже нормальный. Вроде бы.

Лера засмеялась. Звякнули тарелки.

— Вот именно, что вроде бы. Чаю, что ли, поставить?.. Ты умеешь топить самовар?

Юлька посмотрела на самовар, отсвечивающий в весеннем солнце самодовольным начищенным боком.

— Когда я была маленькой, никак не могла понять, как это получается?.. Ну почему щепки и шишки бросают внутрь, там же вода? Как они там горят, в воде?.. И почему чай получается чистый, без мусора и углей?

— Мусор, — задумчиво повторила Лера. — Кругом сплошной мусор. Видишь, как далеко Андрей забрался, чтобы спастись от мусора, но здесь тоже ничего хорошего. Невежественный человек с крайне подмоченной репутацией!..

— Ты говоришь непонятно что, — сказала Юлька, которая прекрасно все поняла. — Давай вместо самовара чайник поставим, хочешь?.. И вообще уехать ты не можешь. Я одна боюсь.

— Андрей вернется со своей рыбалки, и ты будешь не одна.

— Лер, короче говоря, я тебя не отпущу. Поняла? Права выброшу в пруд, бензин из бака солью.

— Что ты несешь?..

Лера унесла в дом грязную посуду на жостовском подносе. Юлька качалась в кресле туда-сюда. Кресло, не предназначенное для качания, кряхтело и поскрипывало.

— Юль, ты его сломаешь.

— Мы должны Андрею все рассказать. Понимаешь, все, от начала до конца. И он поймет.

— Он не станет слушать. Я бы не стала.

— Потому что ты не мужчина, — сказала Юлька наставительно. — Они другие. Они должны нас защищать и спасать. И быть великодушными и сильными.

— Ничего они не должны!.. Это они раньше были такими, а потом мы им объяснили, что у нас общество равных возможностей и женщины в защите и спасении не нуждаются. Женщины нуждаются в равенстве и братстве.

— Да-а-а? — протянула Юлька.

— А ты не знала?

Та пожала плечами:

— Я как-то об этом не думала.

Лера села на соседнее кресло и посмотрела на красное солнце, висевшее между старыми яблонями.

— А я в последнее время то и дело об этом думаю, Юлька.

— О равенстве и братстве?

Лера кивнула.

— О том, что я такая умная и смелая, что не нуждаюсь ни в чьих советах. В поддержке тоже не нуждаюсь. Я сама, я все могу сама!.. У меня образование есть и как бы профессия!.. Я вышла замуж, побыла замужем, потом перестала быть замужем, и все сама!.. Подумаешь, дело! Был один муж, будет другой, еще лучше предыдущего, я же достойна большего! Это просто болезнь мозга какая-то, понимаешь?.. Называется — «я достойна большего»! И это «большее» мне подавай сию минуту, а не в каком-то там отдаленном будущем, на которое нужно работать, строить его, придумывать, воплощать. У меня же все было, — продолжала она, как будто удивленно. — И ничего не стало!.. И мне никто не сказал: остановись, что ты делаешь, опомнись! Мне говорили: правильно, так и надо, ты достойна большего.

— При чем тут равенство и братство?

— При том, что теперь мы с мужиками — братья по разуму, а не существа разного пола. Мы такие самостоятельные и уверенные в себе, что нам даже в голову не приходит... остановиться. И подумать. Головой подумать, что дальше?.. Андрей то и дело говорил: думай головой, на что тебе голова дана? А я...

— Вот это и надо ему сказать. Что ты подумала головой и поняла, что ошиблась.

— Да ему уже наплевать, ошиблась я или не ошиблась.

— А обручальное кольцо он так и не снял, — сообщила Юлька и сбоку глянула на Леру. — Ты видела?..

Лера кивнула и вдруг улыбнулась очень женской улыбкой.

— Как ты думаешь, у него кто-нибудь есть?..

Собака Мотя вдруг залаяла у ворот — очень громко и сердито. Девушки переглянулись, у Юльки сделалось испуганное лицо.

— Кто там, Лера?.. Кто это может быть?

Они посмотрели друг на друга. Лера выбралась из кресла и почти побежала по дорожке к калитке. Она была уверена, что ничего страшного случиться не может, — они убежали, спаслись, да и Андрей где-то поблизости, — но Юлькин испуг моментально передался и ей.

«Вы все делаете разом, как по команде, — говаривал ее бывший муж. — Смеетесь хором, плачете тоже хором, даже говорите хором! Это что, такая женская особенность, что ли?»

Лера презирала его за такие высказывания.

— Кто там?! — И она остановилась как вкопанная. Сердце, прощально и сильно ударив, остановилось тоже.

— Кто же это там? — весело сказал высокий мужчина, подошел и взял Леру за шиворот. — Кто это может быть? А это я!.. Самый долгожданный гость!

Когда он взял ее за шиворот, Мотя, которая до этого лаяла, захлебывалась и припадала, вдруг бросилась на него, норовя вцепиться в замшевый ботинок. Лера не могла шевельнуть шеей, сглатывала, смотрела вниз и отчетливо видела, что ботинки именно замшевые, и почему-то это имело значение. В глазах у нее медленно темнело.

— Пошла вон! Вон!

Гость на секунду ослабил хватку, Лера отшатнулась, вырвалась и побежала. Юлька стояла у крыльца, прижав к груди кулачки. Глаза у нее провалились, как у мертвой, губы были белые. Лера схватила ее за руку и поволокла в дом. Сзади прощально и хрипло взвизгнула собака. И стало тихо. Должно быть, человек в замшевых ботинках убил ее.

Лера взволокла на крыльцо Юльку, захлопнула дверь, повернула ключ, но что толку!.. Все окна распахнуты настежь, влезть ничего не стоит, а Юлька почти без сознания!..

— Девочки, открывайте! — донесся с крыльца веселый голос. — Ну, не дурите, открывайте! Я уже здесь, с вами!

...Думай головой, вспомнилось Лере, на что тебе голова дана?..

Она огляделась. Юлька рядом тяжело и медленно дышала. Толкая ее перед собой, Лера добралась до лестницы на чердак.

Хлипкая входная дверь ходила ходуном — вот-вот откроется, и тогда им конец!..

— Девочки, ну что же вы?! Юленька, выходи! Выходи, дорогая, а то я тебе больно сделаю! И подружке тоже! Ты же не хочешь, чтобы подружке больно было!

Лера за руку потащила Юльку по лесенке. Та вдруг стала вырываться.

— Пусти, я к нему выйду.

— Юля!

— Он нас убьет, — трясущимися губами едва выговорила Юлька. — Он нас нашел и теперь убьет.

— Не убьет, — пробормотала Лера, продолжая ее тащить. В глазах у нее все плыло от страха и от того, что сердце не билось. — Мы спрячемся.

Они были еще на лестнице, когда входная дверь распахнулась. Юлька ахнула. Лера продолжала молча и сосредоточенно тащить ее и в последнюю секунду, схватив балку, кое-как ткнула ею в преследователя. Тот отшатнулся и заматерился, и Лера захлопнула чердачную дверь перед его носом. С внутренней стороны в замок был вставлен длинный ключ, Лера быстро повернула его. Снаружи на створку обрушились удары, загрохотали, как камнепад, но дверь держалась.

— Долго... мы... тут... не сможем... — отрывисто сказала Юлька.

— Замолчи!

Дверь сотрясалась. Лера обежала холодный пыльный чердак, по очереди выглядывая в каждое окно. Закричать?.. Позвать на помощь?.. Она подергала рамы и подвигала туда-сюда шпингалеты. Окна почему-то не открывались, снаружи были решетки. Если кричать отсюда, никто не услышит. Или услышит?..

Вдруг все смолкло, удары прекратились, и наступила тишина. От этой тишины Лере стало плохо.

В отчаянии она тряхнула раму, которая не поддалась, даже не шелохнулась.

— Помогите, — тихонько сказала она и оглянулась. Юля стояла у самой двери, прижав кулаки ко рту. За дверью было тихо.

Лера огляделась, подбежала к комоду и стала его толкать. Он был старинный, очень тяжелый и не двигался.

— Юля, помоги мне!

— Он нас нашел, — выговорила Юлька. Глаза у нее были безумные. — Он нас убьет.

— Давай, ну!..

Дверь открывается наружу, соображала Лера как будто сквозь вату. Даже если нам удастся подтащить комод, он нас не спасет.

— Девушки-и! — раздалось с улицы. — Побаловались, и хватит! Юлечка, спускайся! Я не отстану, ты меня знаешь!

Юлька замерла.

— Толкай, — приказала Лера.

— Я тебя нашел, а ты что?.. Думала, хвостом махнула, и все? Спряталась от меня? Нет, дорогая, не выйдет у тебя ничего! Юля!

— Толкай! — повторила Лера и пнула Юльку в бок.

— Я боюсь, — сказала та и затряслась всем телом. — Он ненормальный.

— Потом будем бояться!

— Он нас убьет.

— Юля-я! Выходи! Ну что ты?

В этом веселом голосе, приглушенном стенами и рамами, была какая-то опереточная жуть, и Лере показалось, что все это происходит не с ней. Ну, не может быть, чтобы она пряталась на чердаке, двигала комод, надеясь хоть на какое-то время продлить оборону, и прислушивалась к звукам за окнами!

— Все равно я вас достану, девочки-и!.. Если сами не выйдете, я вас выкурю! Дом старый, сгорит за пять минут! Ну?.. Выходите, чего время-то тянуть?

Лера опять налегла на комод, и вдвоем они с трудом дотолкали его до двери.

...Ну и что? Что теперь?!

Лера лихорадочно зашарила по карманам, выудила мобильный телефон и нажала кнопку. Посмотрела на экран. Там светилось имя — Андрей.

— Девочки, выходите! Я вас жду-у!.. Ну, где вы там, лапушки?..

«Аппарат абонента выключен или находится вне зоны действия сети...»

— Да не просидите вы там долго! А я терпеливый!.. У меня времени полно!

— Он нас убьет обеих, — повторила Юлька. — И меня, и тебя. Я, наверное, должна выйти.

— Не отвечает, — простонала Лера с отчаянием. — Господи, что нам делать?!.

Она побежала к окну, присела и осторожно выглянула.

— Я здесь, здесь! — донеслось снизу веселое. — Я тебя вижу! Выходите давайте!

— Юль, мне кажется, у него пистолет.

— Что?!

— Пистолет. Вон, в руке. Выгляни, только тихо!..

Юлька на коленях подползла к Лере, высунулась и нырнула обратно под подоконник. Теперь они сидели, прислонившись спиной к стене.

— Ну?..

— Похоже. Откуда у него пистолет?

— А собака? — вдруг сообразила Лера. — Не лает. Он убил собаку?

Юля посмотрела на нее остановившимся взглядом.

— Девочки-и! Хватит дурака валять! Отворяйте шире двери, встречайте дорогого гостя! Юлька, выходи! Если выйдешь, я тебя не трону. И подружку не трону! Или хотите, чтоб я вам больно сделал? А, девочки?..

— Стрелять он вряд ли станет, — шепотом, как будто ее могли услышать с улицы, проговорила Лера. — Тут кругом люди. Услышат, прибегут.

— Он ненормальный, — повторила Юля. — Ему все равно. Он не остановится. Он нас застрелит или сожжет. Он говорил, ему нравится запах жареного мяса!

Она вдруг отчаянным движением задрала футболку, чуть не задев Леру по лицу.

— Что ты, что ты, — забормотала Лера и стала ловить ее за руки. Юлька вырвалась.

— В прошлый раз он тушил об меня сигареты. — Беззащитный живот и грудь были в красных воспаленных отметинах, ровных и круглых. При виде отметин Леру моментально и сильно затошнило. — Сказал, что в кино видел, ему понравилось. Он меня связал и долго объяснял, что я неправильно себя вела. Потом взял из пачки сигарету, закурил и потушил об меня. И так, пока пачка не кончилась. Иногда он долго курил, а только потом тушил. Иногда сразу. Чтоб я не знала, когда он станет тушить.

— Тихо, тихо, — быстро сказала Лера и опустила на Юльке майку. — Мы больше не дадимся.

— Я на следующий день в Интернете прочитала про болевой шок. От него теряют сознание, а я не потеряла. Если сознания нет, то и не больно. А мне было больно. Долго.

— Ничего, ничего, — как заведенная, глупо повторяла Лера. Боком, чтобы не задеть живот, она прижимала Юльку к себе. — Мы как-нибудь. Мы окно выбьем и позовем на помощь.

— А если никто не придет? А он совсем озвереет. Он и так — зверь.

— Юля, я терпеливый, но ты мое терпение не испытывай! Побаловалась, и хватит! Ты же знаешь, я не отступлюсь. Выходи, поговорим, во всем разберемся. Ты мне расскажешь, зачем от меня сбежала, а я тебя научу правильно себя вести! Ну, Юлечка, девочка моя! А то я подружку твою тоже научу, а вы, бабы, такую науку не любите! Вы ласку любите, только ее заслужить надо, ласку-то! От ласки вы распускаетесь и всю науку забываете!..

— Не слушай его! — Лера взяла Юльку за плечи и встряхнула. Голова у той болтнулась, как у куклы. — Не смей! Мы вдвоем, его здесь нет! Он снаружи, и он до нас не доберется. Дыши глубже!

Юлька послушно задышала.

— Сиди и дыши.

Лера поползла вдоль стены до следующего окна. Ползти не имело смысла, но она все-таки ползла — от страха.

— Андрей, — проскулила она, добравшись, — зачем ты уехал? Зачем ты именно сейчас уехал, черт тебя возьми!..

Она выглянула в окно — никого не было в саду между старыми яблонями, только поднимался белый дым от непотухшего костра, путался в ветвях. Лера стала на колени и попробовала открыть шпингалет. Он не поддавался.

— Не слушаетесь вы меня, — доносилось снизу. — Играете со мной! А я не люблю, когда меня не слушаются! Баба слушаться должна, на то она и баба!.. Она команды должна выполнять, когда мужчина приказывает!.. Выходите, ну!..

Лера приналегла на раму — бесполезно — и снова выхватила телефон.

«Аппарат абонента выключен или...»

— Думай, — сама себе приказала Лера. — Думай спокойно. Что можно сделать?..

На пригорке телефон тренькнул. Боголюбов мельком глянул на экран, перегнулся через Сашу и сунул аппарат в «бардачок».

Пропущенные вызовы от бывшей жены общим числом пять. Или восемь. Какая разница?!

— Далеко едем, не знаешь?

Саша пожал плечами.

— Тут кругом рыбалка и охота, — сказал он как будто виновато. — Рек и озер полно, леса заповедные, только я ни разу не ездил. Я не рыбак. А Модест со старым директором это дело очень уважали.

Когда тот помер, Модест сокрушался, что такого товарища потерял!.. А сестра с... женой к тебе надолго?

— У меня нет жены, Саш. — Боголюбов выкрутил руль, сворачивая в лес за впереди идущей машиной. — И это не мой вопрос, надолго или, может, накоротко!..

— Она красивая.

— Которая?

— Обе.

— Я ж тебе говорил: ты зря стараешься. Никто это не оценит.

Тут Саша Иванушкин, веснушчатый, как бы все время виноватый, пожимающий плечами, немного рохля и недотепа в клетчатой рубахе, вдруг сказал:

— Там видно будет.

Боголюбов фыркнул:

— Ну, как хочешь. Мое дело предупредить, — опустил стекло и зажмурился от счастья.

Машина взобралась на сухой пригорок. На самой макушке вовсю зеленела нежная трава, и березы стояли просторно, не шелохнувшись, словно в ожидании чудес, а внизу в оврагах лежал лиловый сумрак, оттуда несло запахом снега и талой воды.

За зиму Боголюбов привычно отвыкал от всего этого — тишины, лесных запахов, чистоты воздуха и высоты небес — и, возвращаясь, чувствовал, что возвращается к чему-то единственно правильному и имеющему смысл. Он никогда не жил в деревне, не тосковал по «исконному и посконному» — «но все так же ночью снится мне деревня», эх!.. — но в лесу или на речке всегда испытывал подъем и безотчетную радость бытия, как выздоравливающий после тяжелой болезни.

— Хорошо, — сказал он и глянул на Сашу. Глаза у него блестели. — А, Сань?..

Съехали в овраг — сразу потемнело, солнечный свет остался вверху, и стало так холодно, что от ледяного воздуха заломило лоб. Ручей плескал, смывая остатки слежавшегося, усыпанного иголками и березовыми почками снега, и где-то в вышине кричала стеклянным голосом синица.

Проехали еще немного и остановились на высоком берегу. Андрей Ильич заглушил мотор, выскочил из машины и подошел к самому обрыву. Сердце сильно и радостно билось от предчувствия счастья. Каждая минута на реке представлялась ему счастьем.

— По старому руслу пойдем, — говорил Модест Петрович, разбирая снасти. — Там потише, ветра нет, и воды не так чтоб много. По весне только на старом русле и клюет, а где еще?.. Петька, мои бахилы не видал?

Высокий неразговорчивый Петька, сын Модеста, переобувался, сидя на сухой траве. Рядом валялись чехлы, тренога, помятый алюминиевый чайник и небольшой топорик. Саша Иванушкин, сунув руки в передние карманы джинсов, растерянно топтался рядом.

Боголюбов вытащил из багажника брезентовую штормовку и высокие резиновые сапоги.

— Чем богаты, тем и рады, — сказал он Саше. — Одевайся.

Еще где-то свитер был, взятый на тот случай, если придется промокнуть — на рыбалке всякое бывает. Боголюбов стал коленями на край багажника и принялся шуровать внутри.

— А ты, видать, и впрямь рыбак, — сказал Модест Петрович. Боголюбов выудил свитер и вывалился из багажника, почти задев его по любопытствующему носу. Они посмотрели друг на друга. — Я-то, признаться, думал, так, видимость одна, как у всех московских.

Боголюбов понял, что получил комплимент.

— Далеко пойдем?

— Да нет, куда далеко-то! Вдоль старого русла до заводи. Мы тут только по весне и ловим, потому летом туристов больно много наезжает, сюда и от города, и от дороги рукой подать. А сейчас лещ может взять, окуни крупные попадаются. Сазанчиков нет, они ошалелые все после зимы.

Молчаливый Петя, осыпая сапогами мокрый песок, уже сбегал по крутояру к коричневой воде, уходящей в лес, как в сказке. На плече он держал чехол со спиннингами и треногу.

— Ну, пошли, пошли!.. — И Модест призывно и нетерпеливо махнул рукой.

— Там у тебя телефон опять пиликал, — в спину Боголюбову сказал Саша.

— Да Бог с ним.

— Ты бы перезвонил, Андрей.

Боголюбов с шумом втянул прохладный воздух, пахнущий рекой и весной.

— Что ж ты рыбалку не любишь? А еще искусствовед!.. Самое возвышенное дело — рыбу удить!.. Взять, к примеру, знаменитого русского писателя дедушку Аксакова.

— А вдруг у них что случилось?.. Я бы на твоем месте хоть спросил.

— Писатель Аксаков даже книгу написал. «Записки об ужении рыбы» называется.

— Андрей, я серьезно говорю.

Боголюбов приостановился и оглянулся.

— Я тоже серьезно говорю — почитай Аксакова. Гораздо полезнее для души, чем писатель Сперанский!.. Я у него прочитал, что нужно опасаться подлости и предательства, представляешь? Натура благородная не умеет различать предателей и подлецов, ибо сама ни на что подобное не способна! Вот какая философия глубокая.

— Как это ты запомнил, — пробормотал Саша.

Со всех сторон их обступил лес, сырой, весенний, оживающий. Берендеевский, как сказал кто-то из девиц. Из чащи веяло снеговым холодом, словно ветром тянуло. Река под горой была мутной и быстрой, как будто переполненной коричневой водой. Ржавые осиновые листья, застрявшие в изломанных прошлогодних камышах, дрожали, отрывались и уносились течением.

— Потеплеет, мы подале отправимся, — говорил впереди Модест Петрович, — на озера. Ученые люди говорят, тут ледник шел в незапамятные времена и озера все ледниковые. А красотища такая, что прямо слезу вышибает, как ночку посидишь, зари дождешься и небо светлеть начнет!.. И одна звезда над горизонтом горит, зеленая, как льдинка! Вон Петька мой в прошлом году на какой-то Таиланд летал, или куда ты там летал, Петь?..

— В Таиланд и летал, пап.

— Там тоже красиво, да, Петь? Один разок поглядеть можно, а краше русской природы все равно ничего не найти! Покойный директор музея мне говаривал: эх, Модест Петрович, не умеем мы свое ценить да беречь, нам все заграничное подавай, непременно чтоб как в Европах!.. А ведь чего лучше, вот так вечерком на реку отправиться. Куда там Европам, когда лес наш на столько верст тянется. Можно день идти и ни одного человека не встретить. А в покосы на озерах воздух какой!.. Хоть ножом отрезай и ешь, такой духовитый и чистый. И травы все цветут, клевером пахнет, медуницей. Только вам, московским, это все ни к чему. Вам бы только портить и гадить...

— Пап, ты... поаккуратней, — подал голос немногословный Петя.

— Это в каком же смысле — портить и гадить? — поинтересовался Андрей Ильич как можно безмятежнее.

— Да в каком, в каком! В прямом!.. Да не прикидывайся ты, все ведь понимаешь!.. — Модест Петрович вдруг близко и прямо взглянул Боголюбову в лицо. Ненависть была в этом взгляде, самая настоящая, неподдельная, честная. — Только рано победу праздновать, попомни мое слово. Еще посмотрим, кто кого.

— Что-то я правда ничего не понял, — признался Боголюбов и взглянул на Сашу. — А ты?.. Понимаешь?

— Пришли, — объявил Петя и показал удочками. — Вон она, завод.

Между деревьями блестела под вечерним солнцем тихая вода.

— Модест Петрович, — попросил Боголюбов, — поговорите со мной. Растолкуйте, что именно я должен испортить и изгадить.

Модест, сопя носом и отворачиваясь, расчехлил спиннинги и начал собирать. Боголюбов пожал плечами — что-то в последнее время он то и дело стал ими пожимать, вот какая заразительная штука!.. — и тоже принялся за свои. Солнце валилось за лес, огромное, красно-желтое, очень близкое. Казалось, если протянуть руку, обожжет. Саша подошел к самому берегу и трогал носком сапога спокойную черную воду — здесь она была почти стоячей.

Широко размахнувшись, Андрей Ильич закинул леску и стал сматывать катушку. Она приятно и тихо жужжала.

...О чем говорил хозяин трактира «Монпансье»? Что за эпидемия нелюбви к москвичам поразила всех местных жителей, чем они уж так-то им насолили?.. Какую именно победу рано праздновать ему, Боголюбову, что это за победа? Или трактирщик тоже принимает участие в делах музейных и радеет о них, как о своих собственных, и речь шла о назначении Андрея Ильича директором вместо Анны Львовны? Тогда получается, Модест надеется, что директорствовать он будет недолго, раз ему рано праздновать победу! И что дальше? Какой из этого можно сделать вывод?

Раздумывая таким образом, Андрей Ильич прозевал момент, когда рыба взяла, повела и леска натянулась как струна.

— Води, води, не спи, — засуетился рядом взволнованный Модест Петрович. Сын Петя вытягивал шею и топтался, как будто сам собирался броситься и «водить». — Эх ты, кулема!..

— Отстань от меня, — бормотал Боголюбов. От рыбацких переживаний у него на лбу моментально выступила испарина. Он не отводил глаз от лески. — Я все вижу...

— Уйдет! Уйдет, говорю!..

Боголюбов выждал момент, взмахнул спиннингом, над темной водой мелькнул огромный, как лапоть, розовый лещ и опять повел в глубину. Модест всплеснул руками и стал торопливо стаскивать сапоги.

— Пап, ты что?!..

Но Модест Петрович уже кинулся в ледяную весеннюю воду.

— Ко мне, ко мне подводи!..

Боголюбов, весь сосредоточившись на добыче, мокрый от азартного пота, стараясь не суетиться и не делать лишних движений, подвел рыбину к приплясывающему в воде Модесту Петровичу, тот схватил леща обеими руками и выкинул на берег.

— Е-есть!.. — заорал Боголюбов на весь берендеевский лес. — Есть!!!

Модест выбрался на берег, красный и ликующий.

— Эх, хороша водичка!..

Вдвоем с Боголюбовым они подбежали и стали рассматривать леща.

— Вы бы хоть обтерлись, Модест Петрович, — негромко сказал Иванушкин.

— Успею! А какой красавец, а?! Кит! Кашалот!

— Молодец, Модест Петрович, если бы не ты, упустил бы я леща!

— Чего там!

Они хлопали друг друга по плечам, топтались около рыбины, наклонялись, приседали, трогали холодную и плотную чешую — как будто совершали некое ритуальное действо — и в этот момент были абсолютно счастливы и едины.

Петя завидовал рыбацкой завистью и дал себе слово, что не уйдет с этого места, пока не добудет такого же, а Саша Иванушкин думал, зачем Боголюбову восемь раз подряд звонила бывшая жена.

После некоторого затишья дверь опять затряслась и заходила ходуном. Лера вскочила и бросилась к окну.

— Девочки, выходите! — раздался совсем близко веселый голос. Человек за дверью то зверел, то вновь становился безмятежен. — Хватит дурака валять! Вы все равно там ничего не высидите! Юля, нам поговорить надо! Обещаю, что близко к тебе не подойду, пальцем не трону!.. Ну?! Или мне решительные меры принимать? А, красавицы?!

Лера налегла на оконную раму и попробовала сдвинуть шпингалет. Рама скрипела и не поддавалась.

— Да что это такое, — бормотала она, остервенело дергая холодную железку, — внизу все окна на честном слове держатся, а здесь... как нарочно...

Юлька сидела на полу, уставившись на чердачную дверь и стиснув кулаки.

— Лера, он нас убьет. У него пистолет. Правда, пистолет!..

— Он не станет стрелять, — сквозь зубы выговорила Лера, сражаясь со шпингалетом. — Выстрел — это очень громко. Или у него пистолет с глушителем?..

И оглянулась на Юльку. Та вдруг улыбнулась, и улыбка была похожа на человеческую.

— По-моему, без, — дрожащим голосом сказала она. — По-моему, без глушителя...

— Юлька, — пробормотала Лера, — не смей истерить! Слышишь?! Мы что-нибудь придумаем.

Безумие, подступавшее к подруге, пугало Леру сильнее, чем упырь за дверью, как будто черные бациллы этого безумия просачивались сквозь стену и впивались в сознание. Оно словно брало Юльку за горло и отпускало очень медленно, и Лера боялась, что в какой-то миг возьмет и больше не отпустит. И тогда Юлька совершит что-нибудь ужасное, например, откроет дверь и выйдет к мерзавцу, который кричал им что-то веселым опереточным голосом, или станет вопить, кататься по полу и рвать волосы на голове, как в плохом кино.

— Ты его не знаешь. Его никто не знает. Он ненормальный, понимаешь?..

— Я вижу, что он ненормальный. Господи, почему окна не открываются! Ни шпингалеты, ни решетки!..

Юля обвела взглядом холодный чердак.

— Он подожжет дом.

— Приедут пожарные и потушат, — с непонятным ожесточением выговорила Лера. — Вставай и помогай мне!

Юлька послушно поднялась и подошла к ней.

Удары смолкли, и они уставились друг на друга.

— Девочки, ну что вы там стоите?! Я вас прекрасно вижу!..

Они кинулись и замерли в простенках по обе стороны окна.

— Ну что мне, стрелять?! Я не хочу стрелять, вы мне нужны целые-невредимые! Для серьезного разговора. Юленька, что ты со мной играешь? Не нужно со мной играть, я этого не люблю, ты знаешь!.. Выходи, ничего не будет! Ну! Поговорим!..

— Лера, не отдавай меня ему! Не отдавай!..

— Юлька, не дури!

— Он меня убьет. Он говорит, что я его собственность и он меня...

— Замолчи. Не хочу слушать. Никто тебя не убьет! Нет, я тебя сама убью, но только после того, как мы... разберемся с твоим поклонником.

Они издалека посмотрели друг на друга и вдруг захохотали.

— Что вы там смеетесь? Надо мной смеетесь, девочки? Это вы зря-я-я, очень зря!.. Я над собой смеяться никому не позволю, особенно бабам безмозглым, я вам сейчас такой фейерверк устрою! Разозлили вы меня...

В окно что-то ударилось, не слишком сильно, звякнуло и отлетело. Лера с Юлькой замерли.

Он вдруг замолчал — вернулся в дом?.. Если он догадается выстрелить в замок, дверь моментально откроется, и его будет уже не остановить. Не остановить...

Лера сглотнула.

Снизу послышались голоса — явно не один. Лера стремительно выглянула.

Между старыми яблонями маячила фигура, облаченная в черное. Высокий мужчина что-то ей втолковывал.

— Эй! — закричала Лера и затрясла раму. — Эй, мы здесь, помогите!..

Мужчина оглянулся на дом, а черная фигура не шевельнулась. Не слышит? Не видит?..

— Помогите! — закричала Лера изо всех сил. — Мы на чердаке!..

Фигура еще постояла, а потом пошла по дорожке к воротам. Высокий мужчина галантно ее провожал.

— Юлька, она уходит. Она сейчас уйдет! Помогите же нам! Мы здесь!..

— Никто нам не поможет, — сказала Юлька тихонько. — Это наказание, ты что, не понимаешь?..

Лера перестала вопить и дергать раму и крепко взяла Юльку за плечи.

— Держи себя в руках, — приказала она. — Еще с тобой возиться! Мало нам одного ненормального?..

Мужчина неторопливо вернулся к дому и остановился под окнами, глядя в сторону ворот, где между яблонями виднелась фигура в черном. Лера и Юлька замерли.

Ефросинья вытащила из-за пазухи засаленный холщовый мешочек, достала черствый батон и принялась неторопливо крошить на дорожку. Любезный незнакомый человек, только что подавший ей денежку «на сироток», постоял-постоял и двинулся к ней.

— Вали отсюда, бабка, — велел он, не дойдя до нее нескольких шагов. — А то ведь я тебя выкину к чертовой матери, охнуть не успеешь.

— Не поминай нечистого всуе, — сказала Ефросинья невозмутимо и продолжала крошить. — Вот птичек Божьих покормлю и сама уйду. Всякая тварь Божья заботы требует.

И поправила черный платок, зорко глянув по сторонам.

Машины Боголюбова нет. Собаки тоже нет. В доме кто-то заперт. Ефросинья выжидала. Мужчина колебался.

— Сам ехал бы восвояси, — продолжала она. — У нас места глухие, темные. Мало ли что...

— Ты меня не учи, — грозным голосом сказал незнакомый мужчина. — А то я тебя поучу хорошенько, карга старая!.. Пошла отсюда! Ну!

Он стал наступать и замахнулся. Ефросинья попятилась, быстро и мелко закрестилась, затрясла головой и вывернула холщовый мешок ему на ботинки.

— Ах ты, дрянь! Дрянь!

Он несильно ударил ее в плечо, Ефросинья тоненько завыла и выскочила за калитку. Мужчина с той стороны продолжал выкрикивать оскорбления и угрозы и топать ногами, стараясь стряхнуть крошки с замшевых ботинок. Она быстро убралась за угол, постояла, сделала круг по площади, вернулась к забору с другой стороны и заглянула.

На участке никого не было. Из дома неслись отдаленные, неровные удары и слышался приглушенный голос.

...Без подмоги не справлюсь, решила Ефросинья хладнокровно.

Вмешивать соседей она посчитала невозможным.

Произошло какое-то движение, черный промельк, и рядом с ней оказалась собака.

— Мотя, — негромко сказала Ефросинья, прикидывая, сколько у нее есть времени. Получалось, что немного. Только бы собака не залаяла! — Мотя, пойдем со мной. Ну, ну, давай, пошли.

Мотя вздыбила шерсть, припала на передние лапы и зарычала — негромко. Ефросинья схватила ее за ошейник.

— Нет, — тихо и твердо сказала она. — Нам помощь нужна.

И быстро пошла вдоль забора, волоча упиравшуюся собаку.

— Где хозяин? — Мотя перестала упираться и взглянула на Ефросинью. — Куда его Модест повез? На старое русло, больше некуда!.. Времени у нас с тобой мало, спешить надо.

Мотя трусила рядом, не отставая, рычала и оглядывалась, как будто понимала каждое ее слово. Ефросинья шла очень быстро.

— Тут, если напрямик через ельник — близко. Только в болоте сейчас топко.

Она остановилась, присела и по очереди доверху зашнуровала высокие кроссовки. Мотя ждала, негромко гудела и время от времени оглядывалась.

Ефросинья выпрямилась и скомандовала:

— Давай за мостом в лес. Авось не потонем.

И они припустили бегом.

Следом за розовым лещом вытащили нескольких окуней. Мелюзгу, которая брала активней всего, выпускали обратно в темную плотную воду, смотрели, как она уходит на глубину, и снова, и снова закидывали удочки. У Пети дело не шло, он сердился, переходил с места на место, а потом поменял спиннинг. Даже Саша поймал окуня и наконец развеселился. Чайник выкипал над костром, но никто не мог оторваться, чтобы снять его с крючка, и Боголюбов в конце концов страшным голосом велел Саше снять.

— Хорошо, — приговаривал Модест Петрович негромко. — Эх, хорошо-то как!..

Сумерки пришли как-то внезапно, как бывает в лесу ранней весной и поздней осенью. Сразу сильно похолодало, воздух как будто загустел, стал затекать за воротник и в мокрые обшлага свитера, и захотелось тепла и еды.

— Саня, тащи из багажника котелок, он там, знаешь, справа. — Возбужденный, радостный, заговоривший громко, как только смотали спиннинги, Боголюбов кинул своему заместителю ключи от машины. — А в черном мешке картошка и лук. Сейчас уха будет, мужики! Фирменная!..

— Э, какая там у тебя уха, мы не знаем, а вот у меня уха-ушица!.. — перебил его Модест Петрович. Рубленое, щетинистое лицо его горело, рукава тельняшки промокли почти до подмышек. Он тоже был абсолютно счастлив, весел, добр, никакой ненависти «к москвичам»! — Такой ушицы, как моя, ты сроду не едал, и не говори!.. Чтоб моей ухи попробовать...

— Из Москвы едут? — весело перебил Боголюбов, вдруг вспомнивший свой первый вечер. — Здоров ты врать, Модест Петрович!

— Ты меня на враках не ловил, и нечего!.. Иди вон рыбу чисть, на подсобные работы назначаешься!..

Боголюбов не стал возражать. Стоя на коленях в песке, он чистил и полоскал рыбу в холодной воде, от которой немели пальцы, и приходилось время от времени вытирать руки о свитер и греть в подмышках. Солнце совсем завалилось за лес, и вдруг один луч пробился, ударил в лицо, уперся в темную гладь, и на миг вода стала похожа на жидкий янтарь.

Боголюбов длинно и прерывисто вздохнул от восторга.

— Утречком еще разок закинем, — приговаривал Модест, танцуя ритуальные танцы над котелком,

в котором закипала вода. — Или ты в город намылил-
ся, на реке ночевать не желаешь, а, Андрей Ильич?..

— Сто лет на реке не ночевал.

— То-то и оно-то, что не ночевал!.. А ты поночуй,
послушай, как лес дышит, как трава растет, как вода
журчит. Может, и узнаешь чего о жизни, поймешь ма-
лость, как она устроена.

Боголюбов притащил к костру почищенную рыбу,
присел и сунул к огню ледяные руки. Модест Петрович вооружился топором, в два приема разрубил то-
ненькую засохшую осинку.

— Вот ты мне ответь, Андрей Ильич, для чего человек живет?..

— Ты даешь, Модест Петрович, — отозвался Боголюбов, не ожидавший такого поворота. — Откуда
же я знаю?..

— Ты не знаешь, я не знаю, а кто тогда знает?..

Боголюбов переглянулся с Сашей. Иванушкин
подошел и присел рядом. Отсвет пламени плясал
и прыгал по мокрому песку. В вершинах деревьев
прошел ветер, тревожно и как-то по-ночному про-
шумело.

— Вот взять тебя, — продолжал Модест Петрович, сосредоточенно обтесывая осинку. Лезвие топо-
ра взблескивало. — Вроде на вид человек как человек,
обыкновенный. А зачем ты живешь? Чтобы другим
людям жизнь портить? Чтоб уж у них никакой надежды не осталось на порядочность человеческую,
на справедливость? Чтоб уж они передохли все, а ты
один остался, победитель, мать твою?.. Чтоб сапоги
свои об них вытирать, а лучше, чтоб они тебе их ли-
зали, сапоги-то?..

Боголюбов быстро прикинул. Модест Петрович
впечатление ненормального не производил и вряд
ли только что рехнулся. Следовательно, он, Боголю-

бов, чего-то не понимает, и то, чего он не понимает, очень важно для Модеста. Так важно, что он того и гляди с топором на него кинется, хотя только что все было прекрасно: и рыбалка, и вечер, и уха!.. Самое главное: Боголюбов понятия не имел, о чем говорит хозяин трактира «Монпансье», что заставляет уравновешенного вроде бы человека трястись от злости и перекидывать из руки в руку топор!..

— Ты бы мне дал разъяснения, — осторожно сказал Боголюбов. — А то я не пойму ничего. Кому я жизнь испортил? Чем?

— Ты зачем к нам сюда нарисовался? Решил небось там в своей Москве, что никто не узнает и все тебе с рук сойдет? Анну Львовну, святой души женщину, в могилу свел и думаешь наше устройство разорить?! Так ты знай, паскудник, что не позволю я тебе этого, хоть кто ты ни есть!.. Хоть ты самый главный бандит или министра обороны зять!

И пошел на Боголюбова. Тот вскочил. Саша Иванушкин неловко поднялся. Петька, тащивший с обрыва еще одно дерево, приостановился в отдалении и пустился бегом вниз, осыпая за собой кучи песка.

— Пап, ты что?! Ты чего делаешь-то?!

— Говнюков всяких, — сквозь зубы выговорил Модест, и Андрей Ильич сделал шаг назад, — маленько жизни учу!.. А ты, директор, катись отсюдова! Садись в свою тачку и дуй до Москвы! Прям сейчас садись! Завтра поздно будет! Богом клянусь, такую жизнь я тебе устрою, нахлебаешься по самые глаза...

У Андрея Ильича под ногой хрустнула ветка, он зацепился, замахал руками и чуть не упал. Модест надвигался на него с топором.

— Пап, все! Хорош!

— Модест Петрович, что вы?! — воскликнул Саша.

Боголюбов быстро оглянулся — позади были костер и котелок с кипятком. Если изловчиться, плеснуть кипятком под ноги Модесту, можно выиграть несколько секунд.

Боковым зрением в наползающей со стороны леса темноте он засек какое-то короткое движение, словно мелькнуло что-то, и сделал еще шаг назад. Вот сейчас, через полсекунды... Он повернулся, чтобы схватить с огня котелок, и тут под ноги ему выкатилась собака. Боголюбов отшатнулся, зацепился за треногу, вода выплеснулась, зашипела, повалил белый дым. Собака залаяла оглушительно, на весь лес. Модест опустил топор и оглянулся.

— Мужики, — донесся голос, совсем незнакомый. — Я за вами. Добрый вечер.

В первый раз в жизни Боголюбов понял значение выражения «не верить своим глазам».

Не веря своим глазам, он смотрел, как из темноты ходко приближается черный силуэт, как будто выливается шустрое чернильное пятно, довольно большое. И Петя смотрел, и Саша Иванушкин, а Модест Петрович вдруг сделал такое движение, как будто хотел быстро перекреститься, прямо топором!..

Собака Мотя лаяла прямо у боголюбовских ног, и от ее лая звенело в ушах.

— Я за вами, — повторил голос из чернильного пятна, и — не веря своим глазам! — Боголюбов узнал Ефросинью. — Там у вас дома проблемы, Андрей Ильич. Поехали по-быстрому. Где ваша машина?..

— Мать честная, — пробормотал Модест Петрович, а Саша улыбнулся глупо и растерянно.

Боголюбов произнес первое, что пришло в голову. Из-за лая в голову ничего другого и не могло прийти, и он велел:

— Замолчи, Мотя. Ну?!

Собака на секунду замолчала, а потом опять залилась оглушительно.

— Пошли, — повторила Ефросинья. Она чуть задыхалась. — Поторапливаться надо.

И тут Боголюбов сообразил, что все это происходит на самом деле: лес, ночь, собака, женщина в темных одеждах. Ее появление нельзя объяснить ничем, кроме одного: что-то случилось.

Не говоря ни слова, большими прыжками он помчался наверх к машине. Мотя догнала и опередила его и, пока он залезал, черпая сапогами мокрый песок, лаяла изо всех сил, словно подгоняя его. Он рванул дверь, завел мотор, с противоположной стороны на сиденье плюхнулся Саша. Задняя дверь хлопнула, забрались Мотя с Ефросиньей. Боголюбов оглянулся, трогая с места.

— Что случилось?

— Я не поняла, — сказала Ефросинья. — Какой-то человек приехал. Он ваших то ли запер, то ли они сами от него заперлись, но ведет он себя... странно, Андрей Ильич.

— Здесь все ведут себя странно, — процедил Боголюбов, выкручивая руль. Мощный свет фар выхватывал из темноты стволы и кусты, они на миг возникали перед глазами и пропадали, проваливались. Саша обеими руками схватился за щиток.

— Мне даже показалось, что у него пистолет. Я толком не разглядела, но...

У нас неприятности, вспомнилось Боголюбову. Неприятности личного характера!..

Машина выпрыгнула из оврага. Наверху было значительно светлее, как будто день раздумал заканчиваться, перелился вместо темноты в жидкие сумерки.

— Только пистолета не хватало, — под нос себе пробормотал Боголюбов. — Какого черта!.. Надо было полицию вызывать.

— Подожди, Андрей, не суетись, — сказал рядом Саша. — Наша полиция — начальник местного ОВД Никита Сергеевич. Хороший мужик, но толку от него никакого.

— Я решила, что мы сами быстрей разберемся, — поддержала его с заднего сиденья Ефросинья, и Андрей на секунду поймал ее отражение в зеркале заднего вида. Черная собачья морда моталась рядом с ней, она придерживала собаку за шею, словно оберегая от тряски.

На шоссе джип взревел, наддал и полетел.

— Как они мне надоели, — простонал Боголюбов. — Они и их проблемы неразрешимые!

— Вот жена тебе шесть раз и звонила.

— Да хоть сорок шесть! — от страха заорал Боголюбов. Машина вильнула. Мотя завалилась на Ефросинью. — Один топором размахивает, другой с пистолетом приехал!..

— Разберемся, Андрей.

В городе было почти светло, но на Красной площади уже зажглись фонари, и брусчатка казалась стеклянной. Визжа тормозами по стеклу, Боголюбов приткнул джип почти в бок чужой машине, темневшей у забора. Выскочили они все одновременно. Мотя воинственно вздыбила шерсть, залаяла, подлезла под штакетник и первая понеслась по дорожке. За ней устремились Андрей Ильич и Саша Иванушкин. Ефросинья оглянулась по сторонам и помедлила у забора.

В доме горели все лампы и кто-то говорил, уверенно и громко, как будто там читали вслух.

Мотя вкатилась на крыльцо, припала на передние лапы, почти захлебнувшись истеричным, злобным лаем. Боголюбов влетел в дверь и метнулся к лестнице на чердак.

— Что здесь происходит?!

Молодой человек, совсем незнакомый, оглянулся на Боголюбова, и у него сделалось изумленное лицо. Он ничего не понял. Собака бесновалась.

— Ты кто?! Чего тебе здесь надо?! — заорал Андрей Ильич.

— Андрей! — тоненько заголосили из-за чердачной двери. — У него пистолет!

Боголюбов отстранил с дороги незнакомца, который судорожно тащил из кармана какой-то предмет, взбежал по лесенке и дернул дверь. Она не поддалась.

— Лера, это я. Открывайте!..

С той стороны как будто что-то упало, дзинькнуло и развалилось. Боголюбов крикнул:

— Лера! — потряс дверь и прислушался. Нечто твердое и холодное уперлось ему в позвоночник. Он не обратил внимания.

— Уходи, — негромко и повелительно сказали сзади. Щелкнул затвор. — Пристрелю. Руки вверх и пошел отсюда!..

Андрей Ильич оглянулся. Парень держал пистолет двумя руками, собака захлебывалась и извивалась у его ног.

— Пристрелю, — повторил незнакомец, скалясь.

— Да ладно, — вдруг произнес совсем рядом музейный работник Саша Иванушкин и как-то моментально, одним коротким движением перехватил оружие. — Чего ты дурака валяешь!..

Молодой человек дернулся, вытаращил глаза — пистолет теперь был в руке у Саши, — чердачная дверь распахнулась, Боголюбов отшатнулся, и в проеме показалась Лера, вся в серой пыли.

— Андрей! — выговорила она и сжала кулаки. — Мы здесь!..

Молодой человек вдруг завыл и бросился на Сашу. Тот отступил на шаг, как будто выполнил танцевальное па, и ничего не сделал, по крайней мере Боголюбов, который все это время словно кино смотрел, ничего не заметил. Незваный гость как бы наткнулся на препятствие, которое Саша сотворил из воздуха, захрипел, кровь отхлынула от лица, он зашатался и столбом повалился назад.

Сильно загрохотало.

Мотя замолчала.

Московское время двадцать два часа семь минут, выговорил диктор.

— Андрей, — повторила Лера. — Мы здесь.

И бросилась Боголюбову на шею.

Саша Иванушкин сунул пистолет за ремень и заглянул на чердак.

— Юлия Ильинична, — позвал он как ни в чем не бывало. — Спускайтесь.

Дрожащая серая женщина, которую Саша не узнал, показалась откуда-то сбоку, словно слезла со шкафа, стоящего поперек дверного проема.

— Он меня убьет, — выговорила эта серая женщина без выражения. — Лера зачем-то дверь открыла. Он войдет и убьет меня. Он специально приехал, чтобы меня убить.

Саша подал ей руку, глядя во все глаза. Он не предполагал, что человек может так измениться за столь короткое время!

— Никто и никогда вас не убьет, — сказал Саша. — Осторожно, не упадите! Видите, тут на полу... безобразие.

Юлька, увидев лежащего на спине человека, вскрикнула, зажала рот рукой и бросилась обратно на чердак. Саша переглянулся с Боголюбовым.

— А ты говоришь — неприятности, — сказал Иванушкин, морщась, и полез следом за ней. — Юлия Ильинична! А, Юлия Ильинична!..

— Что случилось, я не понял ничего?! — Боголюбов отстранил Леру, взял ее за плечи и сильно встряхнул. — Что это такое?!

— Юлька, — выговорили ее губы отдельно от нее. — Это ее... кавалер.

— Кто?!

— Он за ней ухаживал последние полгода. Мы с тобой разводились, нам было не до нее, мы все проворонили!.. — Это было личное боголюбовское словечко — «проворонили», — когда-то давным-давно Лера говорила его словами, и сейчас вдруг опять сказала! — Она меня с ним познакомила... недавно. Он хороший мальчик из хорошей семьи. Садист. Урод.

Боголюбов перевел дыхание.

— Юля, — доносилось с чердака. Оттуда громыхало, будто мебель переставляли. — Все хорошо, все в порядке, мы здесь уже давно, все вопросы решены положительно и окончательно. Ну что же?.. Вы лучше порыдайте, порыдайте, вот правильно, вот так...

— Мы собирались тебе рассказать, но ты не стал слушать!.. Он над ней издевался, угрожал. Потом запер, но она как-то сбежала. Он ее нашел и опять запер. Он маньяк, считает, что она его собственность. Он может сделать с ней все, что хочет. Он и делал все, что... хотел.

Боголюбов оглянулся на распахнутую чердачную дверь. Руки у него немного дрожали.

— Она опять сбежала, не знаю как. По-моему, ее выпустил кто-то из охранников. Кто боялся, что этот урод ее убьет, и не хотел в этом участвовать. У него загородный дом, полно охраны. Хороший мальчик из влиятельной семьи.

— Ну да, — согласился Боголюбов, морщась. Мальчик из хорошей семьи на полу признаков жизни не подавал.

— Юлька у меня пожила, потом он нас все же нашел. Мы в тот же день решили к тебе ехать. А куда нам еще?! Не к родителям же!

— Почему ты мне сразу ничего не объяснила?

— Ты не слушал.

— Лер, не дури, — приказал Боголюбов, прислушиваясь к голосам на чердаке. Теперь говорили двое, Юлька тоже что-то пищала, и это Андрея радовало. — Когда тебе нужно, ты папу римского заставишь «Марсельезу» петь!..

— Мне было стыдно, — выпалила Лера, Боголюбов быстро на нее взглянул. — Мы же развелись. Я должна решать все вопросы сама, одна.

— Решила?

Лера тоже взглянула ему в лицо.

— Саш, — крикнул Боголюбов вверх в сторону чердака. — Спускайтесь, я не знаю, что с этим делать... с телом! Это не по моей части.

— А уже надо что-то делать? — удивился Саша, появляясь на лесенке.

За ним маячила Юлька.

И это была именно Юлька, а не чужая серая женщина!.. Она всхлипывала, размазывала по лицу слезы, она дрожала и странно ежилась, втянув голову в плечи, как черепаха, но это была именно Юлька!..

— Хороша, — констатировал Боголюбов с отвращением.

— Андрюха, я знала, что он нас убьет, — пролепетала Юлька, и верхняя губа у нее задергалась позаячьи. — Он бы не пощадил. Он говорил...

— Бросьте вы, Юля! — перебил ее Иванушкин залихватским тоном. — Вам бы догадаться на него прикрикнуть. Или по шее дать!..

— Как же по шее, — выговорила Юлька, косясь на тело, — если он... сильный. Он сильный и не в себе.

— На силу такого рода, — назидательно произнес Саша, — нужно отвечать только силой. Как любое пресмыкающееся, подобная особь опасается тех, кто сильнее. А тех, кто слабее, пытается сожрать. Или хоть покусать.

— Он собирался меня... убить.

— Не-ет, — протянул Саша. — Убивать вас ему неинтересно. Интересно над вами издеваться. — Тут он быстро и очень внимательно взглянул на Юльку. — Он ведь издевался над вами?..

Она затрясла головой утвердительно. Саша протянул руку, она схватилась за нее, неловко преодолела последние ступени и спряталась за его спину. На лежащего она старалась не смотреть.

— Лер, идите отсюда, — приказал Боголюбов, — вон, на кухню. Вымойтесь, вы грязные, как чушки.

— А... а ты?..

Боголюбов понял, о чем она спрашивает.

— Я здесь и никуда не денусь.

На крыльце загрохотали шаги, как будто полк солдат прибыл, и в узком коридорчике появился воинственный Модест Петрович. Из-за его плеча выглядывал сын Петька. В руке у него был топор.

— Чего тут у вас, мужики? — как ни в чем не бывало осведомился хозяин трактира «Монпансье». — Разбойники, что ль, набежали?.. Доброго вам вечера, —

добавил он галантно в сторону Леры и Юльки. — А это чего на полу? Труп?

— Нет пока, — отозвался Иванушкин, присел перед лежащим, зачем-то задрал ему веко и посмотрел в мутный глаз. — Сейчас очнется. Ничего интересного больше не будет. Давайте, правда, в ванную, девушки.

— У меня ванная на кухне, — пробормотал Боголюбов, подталкивая Леру и Юльку в спины. Сестра все оглядывалась и не шла. — Давайте, заодно ужин какой-нибудь сообразите.

— Рыба-то, — спохватился Модест Петрович, — в багажнике!.. Петька, подсуетись.

Петька помедлил, аккуратно прислонил к двери топор и вышел. Опять по крыльцу прогрохотало.

— Вы на меня пока не кидайтесь, — попросил Боголюбов Модеста Петровича, — я сейчас занят.

— Ладно, — согласился тот. — Пока погодим, а потом продолжим.

Тело застонало, закрутило головой и приподнялось на локтях. Мутные бессмысленные глаза открылись.

— Мне плохо, — простонало тело и опять рухнуло на пол.

— Чего с ним делать-то будем?

— А это нам сейчас подскажут компетентные органы в лице Александра Игоревича, — подхалимским голосом сказал Боголюбов. — Подскажете, Александр Игоревич?..

— Какой такой Александр Игоревич? — удивился Модест.

— Ничего особенного не нужно, — вспыхнув, пробормотал Иванушкин и потянул себя за манжеты клетчатой рубахи, — только протокол составить. Разбойное нападение, ношение огнестрельного оружия, проникновение в чужое жилище, угроза жизни и здоровью. На сегодня хватит, а там посмотрим. Я сейчас позвоню...

— Чего там! Протокол еще какой-то! — фыркнул Модест. — Вон в сарайку отволочь да запереть до утра, и вся недолга.

— Нет, это нам не подходит, — Саша тыкал в телефон, старался на Андрея не глядеть, а тот смотрел очень пристально, улыбался слащаво и с подобострастием, — нужно, чтобы все по закону... Никита Сергеевич, разбудил? Слушай, тут у нового директора на квартире ЧП небольшое приключилось. Нет, не надо подкрепление присылать, мы сами справились. Протокол бы составить и злодея до утра изолировать... Давай, давай, жду.

Саша сунул телефон в карман и сообщил, ни к кому не обращаясь:

— Сейчас будет.

— Может, покуда связать его?.. Петька! Петьк, тащи веревку из багажника!..

— Погодите, Модест Петрович...

— Да чего годить, видишь, он зашевелился!

— Мне плохо, — плаксиво сказали с пола. — Я что? Упал?..

Саша Иванушкин нагнулся и молниеносно и бесстрастно обшарил лежащего. «Хороший мальчик» замычал и потянулся было за телефоном, который Саша вытащил у него из кармана.

— Звонить пока никуда не будем, — пробормотал Иванушкин. На Боголюбова он по-прежнему не глядел. — Полежим спокойно.

И легонько толкнул пришельца в плечо. Тот послушно прилег.

— Что ты с ним сделал? — спросил Боголюбов.

Саша пролистал паспорт, заглянул в бумажник, по одной просмотрел кредитные карточки. Все это он аккуратно, по очереди выложил на тумбочку.

— Что ты с ним сделал? — повторил Андрей.

— Ничего не сделал, — ответил наконец Саша. — Прием безотказный, членовредительства никакого, зато... успокоение наступает моментально. Видишь, лежит себе. Никому не мешает.

Покуда Саша объяснялся с прибывшим к месту происшествия «хорошим мужиком» Никитой Сергеевичем из местного ОВД, который вытаращил глаза на лежащего так, что кожа на лысине собралась складками, покуда Модест Петрович воинственно предлагал «свести его до утра в подвал, и вся недолга, вон Петька покараулит», покуда писали на дрянной желтой бумаге некое объяснение, называя его почему-то протокол, Боголюбов не вмешивался. Он прислушивался к звукам, доносившимся с кухни. Ему очень хотелось пойти туда и как следует всыпать сестре по заднице или еще как-нибудь всыпать, бушевать, возмущаться, орать и топать ногами, чтобы она окончательно поняла, как сильно перед ним виновата — страх за нее, за них обеих так его и не отпустил. Боголюбов чувствовал это: сохло во рту, звенело в ушах, и ладони были мокрыми, и приходилось время от времени незаметно вытирать их о штаны.

От страха он очень сердился. Это был единственный способ не подпускать к себе еще и жалость — сердиться по-настоящему, изо всех сил.

Когда Никита Сергеевич, встопорщив усы и сделавшись от усердия и серьезности похожим на моржа, уволок незваного гостя — Модест сказал, что они с Петькой проводят их до отделения «для гарантии», — Боголюбов засвистел «Серенького козлика» на мотив «Сердце красавицы», взял из угла позабытый Петькой топор и, сильно топая, пошел из дома.

Поленница была сложена под навесом возле сарая. Андрей Ильич засветил лампочку, вытащил полено, установил на колоде и изо всех сил его хрястнул. Полено послушно развалилось надвое. Он вытянул еще одно. На этот раз половинки разлетелись далеко за границу светового круга.

Боголюбов махал топором довольно долго, но это не помогало. Совсем не помогало!.. Ничего не менялось. Пот заливал глаза, злость кипела, разливалась по жилам, отравленная кровь стучала в висках.

А потом Лера взяла его за локоть.

Он сбросил ее руку и процедил:

— Отойди от меня.

Размахнулся и ударил так, что, развалив полено, вогнал топор в колоду. Уперся в нее сапогом и стал тащить. Топор не шел.

— Андрей, ну все, все.

Боголюбов приналег на топор и последним усилием выдернул его, качнулся назад и оказался с Лерой нос к носу.

Она стояла, прижав кулаки к груди, страшная и несчастная.

— Я его убью завтра утром, — заявил Андрей Ильич. — Этого вашего мальчика из хорошей семьи. Сына влиятельных родителей.

Лера шевельнула губами, зажала себе рот, странно скривилась, и тут Андрей понял, что она хохочет. Изо всех сил старается и не может сдержаться. Хохочет!..

Странным образом он моментально пришел в себя. Страх отцепился и сделал шаг назад — от изумления, наверное.

— Ты чего? — спросил Боголюбов у бывшей жены. — У тебя истерический припадок, что ли?!

— Не... нет, — проикала Лера сквозь смех. — Мне смешно, как ты ночью колешь дрова от злости!..

И она стремительно распахнула руки, обняла его, прижалась и стала тискать голову — только она умела так тискать его голову. Он выронил топор и тоже обнял ее, хохочущую.

— Ты не понимаешь, — твердила она, не отрываясь от него. — Ты ничего не понимаешь!..

...Где ему было понять! Только что от злости он готов был разнести в щепки все, что подвернется под руку — не помог, не спас, не стал слушать, не сделал ничего, и его глупые, слабые, самоуверенные девчонки попали в беду, да еще как попали!.. Со всего размаху вляпались — под самым его носом! Они же примчались, уверенные, что он спасет, а спасли их убогая Ефросинья и недотепистый Саша Иванушкин!..

Только что от злости он готов был выть и кататься по земле — если бы был на это способен, — а теперь она обнимает и тискает его голову, и кажется, что он только и делал, что ждал, когда же Лера обнимет его и станет утешать!.. Все остальное не имеет значения.

Она казалась ему раскаленной, горячей, руки огненными — может, оттого, что на улице сильно похолодало, так казалось?.. Или у нее температура?.. Боголюбов оторвал ее от себя и посмотрел в лицо.

Лера уже не хохотала, а просто улыбалась ему давней, совсем позабытой улыбкой — радостной, искренней, девчачьей. Как будто он — единственное на свете, чему вообще стоит улыбаться. Как будто ничего не случилось, у них все впереди, а вокруг огромный и прекрасный мир.

— Ты есть, и ты здесь, Андрей, — сказала Лера. — Ох, какое счастье...

— Я есть, — подтвердил он, растерявшись.

Тут с крыльца закричали:

— Андрей Ильич! Лера!.. Сколько ждать-то?!

Она нашарила его руку и повела по дорожке, залитой стеклянным светом полоумной весенней луны, и так, за руку, втащила в дом.

— К столу! — неестественно бодро вскричал Саша Иванушкин, выглянув из кухни. — Перекусим на сон грядущий!..

Боголюбов отцепил от себя Леру, вошел, двинул стул и утвердился на нем, закинув ногу на ногу.

— Андрюха, прости, — пробормотала Юлька. Он старательно отводил от нее глаза. — Я не виновата. Я сразу не догадалась, что он... сумасшедший. А потом было поздно.

— Что вы, Юлия, в самом деле! — вмешался Саша, и Боголюбов на него взглянул. Поверх клетчатой рубахи на Иванушкине был захватанный передник с вытертыми ромашками, — где он его взял? Андрей Ильич этого передника раньше на своей кухне не видел! — в руке деревянная лопатка. — Никто ни в чем не виноват, вы-то уж вообще!.. Все хорошо, что хорошо кончается! Вы колбасу жареную любите? Я очень люблю жареную колбасу!

— Где у тебя выпивка? — Это Лера спросила. Андрей мотнул головой неопределенно, и Лера не стала переспрашивать, поднялась и вышла.

— Он хотел меня убить. Он об меня сигареты тушил, — продолжала бормотать Юлька. Боголюбов рассматривал тарелку скопинского фарфора. — Я раньше только в кино видела... ненормальных. Я не знала, как мне быть, Андрей. Я только знала, что он меня обязательно убьет, и я никак не могу его остановить. Он все равно...

— Достаточно, — вдруг резко перебил ее незнакомый голос.

Боголюбов оторвался от созерцания скопинского узора, и Лера замерла в дверях с бутылкой в руках.

Андрей Ильич честно оглянулся по сторонам в поисках говорившего. В старой директорской кухне были они четверо, и больше никого.

Саша Иванушкин, вооруженный деревянной лопаткой, присел перед Юлькой на корточки и сказал незнакомым голосом довольно резко:

— Я никому не позволю вас убить. Это понятно?

Боголюбов как будто увидел со стороны: тесная кухня с черными провалами незашторенных окошек, доисторическая плита со сковородой, его собственная сестра в нелепой меховой жилетке, на щеках потеки, его собственная бывшая жена, изо всех сил прижимающая к себе бутылку, он сам на стуле в нелепой воинственной позе и — Саша Иванушкин с деревянной лопаткой.

— Никому и никогда я не позволю вас убить, — повторил Саша, снизу вверх глядя Юльке в лицо. — Это окончательно и бесповоротно.

Она некоторое время рассматривала его, а потом кивнула и выговорила:

— Я поняла.

— Вот и хорошо, — заключил Саша. — Вы любите жареную колбасу? Я колбасы нажарил и макароны сварил.

В два счета он разложил на тарелки колбасу и стал сливать воду из кастрюли. Пар бил ему в лицо, он морщился и отворачивался.

— Тушенка есть, — сообщил Боголюбов, которого вдруг отпустило. — Может, с тушенкой?..

— Я ее в армии объелся. Но если хочешь, давай!.. Обещали уху, а вместо нее макароны с тушенкой! И так всю жизнь.

— А вы рыбы на уху наловили? — спросила Юлька, как будто ничего не случилось, как будто они просто ужинают после рыбалки, взяла с тарелки кусок колбасы и отправила в рот. Потом вытерла пальцы о меховую жилетку, потянулась и крепко взяла Сашу за руку. Большим пальцем он погладил ее запястье — утешил.

— Рыба в холодильнике, Модест Петрович пристроил, — сказал он весело. — Андрей, разложи еду, видишь, я занят.

— Я сама. — Лера перехватила у него лопатку.

— Жил-был у бабушки, — задумчиво произнес Боголюбов, — серенький козлик.

И разлил по граненым стаканам водку.

Вся компания словно только этого и ждала — моментально расхватала стаканы, и все их синхронно опрокинули. Юлька все не отпускала Сашу. Он и не особенно вырывался.

— Значит, так, — начал Андрей Ильич, поедая макароны. — Про мальчика из хорошей семьи вы нам после все в подробностях расскажете. Чтоб мы были ко всему готовы и во всеоружии. Юль, я тебе завтра голову отверну, поняла?..

— Поняла.

— А где моя собака, никто не знает? Как вы догадались Мотю прислать?.. И откуда Ефросинья взялась?

— Мы кричали, но никто не появился... Собака лаяла... Я думала, он ее убил... Мы ее не посылали... Я из окна увидела какую-то тетку в черном, стала кричать, но там окна не открываются, а потом она ушла, и мы думали, все... — хором затянули они.

Боголюбов переглянулся с Иванушкиным.

— Хорошо, а сейчас Ефросинья куда делась?..

Саша усмехнулся и свободной рукой почесал в затылке.

— Божий человек. Куда хочет, туда и идет.

— Кто она такая?

Саша пожал плечами и спросил, в каком смысле.

— То есть ты не знаешь?

— Честно, не знаю, Андрей.

— Зачем ты мне все время врал?

Лера взглянула на него с изумлением, а Юлька, кажется, с осуждением. Боголюбов то и дело косился на ее руку внутри Сашиной ладони.

— А как ты себе представляешь? — спросил Иванушкин, пожалуй, весело. — Что я должен был тебе сказать?

— Правду, — буркнул Андрей Ильич и опять покосился. — Вот вам, девушки, пример так называемого вранья!.. Человек тебе в лицо каждый день врет, и ничего! Главное, я знаю, что он врет, и ничего не могу поделать.

— Кто врет? — осторожно спросила Лера.

— Я, я, — отозвался Саша. — Не волнуйтесь, Лера. Между прочим, я был уверен, что ты сообразишь. И даже прикидывал, что в этом случае буду делать.

— Да я-то сообразил, а ты!..

— Кто кому врет? — вступила Юлька. — Ты, Саш?.. Положи мне еще. Очень есть хочется.

— Ты выпей, — предложила Лера. — Вот прямо залпом, можешь?

— Я уже выпила залпом.

— Еще надо. Мало выпила.

— И что ты собирался делать, когда я... соображу? — спросил Андрей.

Саша серьезно посмотрел на него.

— Поговорить с тобой.

— Раньше надо было говорить, — отрезал Боголюбов, который прожил сегодняшний день очень трудно и путано. — Вот, девушки, перед вами человек обыкновенный!.. Средний, так сказать, человек. Работник музея. В должности заместителя директора состоит.

— Мы знаем. — Юлька улыбнулась Саше, и он улыбнулся ей. Похоже, боголюбовское бешенство его развлекало.

— Он мой заместитель. Носит клетчатые рубахи и башмаки на толстой подошве. Застегнут всегда на все пуговицы до единой. Образцовый служащий.

Юлька посмотрела на Сашины пуговицы.

— При этом картину некоего художника в экспозиции повесил вверх ногами, чего просто не могло быть, если человек имеет хоть какое-то представление об искусстве!

— Пивчика, да, — подтвердил Саша. — Это раз.

— Рукава у него всегда натянуты на запястья так, чтобы не было видно часов. А часы у него приметные!.. Я однажды спросил, сколько времени, и он посмотрел — машинально.

— Это два, — согласился Саша.

— Часы? — заинтересовалась Юлька. — Какие у тебя часы?

Иванушкин высвободил руку и расстегнул манжету. Юлька завернула манжету и посмотрела.

— Обыкновенные часы, — оценила она. — Военные какие-то, да?.. А здесь? Татуировка?

И она задрала рукав повыше.

— На самом деле не только часы, — сказал Саша Иванушкин и прикрыл татуировку, — но еще, видишь, татуировка. Ну, все равно будем считать — два. Еще что?

— Деньги, — пояснил Андрей Ильич. — Я тебя в магазин послал, когда собаку мыли. Сказал — возьми деньги у меня в джинсах. Сколько ты взял, помнишь?

Саша смотрел на него.

— Пятьсот рублей ты взял, там всего одна бумажка и была. А чек из магазина в пакете остался. На две тысячи двести двадцать семь рублей. И ты ничего мне не сказал, вообще об этом забыл. Неплохо для музейного работника из провинции, да?..

— Ну, три, — согласился Саша.

— И Володя Толстой, — заключил Боголюбов. — Это и четыре, и пять, и шесть, и восемь!..

— При чем тут Ясная Поляна? — спросила Лера.

— Мой заместитель — вот этот самый! — утверждал, что раньше работал в Ясной Поляне. Проверить это проще простого — позвонить Володе Толстому.

— И что? Ты позвонил?

Боголюбов кивнул.

— И что? — спросила Юлька довольно равнодушно. — Он там не работал?

Она вообще слушала брата, как слушают радиопостановку — немного рассеянно, вполуха, какая разница, что именно передают, бухтит, и ладно!..

— Володя сказал, что его попросили дать рекомендации человеку по фамилии Иванушкин, по имени Александр Игоревич. Подписать справку, что он работал в Ясной Поляне. Володя подписал, хотя сам этого Иванушкина в глаза никогда не видел.

— Конечно, не видел, — пробормотал Саша. — Я там был в последний раз на экскурсии в восьмом классе. Вряд ли директор с тех пор меня помнил.

— Ну? Кто ты такой? Офицер госбезопасности, что ли?.. Секретная служба ее величества?

Саша посмотрела на Боголюбова с сочувствием и кивнул.

— Как?!

— Так и есть.

— Да ну тебя к шутам, — рассердился Андрей.

Некоторое время посидели молча. Юлька ела макароны и чавкала.

— Не чавкай, — велел брат.

За плитой завозился сверчок, затрещал, затих и снова принялся трещать, уютно, совсем по-деревенски.

— Господи, как я боялась, — вдруг сказала Юлька. — Как боялась!.. Он бы меня убил. Он несколько раз уже пытался меня убить.

— Пойдем, я тебя спать уложу, — предложила Лера. — Сейчас снотворного выпьешь и поспишь.

— Я не пойду, не могу спать. Я теперь никогда не смогу спать.

— Ничего, ничего. Не надо спать, Юля. Вы просто так полежите, а потом опять к нам придете. День у вас нелегкий, — произнес Саша.

Когда они вышли и плед, в который Юлька была завернута поверх меховой жилетки, уволокся по полу за угол, Боголюбов посмотрел на Сашу.

— Ну что?

— На аукционе в Москве была продана некая картина. Обыкновенная картина, раритет, конечно, но ничего сверхъестественного. Документы на нее в идеальном порядке, и продали ее в полном соответствии с законом. На вывоз. Никто ничего и не заподозрил бы, но на таможне дядька есть, Шота Георгиевич Кардава. Так вот, этот Шота Георгиевич — он еще при советский власти служил, — как только на нее взглянул, сразу арест наложил, на экспертизу отправил и нас вызвал. Шота Георгиевич — это, знаешь, не пень в погонах, а рентген! Человек-рентген!..

— И что рентген?

— А рентген показал, что под пейзажиком неизвестного художника с прудиком и избенкой на переднем плане портрет княгини Путятиной работы Рокотова.

— Так.

— И эдак, — подхватил Саша. — Стали разбираться, оказалось, что картина Рокотова отсюда, из нашего музея. Числится как утраченная во время войны. За семьдесят лет без малого нигде не всплывала, сведений никаких о ней не было, ни из частных коллекций, ни из музеев.

— Во время войны! — фыркнул Боголюбов. — Столько лет прошло, мало ли где этот самый Рокотов мог пролежать! Или на какой стене провисеть! При чем тут музей?

— Да как раз при том, что за столько лет о нем никаких сведений не было!.. Последнее место, где портрет, так сказать, легально находился, и был наш музей! Начинать искать нужно только отсюда, больше неоткуда.

— И ты начал?

Саша кивнул.

— Искать?

Саша опять кивнул.

— А что искать-то?! Следы Рокотова?

— Ну... хоть что-нибудь. Когда картина была утрачена, как именно. Искали ее, нет ли. Сколько вообще полотен тогда пропало и каких. Куда она потом делась. Картина же куда-то делась! Несколько десятилетий она где-то была! И — заметь! — сохранилась в приличном состоянии, я бы даже сказал — в превосходном. То есть никаких чердаков, сараев и погребов. Она где-то очень грамотно хранилась.

— И ты устроился в музей.

— Меня устроили, — поправил Иванушкин. — Владимир Ильич Толстой помог, спасибо ему. Но, честно говоря, никуда особенно я не продвинулся, Андрей. Анна свои секреты стерегла на совесть.

— Ну, хоть какие-нибудь сведения нарыл?!

Саша пожал плечами:

— Ну вот тебе сведение. У Дмитрия Саутина здесь, в Переславле, два ювелирных магазина. «Краса России» и «Лунный свет» соответственно. Ювелирные магазины — штука непростая, а, наоборот, довольно хитрая. Большинство тех, кто их содержит, известны, сосчитаны, некоторые даже дактилоскопированы. В далеком криминальном прошлом.

Боголюбов присвистнул.

— Анна Львовна помогала в оформлении обоих, витрины украшала, по-моему, даже на открытии присутствовала. Ибо вышеназванный господин Саутин прикупил эти магазины не слишком давно, года три-четыре назад. Да еще оба сразу. Тут же возникает вопрос — заметь, вполне резонный! — откуда у господина Саутина взялись деньги на ювелирные магазины?! Он средней руки купчик, в торговом центре у него несколько павильонов, готовое женское платье, так сказать. Возит, разумеется, из Китая по дешевке. Машины продает подержанные. Когда ты в город со стороны Москвы въезжал, видел шикарную вывеску «Автосалон «Люкс» премиум-класса»?

Боголюбов покачал головой отрицательно: не видел он автосалона премиум-класса!

— Тоже его, саутинский. Это все понятно, откуда взялось. А ювелирными магазинами он на какие шиши обзавелся? На прибыль от женского готового платья из Китая? И заметь: магазины полноценно ювелирные, не палехские шкатулки и не скопинские тарелки, а топазы и алмазы. Мы проверяем потихоньку, но дело пока ни с места.

— Интересно, а ювелирный магазин в Переславле — это что, очень доходное дело?.. Шкатулки и тарелки хоть туристов интересуют, а алмазы с топазами кто здесь станет покупать?

Саша пожал плечами, встал, налил воды в чайник, чиркнул спичкой.

— Дела у Анны с Саутиным, безусловно, были, но меня к ним не допускали. Он приезжал почти каждый день — в музей или к ней домой. Они подолгу разговаривали. Кто там перед кем отчитывался, что обсуждали, я так и не выяснил.

— А Сперанский?

— И Сперанский при них. Нет, с виду все благородно и пристойно, не подкопаешься!.. Провинциальная интеллигенция, такая трогательная, дружная компания, старой закалки, и при них молодой бизнесмен, помогает чем может, а на самом деле... не очень понятно.

— Не очень, — согласился Боголюбов задумчиво. Чайник на плите сопнул носом, примериваясь, примолк и зашумел ровно, уверенно. Андрей Ильич зевнул, не разжимая челюстей.

— Что было в зеленой папке у Анны в кабинете?

— Я не знаю, правда. В кабинете у нее никто без особого приглашения даже сесть не смел. По верхам я смотрел, но без толку.

— Что значит без толку?

— Ничего предосудительного, значит! Хозяйственные бумажки, текучка.

— Фанера листовая, — поддержал его Боголюбов задумчиво. — А про папашу знаменитого писателя Сперанского что известно?

— Андрей, я в художниках, честно, мало понимаю!

— Пивчика вверх ногами повесил, — ввернул Андрей Ильич с удовольствием.

— Какая-то тут сложная комбинация, но концов найти пока не могу. А у меня тоже сроки, отчеты, начальство!

И Саша Иванушкин махнул рукой.

— Ты бы часы поменял, секретный агент.

— Да ладно. Ты один такой наблюдательный оказался!.. На них никто и внимания не обращал. Это же не «Картье» в пуд весом! Обыкновенные офицерские часы. Да и я не шпион в посольстве!

— Зачем ты выбросил из кувшина цветы?

— Какие цветы? Из какого кувшина?

И они посмотрели друг на друга.

— Ну, как хочешь, — помолчав, сказал Андрей Ильич. — Где все-таки моя собака, а?.. И что мы будем делать с этим... Юлькиным кавалером?

— Я подумаю. В Управление надо звонить, ребят просить. Ну, посмотрим. А то ведь проведут беседу богоспасительную, да и отпустят на все четыре, а его, урода, — тут Иванушкин витиевато и развесисто выматерился, а потом почему-то добавил: — Пардон.

— Ничего, — устало сказала вошедшая Лера. — Чайник вскипел?

— Ты хочешь чаю?

— Не знаю, чего я хочу.

— Шла бы ты тоже спать.

Лера покивала, заваривая чай. Боголюбов потер лицо — оно было какое-то чужое, сухое и колючее — и вышел на крыльцо.

Было очень холодно и светло, странно светло. Луна висела над голыми макушками старых яблонь, и где-то журчала вода.

— Мотя! — позвал Боголюбов и прислушался. — Мотя!..

Со стороны забора зашуршало, зашевелилось, на дорожке появилась Мотя. Хвост вопросительно вилял.

— Ты караулишь, что ли?.. Отбой всем службам, спать пора!

«Как же отбой, — недоуменно спросила Мотя и оглянулась по сторонам, — когда кругом враги! Насилу отбились».

— Я вместо тебя покараулю, — сказал Боголюбов. Мотя подошла, и он почесал ей голову. — Ты мне скажи, как ты нас в лесу нашла? Или это Ефросинья нашла? И куда она потом делась?.. И откуда знала, где искать? — Он помолчал, поглаживая собаку. — И что вообще за чертовщина здесь творится?..

Нечем стало дышать, взмокла спина, ослабли руки. Нужно бежать, бежать как можно быстрее, но не получалось ни пошевелиться, ни двинуться. Приближалось нечто, что невозможно ни рассмотреть, ни остановить, и оно было такое страшное, всеобъемлющее, после которого не останется ничего, совсем ничего, и это оказалось самым ужасным — предчувствие пустоты, в которой по-настоящему нельзя будет ни дышать, ни двигаться — вообще никогда! Нужно спастись сию же минуту, но как?! Как, если тело больше не слушается?! И от этого такая тоска наваливалась на мозг, отдававший бессмысленные команды — беги, беги!.. Он застонал, но шевельнуться так и не смог, а страшное приближалось стремительно и неотвратимо. Не остановить.

И он перестал сопротивляться. Пусть. Может быть, так даже лучше.

— Подвинься.

Он тяжело, со всхлипом перевел дух и стал дышать, дышать изо всех сил. А потом резко вскочил и сел. В глазах было темно, и паника, паника!..

Лера устраивалась рядом, подтягивала ноги к груди, зарывалась под одеяло.

— Я просто так, — проговорила она в темноте. — Я полежу рядышком. Ты спи, спи.

Боголюбов посидел немного, а потом осторожно, как хрустальный, лег.

— Сколько времени?

— Снотворное не помогает, — пробормотала Лера.

Она обняла его и прижалась. Ее волосы защекотали ему нос, и он слегка повернул голову, чтоб не щекотали. Какое счастье, что получается дышать и можно дышать сколько угодно.

— Я боюсь темноты, — в темноте сказал Боголюбов.

— Я знаю.

Ничего опасного не было в окружающем мраке, который больше не душил и не наваливался, а оказался сизым, прозрачным от лунного света, и бояться его глупо, ничего страшного в нем не могло быть. Вон столбик кровати, на нем шишечка. Смешное слово — шишечка. Вон комод, а на комоде вазочка. Смешное слово — вазочка... Нос замерз, хочется сунуть его в тепло, будто он собака.

Хорошее слово — собака.

...Вот и кошки спят, и собаки спят. И деревья спят, и растения спят...

Боголюбов вытянулся, улыбаясь в темноте своему недавнему страху, и шишечке, и комоду, и собаке, пристраиваясь удобнее и радуясь, что можно спать, спать сколько угодно, в тепле и покое.

Ему даже успело что-то присниться, и казалось очень важным запомнить то, что приснилось.

Он проснулся и долго и старательно вспоминал, что именно снилось.

Должно быть, будильник зазвонил. Он всегда ставил будильник так, чтоб можно было еще минут десять полежать — десять минут, не больше!.. Как правило, после этого он засыпал каменным сном и просыпал работу.

Как бы не проспать... Впрочем, тут до работы два шага, пробок нет, Москвы нет, ничего нет... Солнце светит, тепло, щекотно, окна чистые, кто-то недавно мыл их, и это тоже хорошо, по-весеннему, и скоро Пасха...

Андрей Ильич вытаращил глаза, полежал немного, рассматривая потолок с жидким пятном плещущегося света, потом стал шарить за головой: он всегда клал под подушку часы. Выудив их, посмотрел на циферблат, ничего не понял, перевернул и еще посмотрел.

Похоже, двенадцатый час.

Больше часы он переворачивать не стал, а вывернул шею и опять посмотрел — точно двенадцатый!..

Он выкатился в коридор — дверь на улицу распахнута, на травке возле крыльца лежит благородная караульная собака, — по дому гуляет сквозняк, рама где-то стукнула, и никого.

— Лера! — заорал Боголюбов. — Юлька!

Завидев хозяина без штанов, благородная караульная собака радостно вскочила, припала на передние лапы и закрутила хвостом.

— Где все? — из дома громко спросил Боголюбов. — Как же я проспал?! Вы где?!

Никто не отвечал.

Он сам не понимал, почему так спешит и что именно мог проспать, но, подгоняя себя, торопливо оделся, и оказалось, что оделся в рыболовные штаны, которые для обычной, не рыболовной жизни никак не годились. Рыча и негодуя, Андрей Ильич стащил штаны, разыскал джинсы и мобильный телефон.

Он застегивал ремень, прижав трубку плечом, и слушал длинные и какие-то очень близкие гудки.

— Але.

— Лер, вы где?

— Мы здесь, Андрей, — приглушенно сказала она, как будто с совещания. — Мы скоро будем.

— Где здесь?!

— Мы... Мы с Сашей в... отделении. Он утром приехал и забрал нас. Он сказал, нужно бумаги какие-то подписать. Это все... небыстро. А он уверял, что нужно прямо сейчас.

— Почему меня не разбудили?!

Лера молчала, и Боголюбов нажал кнопку «отбоя».

Да ну их к шутам!.. И что теперь делать? Разыскивать отделение?! Рваться в бой?..

Он слишком опоздал со своим рвением, вот в чем штука. Поэтому он так торопится, спешит и негодует. Он все проспал — в прямом и в переносном смысле слова, — и теперь ему нужно как-то оправдываться, стараться быть все время на передовой, а не получается. Они и без него обошлись.

— Саша! — фыркнул Боголюбов. — Утром приехал Саша!..

Саша тоже, по всей видимости, вполне обойдется без него и его молодецкой удали. Саша в таких делах разбирается лучше. Саша сказал, что нужно прямо сейчас!..

— Мотя, — позвал Боголюбов. — Иди сюда, собака!

Она взбежала на крыльцо и остановилась вопросительно.

— Чаю хочешь?

Хвост завилял с утроенной силой.

Дверь на чердак стояла нараспашку, Боголюбов хотел было прикрыть ее, а потом влез по узкой лестничке и заглянул в дверь. Комод, из которого он добывал себе тренировочные штаны и шапку с дыркой, стоял как-то наискось. Две неструганые доски валялись около него. Боголюбов забрался окончательно и подобрал доску. Комод был очень тяжелый, его сколотили, когда про синтетические заменители никто слыхом не слыхивал, вот он и весил, как положено дереву. Андрей Ильич поднатужился и подвинул его обратно к стене. Как же они его волокли, бедолаги?! Баррикаду строили, жизнь спасали! И непрерывно ему звонили, а он не ответил ни на один звонок!..

Саша сказал: тебе жена раз восемь звонила, а он ответил, что у него нет жены. Хорошо так ответил, залихватски!.. В кино так отвечать надо, а в жизни...

— Все, хватит, — громко приказал себе Андрей Ильич.

Свет заливал просторное помещение со всех сторон. Здесь было пыльно, холодно и очень светло. Известно, что старый директор на чердаке писал свои картины, а для такого занятия нужно много света. Еще он любовался звездным небом в телескоп. Боголюбов оглянулся вокруг — никакого телескопа не было, — подошел к окну и посмотрел вниз. Внизу увидел собственный сад и свою собственную собаку, навострившую уши в сторону ворот. Яблони, под яблонями дорожку и прошлогоднюю траву, чуть взявшуюся зеленеть. Андрей Ильич подергал шпингалет. Окна были заделаны намертво, не откроешь. Он еще подергал, стал коленом на узкий подоконничек и посмотрел вверх. Странное дело!.. Внизу рамы хлипкие, трухлявые, должно быть, не менявшиеся с 1924-го, года основания музея! В тот вечер, когда к нему забрался неизвестный, решетка была выставлена, видимо, сделать это было легко. А здесь зачем такие... меры безопасности? Логичней ожидать набега лихих людей именно внизу, на земле, а не нападения с воздуха!..

Боголюбов по периметру обошел чердак, сел на подоконничек, скрестил ноги и посмотрел так и эдак.

— Скажите, девушки, подружке вашей, — пропел он задумчиво, — что я ночей не сплю, о ней мечтая...

...Ночью приснилось ему что-то хорошее, и это очень важно было запомнить не просто так, а для всей дальнейшей жизни, но он не запомнил...

Здесь должны остаться следы пребывания художника — любые, какие-нибудь, а их нет! Ни единого. Ни пятен краски, ни обрывков холста или александрийской бумаги, ни банок с засохшей мастикой и скипидаром, ни промасленных тряпок. Здесь даже не пахнет ничем, что навело бы на мысль о мастерской. Выходит, и в этом Саша Иванушкин тоже наврал? Зачем?.. Или после смерти старого директора здесь тщательно все убрали, так тщательно, что ничего не осталось? Кто мог здесь убирать — старательно, не пропуская ни сантиметра, оттирать пятна, выносить мольберт, кисти, ящики и тюбики с краской?

Тут вдруг Андрея Ильича осенило. Он скатился с лестницы, протопал по коридору и ворвался в кабинет. Мотя вопросительно гавкнула с крыльца.

— Подожди, — отмахнулся Боголюбов.

В кабинете хорошо пахло и все было прибрано — постели аккуратно сложены в углу дивана и даже прикрыты сверху кружевной прабабушкиной накидочкой. Это так похоже на его бывшую жену — прибрать и еще сверху накидочку накинуть! Юлька бы все разбросала и убирать за собой ни за что не стала бы. Боголюбов распахнул створки книжного шкафа, потом, присев на корточки, один за другим повыдвигал ящики письменного стола. Нигде ничего. Он вскочил и посмотрел на стены.

В кабинете висели три картины. На одной натюрморт с мертвыми утками, на другой с мертвыми зайцами, на третьей ни уток, ни зайцев не было, зато был виноград, неестественно красные яблоки и бутыль зеленого стекла. Последнюю Андрей Ильич аккуратно снял с гвоздика и перевернул. Полустертый типографский шрифт сообщал: «Ж.-Б. Ван-Эйкр «Яблоки и виноград», 1756 г. отпечатано в типографии издательства «Московский рабочий» 1976». И тираж, Андрей Ильич присмотрелся — что-то много, то ли триста тысяч, то ли пятьсот.

Он пристроил репродукцию обратно, отряхнул ладони о штаны и пошел в собственную спальню. Здесь тоже в простенках висели картины — три штуки в овальных рамах. На одной изображена дама в чепце, на другой девочка в венке, а на третьей две длинные собаки, похожие на охотничьих. Эти были напечатаны Калининским полиграфическим комбинатом и тоже лет сорок назад.

— Позвольте, — громко спросил Боголюбов сам себя, — а где же работы старого директора? Не может такого быть, что ни одной не осталось! Кому они могли понадобиться? Если их отсюда забрали... Да ну, ерунда! Зачем их стали бы забирать?! Или бывший директор не писал никаких картин и это тоже обман?

Тут ему вдруг пришло в голову, что Саша Иванушкин, оказавшийся «лейтенантом секретной службы ее величества», как это называлось в любимых английский детективах, ничем свою причастность к этим самым службам не подтвердил, разве что офицерскими часами, но выводы из данной детали он, Боголюбов, вполне мог сделать неправильные. В конце концов, Андрей Ильич никогда не готовил себя в разведчики или сыщики и не знал, как они делают свои выводы, всегда такие остроумные и блестящие.

Его собственные выводы относительно Саши были вполне остроумны и казались исключительно блестящими и очень логичными, только вот... правильные ли они? А что, если нет никаких похищенных драгоценностей и ювелирных магазинов и все это выдумано, чтобы отвести от себя подозрения? Только вот какие именно подозрения, Андрей Ильич не знал, потому что Сашу ни в чем, кроме вранья, не подозревал. Может, нужно подозревать?..

Очень сердясь, Боголюбов ткнул на плиту чайник, разыскал кофе и налил в ковшик воды — варить яйцо.

...Кто такая Ефросинья? Откуда она взялась в городе и чем занимается? Как она вчера безошибочно разыскала их посреди леса? Модест Петрович передавал ей координаты, а она их пеленговала? Или как?..

Почему Модест кидался на него с топором и что именно имел в виду, когда утверждал, что приезжие из Москвы только портят и гадят и мечтают разрушить все, что ему, Модесту, дорого? Какие приезжие имелись в виду? Кроме самого Андрея Ильича из приезжих в кружке Модеста был только Иванушкин! Что именно мог испортить или уже испортил Саша?..

— Они все как-то связаны, — вслух задумчиво произнес Боголюбов, выдвинул застревавший в пазах ящик и вооружился ложкой — доставать яйцо. — Они все роятся вокруг чего-то, и похоже, что именно вокруг музея. Что может быть такого в музее, что их всех объединяло бы? Любовь к искусству?..

Допустим, старый директор знал о махинациях, но никак не мог этому помешать. Допустим, он решился написать в Москву бумагу — не назначать Анну Львовну директором, стара, мол, уже, сил маловато, хорошо бы специалиста помоложе, поэнергичней, современного такого, и главное, чтобы со стороны. Министр культуры удивился немного, Анну Львовну не назначил и прислал «со стороны» Боголюбова, который раньше никаких музеев не возглавлял, а занимал в министерстве должность начальника аналитического управления. При этом дал Боголюбову «особое задание» — «разобраться, что к чему, и оценить обстановку».

— Место как раз для тебя, Андрей Ильич, — сказал министр, подписывая назначение. — Ты у нас главный аналитик, специалист по военной истории! Тебе и карты в руки, проведи там рекогносцировку и дай аналитическую оценку!

— Я музеями никогда не заведовал.

— Научишься. Ты мужик хваткий, и дело там поставлено крепко, само не развалится. Да ты мне месяц назад всю голову заморочил, что в Москве тебе оставаться никак нельзя. Вот я тебя и отправляю в Переславль. Иду навстречу просьбам и пожеланиям.

— Не морочил я вам голову, — пробормотал Боголюбов, понимая, что дело уже решено, и вот та самая бумажка, лежащая поверх многочисленных точно таких же на министерском столе, уже определила его судьбу. Точнее, определяет в этот самый момент, когда министр размашисто и с удовольствием, очевидно любуясь своей подписью, своей ручкой и манжетой, подписывает ее!

— Поезжай, — молвил министр отеческим тоном, хотя в отцы Боголюбову никак не годился. — Разберись. А то старика чуть удар не хватил тут, вот в этом самом кресле!.. У меня и кандидатур никаких на его место не было, я думал, что заместительница руководить останется, а он ни в какую!.. Нужен новый человек, свежий взгляд, и точка. Так что тебе — в самый раз. Простор, фонды отличные, финансирование хорошее, и музей на полном ходу. От Москвы не близко, но и не особенно далеко. Ты ж хотел уехать!..

Боголюбов признался, что хотел.

— Вот и прекрасно. А я к тебе на юбилей Лермонтова приеду, осенью. Лермонтов же там бывал, да?

Боголюбов согласился, что бывал, моментально в этом усомнился и решил потом непременно уточнить.

— Ну вот. Ты к осени как раз осмотришься и в курс дела войдешь. Только без резких движений, Андрей Ильич. Там дело поставлено вроде неплохо, а периферийные музейные работники, знаешь, очень трепетные.

Боголюбов, получив вместе с назначением не слишком приятное задание «разобраться», через несколько дней уехал из Москвы, но что-то никак у него не получалось разобраться. Все только запутывалось.

Тут он увидел, что вместо ложки держит в руке нож, а ножом яйцо из кипятка никак не достанешь, разозлился и бросил нож.

После скучного и неинтересного завтрака — чашка чаю с лимоном, яйцо «в мешочек» и стакан молока, а кофе не было, весь вышел, — Андрей Ильич хотел было еще раз позвонить бывшей жене, но не стал. Они без него разберутся. Они вполне самостоятельные, и у них есть Саша Иванушкин, который знает, что делает.

...Как это прекрасно — знать, что надо делать!

Вечером перед отъездом в Переславль в его квартиру явился его же приятель Паша. Он был сильно навеселе и собирался продолжить — перемещался с одной «тусы» на другую. В одиночку Паша ничего не умел делать — ни есть, ни пить, ни спать, ни тусоваться, — и ему понадобился Боголюбов, чтобы провести время между «тусами».

Паша был актером и всероссийской знаменитостью. В сериалах он играл отважных храбрецов и милых недотеп, в «фестивальном» кино — для понимающих — злодеев, святых и нищих, и все у него получалось блестяще!.. У Паши напрочь отсутствовала какая-либо индивидуальность, он представлял ежеминутно — то гениального артиста, то рубаху-парня, то верного друга, то зайчика-выбегайчика, то грустного и взрослого художника. Боголюбов относился к нему с сочувствием: людей, более задавленных профессией, он еще не встречал. Если было настроение, подыгрывал Паше, если нет, выпроваживал без церемоний, и тот никогда не обижался. Думать он не умел вообще и обижаться не успевал.

Боголюбов сказал, что завтра с утра уезжает и «туса» с Пашей отменяется. Паша нисколько не обиделся, стал звонить по телефону Веруське, чтоб пойти с ней, и Веруська, видимо, согласилась.

— Вот какая она, жизнь, — резюмировал Паша, выходя из роли «милого мальчика» и вступая в роль «грустного клоуна». — Друзей не дозовешься, у всех свои дела, а Веруська всегда рядом! Давай выпьем, Андрюш, за Веруську!..

Боголюбов, рассеянно думая, что дубленку везти глупо, до зимы все еще может сто раз измениться, выпил «за Веруську».

— Хорошая девчонка, — Паша продолжал давать «грустного клоуна», — и жалко мне ее! Она хочет... отношений, понимаешь? А разве я могу дать ей отношения? Я могу дать только несколько минут радости, а потом много часов горя. Я это понимаю, но поделать ничего не могу. Она хорошая. Очень хорошая!..

— Кто? — не понял все пропустивший мимо ушей Боголюбов.

— Веруська, — пояснил Паша. Он сел на краешек дивана и опустил лицо в ладони. Боголюбов на него покосился. — Что я могу ей дать, этой девочке? Ей нужны тепло, любовь, забота, а я?..

От «грустного клоуна» роль постепенно углублялась, усложнялась и расширялась до «страдающего любовника».

— Я все время на съемках в разных городах и часовых поясах, а куска счастья ей мало. Ей нужно все счастье, целиком.

— Кому? — мстительно переспросил Боголюбов.

— Веруське! — шепотом пояснил Паша. — А я изменяю ей каждый день. Художнику нужна подпитка, понимаешь? Свежие эмоции, влюбленность! Когда я не влюблен... — он с трудом сглотнул, — не могу играть. А она ждет от меня стабильности. Честности ждет! А какая честность, Андрюш?! Недавно говорит: познакомь меня со своим агентом. А какая она актриса, Господи прости! Ну, вот никакая, вот даже не такусенькая. — И Паша показал наманикюренный ноготь на мизинце. — А ей же хочется творить!

— Кому? — осведомился Боголюбов.

— Веруське, — грустно сказал Паша. — А я не способен ей помочь! И потом... потом, у меня же дочь!.. Я тебе сейчас покажу свою дочь!

«Страдающий любовник» исчез с боголюбовского дивана, и его место занял «сияющий отец». Из внутреннего кармана Паша выхватил телефон и стал тыкать им в Боголюбова.

— Вот смотри, смотри, нам тут скоро три! Нет, ты глянь! Моя лапулечка, моя сюсюлечка! А прическа какая, видел? А взгляд! Нет, разве такой взгляд бывает у трехлетних, ты скажи? Моя девочка! А здесь они на лошадках! А это мы в Испании в прошлом году, я там снимался в одном проекте, так они подлетели! Ты посмотри, какая у нее фигура! Она меня называет «папуся», а я ее «дочуся». Она мне говорит на прошлой неделе: папуся, я же принцесса, да? А если я принцесса, где моя золотая карета? Это она про мою машину, представляешь?! Машина-то у меня красная! А я ей говорю: будет тебе золотая, дочуся, все будет!.. Ты ж у меня самая золотая!

Тут телефон с «дочусей» вдруг зазвонил, и Паша моментально превратился из «сияющего отца» в «разгневанного клиента».

— Как не сделали? Что за разговоры? Мы еще три дня назад договаривались! Я вам деньги плачу немереные! А вы по ходу забыли, с кем имеете дело! Нет, это вы меня послушайте!

Боголюбов вышел из комнаты, а когда вернулся, на диване опять сидел «грустный клоун» из первого эпизода, уткнув в ладони несчастное клоунское лицо.

— И что мне делать с собой? — спросил он трагическим голосом. — И с ней?

— С кем? — уточнил Боголюбов.

— С Веруськой! Она же живая, теплая. Она меня любит!

Вскоре явилась сама Веруська — сказочная двадцатилетняя красавица. Она оказалась вдвое выше Паши и, смешно нагнувшись, поцеловала его в кудрявую макушку. Распрямившись, она молниеносным взором оценила квартиру Боголюбова и самого его, не нашла ничего, достойного внимания, и сказала великому актеру:

— Идем, Павлуш?..

Паша, игравший «расшалившегося козлика», бегал и скакал вокруг нее, тянул за руку, подпрыгивал, стараясь влепить поцелуй в подходящее место.

— Я надеюсь, ты знаешь, что делаешь, — сказал Боголюбов вслед, когда они вышли на площадку. Веруська улыбалась и переступала длинными совершенными ногами, а Паша крутился и вертелся, как веретено.

— Кто?! — удивился он, не переставая вертеться. — Я?..

...В Переславле Боголюбов чувствовал себя Пашей — все время «в роли», все время «в игре», а играть у него получается плохо, гораздо хуже, чем у Паши!..

Нужно пойти в музей и засесть там за работу. Осенью приедет министр культуры, а до сих пор неясно, бывал Лермонтов в усадьбе или нет!.. Работа стоит.

Трактир «Монпансье» был открыт, и Андрея Ильича вдруг осенило. Ну конечно! Нужно лишь зайти и проверить.

В зале никого не было, только тряс под геранью ушами здоровенный кот, давешний его приятель. У кота был заспанный вид. Замечено, кстати, что коты бывают вполне довольные жизнью и ничем и никогда не довольные. Этот был из недовольных. Плазменная панель показывала вышагивающих манекенщиц, все до единой напоминали Веруську.

Боголюбов оглянулся — никого, — зашел за стойку и открыл дверь во внутреннее помещение. Там был коридор, довольно светлый, с левой стороны кухня, вся отделанная кафелем, как операционная. Откуда-то доносились голоса, особенно один, начальственный, и Боголюбов подумал, что Модест Петрович, должно быть, проводит совещание.

Кухня оказалась просторной и чистой: никаких объедков, вчерашних тарелок, алюминиевых жбанов с коричневыми потеками, никакой застарелой прогорклой масляной вони. Вот молодец Модест Петрович! Во вверенном ему хозяйстве, как и у Анны Львовны, все в полном порядке.

Да они тут все... молодцы!

Андрей Ильич покрутил головой в разные стороны, провел ладонью по чистому и сухому столу, подошел и посмотрел. Ножи были выложены по размеру — один за другим. Еще какие-то стояли в деревянной стойке ручками вверх, одно гнездо пустое. Андрей Ильич еще раз оглянулся и взял первый попавшийся нож, оказавшийся широким и коротким. Он осмотрел клеймо.

— Что вы тут делаете?!

Ронять от неожиданности нож Боголюбов не стал, аккуратно сунул его обратно в гнездо.

— Это служебное помещение, посторонним сюда нельзя!

— Я ищу Модеста Петровича.

— Он совещание проводит! Как вы сюда попали?!

— Через дверь, — буркнул Боголюбов.

— Проходите, проходите отсюда! Туда, там Модест Петрович!

Подталкиваемый в спину Боголюбов «прошел». Люди в дверях посторонились, Модест Петрович зорко глянул поверх очков, и охранник в синей форменной рубашке сказал, как будто приговор огласил:

— Вот. Вас спрашивает.

— Да я, собственно, на одну минуту, — промямлил Боголюбов. На кухне он увидел то, что ожидал, и теперь ему нужно было подумать.

— Совещание у меня в эту пору, — сказал Модест неприязненно, — каждый день бывает. Или чего там? Бумажки надо подписать?

— Какие бумажки? — не понял Боголюбов.

— Да на вчерашнего злодея. Или чего еще?

Про «бумажки на вчерашнего злодея» Боголюбов ничего не знал.

— Тогда потом, — распорядился Модест и покосился на свой палец, крепко прижатый к какой-то ведомости. — Сейчас не до тебя.

— Приходите вечером на уху, — неизвестно зачем пригласил его Боголюбов. Ему хотелось, чтобы Модест разозлился, лучше всего прямо сейчас, у всех на глазах.

— Ну-ну, — неопределенно сказал Модест Петрович. — Там поглядим.

На площадке рядом с музеем разворачивались туристические автобусы, все лавочки были заполнены, самые отважные сидели на траве, все еще желтой, только-только взявшейся зеленеть! Ах, как Боголюбов любил эту пору — когда пролезает трава, когда дни становятся длинными и радостными, когда по ночам холодно, почти морозно, а днем на солнышке уже припекает вовсю, куртка тяжело и не нужно висит на плечах и хочется снять ее, закинуть за плечо и идти в футболке!..

Нужно распорядиться, чтобы запустили фонтан. В толпе он протолкался к фонтану и заглянул. На дне каменной чаши валялись бумажки, фантики, прошлогодние листья, палки и пакеты из-под чипсов. Значит, сначала нужно все вычистить, а потом включить.

...Андрей Ильич понятия не имел, когда включают фонтаны — в мае, в июне или в апреле в самый раз? Может, директору музея-заповедника в Петергофе позвонить? Он наверняка знает!..

— У нас прекрасный фонтан, правда? — тихонько сказал кто-то у него за плечом, и Андрей Ильич оглянулся. Приставив руку козырьком ко лбу, на него смотрела Нина. Смотрела и улыбалась хорошей улыбкой. — Он здесь со дня открытия музея. Тогда модно было все украшать фонтанами. Лет десять назад хотели его сломать и новый соорудить, но Анна Львовна не разрешила.

Боголюбов тоже приставил ладонь ко лбу и посмотрел на скульптуру. Крепкая женщина в длинном платье, которое можно было принять и за древнегреческий хитон, и за русский сарафан, в изгибе левой руки держала сноп колосьев, а в правой кувшин, из которого, по всей видимости, и должна была литься вода. На лбу у нее красовалась повязка, которую можно было принять и за крестьянский платок, и за шапочку Веры Холодной в роли женщины-змеи. У ног стоял ягненок, слегка похожий на собаку римских легионеров.

Боголюбов улыбнулся. Правда, хороший фонтан, только очень странный. Многозначительный.

И тут он вдруг вспомнил странное. Это странное он видел в доме писателя Сперанского, но тогда не обратил внимания! Он не понимал, кто перед ним — провинциальная знаменитость, великовозрастный шалун и всеобщий любимец или озабоченный деловой человек. Он рассматривал картины художника Сперанского, и все они были похожи друг на друга как две капли воды, и тогда он заметил эту странность, но отвлекся, позабыл!..

Позабыл, а теперь вдруг вспомнил.

Ему хотелось растолкать людей, пронырнуть между неповоротливыми автобусами и припустить бегом по весенней, залитой солнцем улице вверх, а потом свернуть направо и еще раз направо к дому Сперанского. Он даже ногами переступил.

— Там сидит ваша собака, — сказала Нина. — Наши бабули ругаются, что вы на работу собаку водите.

— Где сидит моя Мотя? — машинально переспросил Боголюбов, думая о том, что только что вспомнилось ему.

— У самого крылечка. Я хотела Сашу позвать, но он что-то опаздывает.

У крыльца на самом деле сидела Мотя, вытянувшись в струнку в сторону ступенек, и смотрела тревожно, навострив уши.

— Вот повадилась, — говорила сзади Нина. — При старом хозяине я ни разу ее здесь не видела!

— Привет, — сказал Боголюбов и захватил в горсть сразу оба шелковых уха. Мотя забила хвостом и расплылась в улыбке. — На работу пришла? Вот молодец, ответственная животина.

«Животина» смотрела на него, как влюбленная. Сзади, выезжая со стоянки, погудел двухэтажный неповоротливый автобус.

— Мне нужно с вами поговорить, Андрей Ильич, — быстро сказала Нина, опустив глаза.

Боголюбов оглянулся на проплывающий автобус.

Ему хотелось прямо сейчас бежать к Сперанскому и подтвердить свои догадки — ну, опровергнуть, на худой конец! — а разговаривать с Ниной не хотелось.

— Мне бы... собаку домой проводить, — промямлил он. — У вас что-то срочное?

— Вообще-то... да, — твердо сказала Нина. И, понизив голос и придвинувшись ближе, добавила: — И хорошо бы не в кабинете, Андрей Ильич.

— У нас с вами секреты? — уточнил он.

— Пойдемте ко мне кофе пить, — предложила Нина. — Я живу рядом, по улице вверх и налево. Пойдемте, Андрей Ильич!

Боголюбову вдруг стало неловко, как будто она на свидание его приглашала. Да и перемены в ней не то чтобы пугали, а как-то настораживали. Он чувствовал очень определенно, что есть некий сценарий и герои играют в соответствии с ним, а ему отведена роль «болвана». «Болвана» пересаживают с места на место, переставляют туда-сюда, ему дают по башке, когда он подворачивается под руку в неподходящем месте, но отделаться от него окончательно никак не могут. «Болван», крутя тупой башкой и хлопая глазами, все равно лезет куда не следует и мешает остальным героям всласть насладиться спектаклем.

— Я должна вам кое-что показать, Андрей Ильич. А в музее нельзя, там все у всех на виду! Я еще вчера хотела, но никак... не могла решиться.

— Вы девушка решительная! — возразил Боголюбов с досадой, чувствуя себя первосортным «болваном». — Мотя, пошли кофе пить! Ну, давай, давай!..

Они выбрались из толпы и молча пошли под липами, чуть взявшимися зеленеть. Каждая липа до пояса была обмазана свежей побелкой, и улица от этого казалась очень нарядной.

— А когда в этом году субботник? — рассеянно спросил Андрей Ильич.

— Что в этом году? — не поняла Нина.

— Субботник! Трудовой порыв! Все горожане выходят на улицы и приводят родной город в порядок! Вы не знаете?

Нина пожала плечами.

...А может, и вправду не знает, подумал Боголюбов. Сколько ей лет? Двадцать три? Пять?.. Книг про дедушку Ленина и светлое коммунистическое завтра, про Страну Советов, где все люди добры, приветливы, румяны, трудолюбивы и истово любят родину, наверняка в школе уже не проходила.

— У нас мэр такой... жучила, ужас. Вот вроде Модеста Петровича! Каждую неделю трудовой порыв! Всех на работы выгоняют, принудительно, между прочим! Поделили город на какие-то квадраты, предприятие каждого квадрата выделяет людей для уборки улиц. Ну, пенсионеры сами приходят, их заставлять не надо, им все равно делать нечего, а школьников учителя пригоняют.

— Молодец мужик, — похвалил Боголюбов.

Нина решила, что он шутит.

— У нас тут такая буза была, когда он с этой инициативой выдвинулся!.. В двадцать первом веке посреди России принудительные работы! И вообще, я не хочу метлой махать! Я музейный работник, а не уборщица! Почему я должна бутылки собирать и бумажки подметать?

— Ну, без бумажек и бутылок чище, — возразил Боголюбов. — Или вам больше нравится жить в помойке? А я думаю, почему в городе так чисто?.. Вроде город как город, туристов полно, а чисто! Оказывается, у вас мэр — новатор.

— Да на него в суд подавали за его новаторство!

— И что суд?

— Оправдал! — язвительно сказала Нина. — Он фотографии представил, как было и как стало! Особенно в центре, где мэрия! Да вы напротив живете, знаете!.. Его-то сотрудники отказаться не могут, они хочешь не хочешь должны! Вот они все во главе с мэром каждую неделю Красную площадь метут, где торговые ряды, и дальше, где Земляной Вал!.. Раньше весь город смотреть приходил, это ж цирк! А потом ничего, привыкли... Разве по Конституции положено людей насильно на работы гнать? Вот вы скажите!

Углубляться в тему принудительных работ Андрей Ильич не стал. Объяснять девице, что такое на самом деле принудительные работы, счел излишним. Когда заставляют, самое естественное и сильное желание — не подчиняться. Вырваться, так сказать, из-под пресса и гнета, да еще натянуть нос тем, кто заставляет. А что делать, если заставить — единственный путь к светлому будущему? Вот вопрос, который кто только не задавал! Кажется, весь двадцатый век люди только и пытались, что осчастливить друг друга насильно, заставить себе подобных работать на это самое светлое будущее. Тех, кто отказывался, сначала принуждали — разными способами, — затем стали умерщвлять, затем принялись умерщвлять всех подряд и тех, кто соглашался тоже. Получилось то, что получилось, и вместо светлого будущего — наступившее сегодняшнее настоящее, в котором бравый мэр насильно заставляет горожан мести улицы.

— Андрей!

Боголюбов оглянулся. Нина и Мотя оглянулись тоже.

Лера переждала громыхавшую по брусчатке цистерну с молоком и перебежала дорогу.

— Здравствуйте. — Она мельком улыбнулась Нине. — Саша с Юлькой пока в отделении остались, а меня отправили домой. Он сказал, что потом ее проводит. А ты?..

— Я? — переспросил Боголюбов неприятным голосом. — Я на работе. Познакомьтесь. Лера, это Нина. Нина, это Лера.

Бывшая жена посмотрела ему в лицо, вздохнула и спросила, когда его ждать.

— Я сегодня в Москву уеду, — добавила она.

— В добрый час, — ответил Боголюбов, подхватил Нину под руку и повел. Мотя постояла, подумала и потрусила за хозяином.

Нина ни о чем не спрашивала, и Боголюбов оценил ее выдержку. Ему очень хотелось обернуться и посмотреть Лере вслед — как она идет по тихой и чистой улице, где только что прогрохотала цистерна с молоком, где солнце путается в корявых ветках старых лип, вдоль добротных заборов с прикрученными к калиткам почтовыми ящиками.

Если б можно было, он оглянулся бы и загадал, чтобы она тоже оглянулась, и она бы непременно оглянулась, и тогда он загадал бы...

— Нам сюда.

Прогремели ключи, открылась калитка, брякнула щеколда. Садик был узкий, как трамвайное депо, с двух сторон стиснутый серым, кое-где повалившимся от времени забором. В тени в ямах лежали кучи слежавшегося до черноты снега. Голые кусты смородины, а за ними вплотную к забору какие-то доски, сваленные в расползшиеся штабели. Штабели наползали на кусты и на дорожку. Под ногами чавкало, как будто они шли по болоту.

— Здесь еще моя бабушка жила, — беспечно говорила Нина. Она шла по убогому подворью, привычно не замечая его убогости, шла так, как будто вокруг и не было луж, щепок, невесть откуда взявшихся куч угля, из-под которых на дорожку натекла грязная талая вода.

Боголюбов ничего не понимал. Он знал — видел! — совершенно другую Нину. Он все давно придумал: она живет в малогабаритной квартире — окнами на стадион или в парк! — с «евроремонтом», на кухне непременно холодильник с зеркальной дверцей. Диван должен быть прогрессивного черного цвета, а на нем подушки — желтые и фиолетовые, очень модно и стильно. На стенах постеры с абстрактными рисунками. На кухонном столе вместо скатерти круги из блестящего пластика, кофе растворимый, чайник с подсветкой и — кошка. Кошка должна быть обязательно! Какой-нибудь заковыристой породы, голая или, наоборот, остриженная под льва. Кошка должна забираться на полированный стол и брезгливо сидеть среди кружек с видами Парижа, еще обязательна кружка «С днем варенья!» и с фотографическим портретом хозяйки в обрамлении бенгальских огней...

Покосившиеся ступеньки вели на террасу, где пахло плесенью и мышами и было так тесно и густо наставлено, что Боголюбов некоторое время думал, куда шагнуть. Нина отперла дверь, обитую потрескавшимся дерматином — из трещин в разные стороны лезли пуки желтой ваты, — и зажгла свет в прихожей.

— Проходите, проходите в зал! Я сейчас кофе принесу.

Боголюбов вовсе не хотел кофе — «в зале»!..

В комнате было полутемно — никакой весны, никакого солнца, никакого хрустального воздуха. Оконца до половины зашторены нечистыми тряпицами, лампочка, под лампочкой стол и несколько стульев. Один стул придвинут к окну, на нем картина, прикрытая сверху коричневой оберточной бумагой. Андрей Ильич осторожно обошел стул, смотреть картину не стал. Диван был старинный, пружинный, с высокой неуютной спинкой и исцарапанными деревянными подлокотниками. Еще имелись желтый фанерный буфет и трехногая табуретка в резиновых калошках. На табуретке приткнут утюг.

...Выходит, ты ничего не понял. Выходит, ты кругом ошибся. Выходит, «болваном» тебя назначили не зря!..

— Вы садитесь, садитесь, Андрей Ильич. — Нина внесла поднос, а на подносе чашки и электрический чайник — без всякой подсветки, старенький. Чашки были с розами и незабудками. — А что вы оглядываетесь? Бедно живу? — Она усмехнулась. — Непривычно вам это, да?.. В Москве, наверное, не так живут.

— И в Москве по-всякому живут, — изрек он, и ему стало неудобно.

...Может быть, дело вовсе не в Нине? Может, она переехала сюда на прошлой неделе, а до этого тут жила немощная старушка, которая скопидомничала, припрятывала баночку к баночке, пустую спичечную коробочку к коробочке, тряпочку к тряпочке, а помыть окна ей и в голову не приходило?..

— На зарплату музейного работника не разгуляешься, — сказала Нина. — Мне еще повезло, я наследство получила, домик этот!.. И жить здесь я не собираюсь! Да вы садитесь, садитесь!

— А где вы собираетесь жить?

— Я? — Она как будто удивилась. — В Москве, конечно. Что вы удивляетесь? Сами-то небось в Москве живете!

— Я в Москве родился. — Кажется, он уже оправдывался однажды за то, что родился в Москве! — И приехал жить сюда.

— Ах, ну что вы говорите! — Она махнула рукой и стала через край насыпать в чашки кофейную крошку. Немного крошки просыпалось на стол. — Я же все понимаю! Вас сюда назначили временно, ненадолго, правильно? Должно быть, у вас неприятности какие-то были по службе! А что? Скажете, нет? Просто так из столицы в провинцию не ссылают!

Боголюбов чуть было не принялся рассказывать про министра, даже рот открыл!.. А потом закрыл и не стал рассказывать. Он просился уехать — после развода стало ему в Москве противно и пусто и как-то уж совсем нечего делать, — и министр «пошел навстречу», назначил сюда, «не слишком далеко и не слишком близко», и спасибо ему за это, чуткий попался министр!

— Мы здесь не живем, — продолжала Нина с мстительной интонацией. — Мы все тут ждем, когда помрем. Здесь жить нельзя, можно только протухать день за днем, день за днем!..

— Да у вас город прекрасный! — возразил Боголюбов. — Что вы говорите?.. У вас все есть! Главное, работа есть, насколько я понимаю...

— Что у нас есть?! Ну что? Вы сейчас про леса и озера начнете, да?! А работу я ненавижу! Кому это нужно — сидеть каждый день в музее и пересчитывать картины?! А потом их по стенам развешивать? Ну, приедут туристы, посмотрят, все равно ведь кретины, ничего не понимают! У них в программе написано — музей, они и идут в музей! А дети! Как я ненавижу школьные экскурсии! Мы все их ненавидим!

— Подождите, вы же говорили, что без музея жить не можете!

— А что я должна говорить? Заберите меня в Москву, я больше не могу-у-у?! А я не могу больше! Иногда ночью лежу и думаю: завтра пешком уйду, все брошу и уйду, не могу я!

...Не сходится, пронеслось в голове у Боголюбова. Ничего не сходится. А как же любовь к своему делу, привитая необыкновенной Анной Львовной? А как же наставник и друг в лице той же Анны Львовны, который научил любить прекрасное? А как же все остальное: тесный, почти родственный кружок близких по духу людей, катанье в санях на Рождество, какая-то необыкновенная выставка, которой гордился весь город?!

— Мне бы только денег. Куда в Москве без денег, я что, не понимаю? А денег у меня...

— А что вы там будете делать? — перебил Боголюбов. От кофе в его чашке поднимался пар и пахло почему-то смолой. — Сниматься в массовках, затем в эпизодах, а потом в главных ролях, что ли? Или петь со сцены?.. Вы же вроде неглупая девушка, Нина...

— Лучше б я была идиоткой, как наши туристы! Я хочу жить, вы что, не понимаете?! Жить, а не протухать... здесь! Я же видела ваше лицо, вам даже сесть было противно! Вы ведь ожидали, что я во дворце живу!

Дворец ни при чем, конечно, но жила Нина на самом деле странно. До того странно, что это требовало обдумывания. Придумать объяснение прямо здесь, при ней, у него не получалось.

— Я жить хочу, а жить можно только в Москве.

— Смотря, что вы имеете в виду под словом «жить», — сказал Боголюбов. Он смерил ее взглядом от макушки до ботинок — так, что она поежилась от мгновенной неловкости, даже жарко стало. — Сниматься в кино вас не возьмут. Для этого нужны талант и образование, а у вас их нет. Муж-продюсер тоже вариант, конечно, но продюсер на вас не женится. Они все, — он тут же поправился не без умысла, — мы все женимся только на своих. Любовник вам не поможет. Даже Паша Саньков, великий артист, свою Веруську никому не может пристроить, а она уж так хороша, что дальше некуда, вам за ней не угнаться.

— Вы знаете Павла Санькова?! — ахнула Нина.

— На эстраду? Там тоже нужен муж-продюсер, а на вас никто не женится, мы это уже установили. И куда вы собираетесь? Где именно развернется ваша настоящая жизнь? — проигнорировал ее вопрос Андрей.

— Вот только не надо, ладно?! Вам-то небось в столице жилось прекрасно! С Саньковым знаетесь! И жена ваша тоже прекрасно живет! Денежки из бюджета подворовываете? Которые государство на музеи отпускает? На машину, на лодку с мотором! Вы что, думаете, я не знаю, сколько директор музея в кассе получает?!

— Н-да, — процедил Боголюбов. Ему очень захотелось на улицу, к его собаке, которая осталась возле трухлявого крыльца. — Вам на самом деле, наверное, грустно живется, Нина.

— Ничего, — отрезала она. — Сейчас грустно, зато потом будет весело.

...Что ей нужно? Зачем она меня позвала? Зачем заговорила про Москву и «настоящую жизнь»? Ее интересуют мои доходы, в этом все дело?.. Откуда именно и сколько именно я «подворовываю»? Ну, с этим все просто и секретов никаких нет.

— Я уеду, уеду, — повторила Нина с силой. — Меня Анна Львовна не отпускала, держала, а теперь... я поеду в Москву.

— Да, — поддержал ее Боголюбов. — Это прекрасный план. Правда, я до конца не уверен, план ли это, но какая разница!.. Жить вы будете, если повезет, в Жулебино, а если не очень повезет, в Люберцах. На работу полтора часа на метро и на автобусе. Работу найдете в конторе где-нибудь на Сходненской, в бывшем НИИ. С десяти до шести будете смотреть в окно и чай пить, сначала черный, потом зеленый, а потом наоборот. Социальные сети в любых конторах, как правило, заблокированы. На ночные клубы нужны не только деньги, но еще время и силы, а у вас очень быстро закончится и то, и другое. Скучно там очень. Быстро привыкаешь, ничего не меняется, только утром голова раскалывается и вообще жить неохота. Вот вы с тридцать второго этажа будете смотреть на помойку и вспоминать... палисадничек, травку, домик бабушкин. Песня называется «Снится мне деревня», и все это настолько не ново, Ниночка!

— Зачем вы меня лечите? В провинции остались только неудачники и тунеядцы, а нормальные люди все в Москве! Господи, неужели вы не понимаете?! Там возможности, а здесь только одна возможность — как-нибудь дотянуть до смерти, не спиться и с ума не сойти.

— Возможности, — повторил Боголюбов, — ну да. Это тоже не ново.

— Что вы заладили — ново, не ново!.. Мне наплевать, я живу первый раз и последний. Я не знаю, что ново, а что старо!

— А может, вам и вправду нужно в Москву, — произнес Андрей Ильич задумчиво. — Вы девушка совсем не глупая. Вы быстро все поймете, и есть некоторая надежда, что много времени не потеряете. Лет пять, не больше.

— Какие... лет пять?

— Через пять лет вы вернетесь, откроете калитку и начнете все заново. Может, у вас и получится. В конце концов, не все же пропадают! Самые сильные выживают, это закон сохранения вида.

— Я права, а вы просто не хотите это признать.

Боголюбов пожал плечами. Ему надоел разговор, в котором ни одна сторона не может убедить другую — ни в чем, и стало стыдно за себя.

«Ты с младенчества сытый и благополучный, как корова, — говорила ему Лера, — поэтому ты ничего не знаешь о настоящей жизни. Все твои ужасы ограничиваются Достоевским!»

— Вы у нас в городе просто развлекаетесь. Скажете нет?! Вам надоест здесь через месяц, и вы уедете! Заберете свою девушку, и фьюить!.. А нам что делать?.. Тем, кто не может уехать?

— Жить, — сказал Боголюбов и поморщился: зачем он это говорит? — Жить и радоваться, у вас же на самом деле все есть для жизни.

— Это вы опять про леса и озера?!

— И леса с озерами — неплохо, Нина! И музей, и люди! Здесь у вас хорошие люди, правда? Просто на редкость! А?..

До этого новый директор был важный такой, благодушный — про знаменитого Павла Санькова мимоходом сказал, мол, подумаешь, знакомство! — всласть учил провинциальную дурочку жизни, а она подыгрывала. Зря он думает, что она в Москве пропадет: там видно будет, кто пропадет, а кто нет! А как заговорили про хороших людей, он изменился, глянул пристально, внимательно, даже сел по-другому.

Ну что ж!.. Наверное, пора.

— Люди у нас и правда очень хорошие, — согласилась Нина и потупилась. — Анна Львовна была, конечно, лучше всех! Ее не стало, и теперь я точно уеду. — Она помолчала. — Андрей Ильич, вы хотели картину посмотреть. Хотели?

— Какую картину? — не понял Боголюбов.

— Которую Сперанский подарил! Помните, у Модеста в трактире?.. Когда проводы были. Мы ее к сыну провожали, а она на тот свет... на следующий день отправилась. Вот. — Нина вскочила, подошла к картине на стуле и сорвала коричневую бумагу. — Смотрите сколько хотите!

Боголюбов уставился на портрет. На нем был изображен сивый мужик с косой.

— Откуда это у вас?!

— Она все время была у меня, — призналась Нина. — Тогда после праздника Анна Львовна ее домой не забрала, мне отдала. Мы договорились, что я на вокзал ее принесу. От меня до вокзала два шага, а от дома Анны Львовны далеко. Вот она и решила...

Боголюбов подошел, уперся ладонями в колени и стал рассматривать мужика. Из-за немытых окон видно было плохо.

Он рассматривал и думал лихорадочно.

Зачем ему показывают картину?.. Чтобы он ненароком не забрался в дом Анны Львовны? Чтобы не приставал к Сперанскому? Почему этот портрет так важен? Откуда Нина узнала, что он хочет его посмотреть, он говорил об этом только Саше и Дмитрию Саутину!.. Еще, помнится, Сперанского спрашивал. Когда он говорил Саутину, что хочет посмотреть картину, Нины в музее не было, она взяла больничный! Саутин был очень раздосадован этим ее больничным, так раздосадован, что Боголюбов даже удивился. Что тогда рассердило Саутина? Что Нина покинула наблюдательный пост, с которого должна была следить за новым директором музея? И, выходит, они все друг с другом поговорили и решили — так сказать коллегиально! — картину Боголюбову показать. Вот она, смотри сколько угодно.

И еще.

История о том, что Анна Львовна не забрала подарок Сперанского домой, казалась ему... неуклюжей, неправдоподобной!.. Она была счастлива, когда Сперанский принес ей «такой замечательный подарок», то и дело спрашивала, чем она это заслужила и всякое такое, а потом отдала эдакую драгоценность молодой сотруднице, которая живет почти что в хлеву?! Вряд ли Анна Львовна о Нинином житье-бытье была не осведомлена — и все же отдала?! Зачем?!

— Чудны дела твои, Господи! — произнес Боголюбов, рассматривая мужика на полотне. — Шедевр. Истинное наслаждение.

— Что вы говорите?!

— А?.. Ничего. — Он распрямился и посмотрел на хозяйку. Она прихлебывала остывший кофе, и у нее был вид человека, наконец-то скинувшего с плеч неприятное и тягостное дело.

— А девушка ваша красивая, — вдруг сказала Нина и стрельнула в него глазами. — Стильная такая.

— Это моя жена, — зачем-то объяснил Боголюбов, и она так удивилась, что ойкнула совсем по-деревенски.

227

Забывшись, он походил туда-сюда по комнатке, и от его шагов в шкафу звенела и дрожала посуда.

— Нина, — сказал он, спохватившись, — я картину заберу с собой, ладно? А завтра принесу в музей! Вы же ее должны, наверное, наследникам передать, или кому там? Сперанскому вернуть?

— Забирайте, конечно! — Она махнула рукой. — Теперь какая разница...

Кое-как обмотав полотно коричневой оберточной бумагой, Боголюбов выбрался из дома и пошел среди угольных луж и щепок по чавкающей дорожке. Обрадованная Мотя трусила за ним. Коричневая бумага шуршала и полоскалась на ветру. Нина стояла на крыльце и смотрела ему вслед.

Боголюбов откинул брякнувшую щеколду и помахал ей рукой.

— Как же, — пробормотал он себе под нос. — За кого вы меня принимаете?! Я болван, конечно, но все же не слепой!

И поудобнее перехватил картину — совсем не ту, которую писатель Сперанский преподнес Анне Львовне в трактире «Монпансье». Она была очень похожа — но не та!..

Он пошел в обход, не через Земляной Вал, а переулками, хотя это было глупо: на него оглядывались прохожие, приостанавливались и смотрели ему вслед.

Он шел довольно долго, куда-то сворачивал, поднимался в горку, обходил лужи и заблудился. Нести картину было неудобно, бумага то и дело сползала, и очень хотелось как-то избавиться от этого мужика с косой!..

Деревенские домики за серым штакетником сменились двухэтажными — внизу беленый кирпич, сверху деревянная надстройка, зеленые крашеные ворота были заложены поперечными балками. Из-под ворот брехали лохматые псы, звенели цепями. Мотя в перепалку не ввязывалась, деловито бежала рядом, изредка взглядывая на него — молодец я?..

— Молодец, — похвалил Боголюбов.

Возле одного из домов, нарядного на вид, с резными наличниками и высоким крылечком, стояло несколько машин, и потный дядька в полинявшей капитанской фуражке грузил в «Ниву» какие-то ящики.

«Меблированные комнаты мещанки Зыковой», — прочел Боголюбов вывеску, набранную вполне убедительным самодержавным шрифтом. Ему очень надоел мужик с косой, надоела коричневая оберточная бумага, надоело идти по улице под взглядами прохожих, и он решил зайти в «меблированные комнаты» и вызвать такси. Наверняка в этом городе есть такси, оно приедет и отвезет его. Адрес: Красная площадь, дом один.

Покуда он поднимался на крыльцо и проламывался с картиной в узкие двустворчатые двери, побитые дождями и морозами, дядька, бросив ящики, смотрел на него во все глаза.

— Добрый день! — уже почти проломившись, прокричал Боголюбов. — Это я не украл, это мне законно дали!..

— Ну-ну, — ответил дядька.

В «меблированных комнатах» был аквариумный полумрак — от гераней, которыми сплошь были заставлены подоконники. На полу дорожки, на шкафах и комодах салфетки, связанные крючком. За конторкой, подперев щеку кулачком, сидела румяная девушка и смотрела в компьютерный монитор.

— Здрасте, — растерянно сказала она, завидев Боголюбова с картиной. — Вы... постоялец?

Он прислонил свою ношу к гнутому венскому стулу, вздохнул и вытер пот со лба.

— Вы... турист? С группой?

— Где-то в глубине души я турист, — согласился Андрей Ильич. Здесь, среди гераний, салфеточек и половичков, идея с такси показалась ему очень глупой. — Но я без группы.

— А-а, вы, наверное, в буфет, да? Проходите, мы открыты.

И девушка показала рукой, куда проходить.

Над притолокой была прибита вывеска «Буфетная», и из-за стены раздавались соблазнительные звуки — звякала посуда и негромко разговаривали.

Ругая себя, Боголюбов «прошел» и картину за собой вволок.

В небольшом помещении оказалась настоящая буфетная стойка, уставленная тарелками и блюдами с разносолами, столы, покрытые белыми скатертями, полосатые мягкие стулья, в углу фикус. Лера, обернувшаяся на звук колокольчика, когда он вошел, с изумлением смотрела, как он втаскивает картину.

— Общий привет, — провозгласил Боголюбов, чувствуя себя идиотом.

Лера держала в руке кошелек, такой знакомый ему, как будто это был его собственный кошелек, старый друг!.. Сколько раз он подкладывал туда денежку — просто так, потому что у него было что подложить, а ей вечно не хватало денег!..

— А я... кофе покупаю, — сказала Лера, как будто оправдываясь. — У тебя кофе нет.

— Я знаю.

От растерянности он прошелся вдоль стойки, рассматривая тарелки и блюда.

— Покушать, может быть? — сунулся молодой буфетчик в длинном белом фартуке. — У нас сегодня и ежедневно русский стол — сало, буженина, шейка запеченная, утиная ножка в меду, язык отварной горячий, огурчики соленые, маринады всякие, студни говяжий, курячий, — он так и сказал «курячий», — рыбки всякие, селедочка слабосоленая, килька пряная, судачок заливной, ну и водки разные. Желаете стопочку?

— Рановато для стопочки, — пробормотал Боголюбов, отводя глаза и от разносолов, и от Леры. Созерцать их почему-то в данный момент казалось ему неприличным.

— Тогда кофейку? С молоком, со сливками? Печенье сдобное, заварное, песочное, слоеное, обсыпное с крошкой, с сахаром, с маком, с изюмом! Пироги с капустой, с мясом, с печенкой, с курятиной, с рыбой, с потрошками, с картошкой, с яйцом! Сладкие — ватрушки, с яблоком, с вишней, с малиной, со сливой, брусничные, черничные. Портвейнцу рюмочку?

Он так и сказал «портвейнцу», и Боголюбов захохотал — так ему все понравилось.

Он взял бывшую жену за кошелек и потащил за собой — к покрытому белой скатертью столу и полосатым стульям.

— Садись, — велел он. — И сиди.

Он лихо назаказывал всего — и кофе, и пирогов, и печений, и «портвейнцу».

— Куда столько? — спросила Лера, когда он уселся напротив. — Мы все не съедим. Что с тобой такое?

— Почему они все решили, что я идиот? — спросил Андрей Ильич у нее. — Я произвожу такое впечатление? Это другая картина! Она просто похожа, вот и все. И кто Нине велел мне ее подсунуть? Саутин? Модест? Или есть еще кто-то, о ком я не знаю? И главное — зачем?!

Лера ни о чем не стала спрашивать. Она просто смотрела на него, склонив голову немного набок, как собака Мотя. Она знала, что он все расскажет сам или вовсе ничего не расскажет, сколько ни приставай.

Все же они были женаты много лет. До того, как развелись.

— Что вы вообще полдня делали в отделении?! — вдруг взвился Андрей Ильич. — Почему ты меня не разбудила, когда поехала?..

— Саша сказал, что ты пока там не нужен, он сам разберется. Юлька должна показания дать, их запишут, потом она должна гада опознать или как это называется?.. Судья должен выбрать меру пресечения, а это тоже небыстро. Он сразу стал адвокату звонить, как только понял, что отпускать его на все четыре стороны никто не собирается. Адвокат, насколько я поняла, должен приехать, а из Москвы за час не доедешь, Андрей. И за два не доедешь! Так что это долгая история. Саша сказал, что ему тоже, скорее всего, придется в Москву поехать. Не сейчас, а... потом. Чтобы там процесс проконтролировать.

— Саша! — фыркнул Боголюбов. — Этот ваш Саша всю голову мне заморочил!

«Ты мне всю голову заморочил» — так сказал министр, подписывая боголюбовское назначение в музей.

— Юлька осталась, а я ушла. Мне там совсем делать нечего! А она без Саши никуда идти не хочет. Она еще не отошла, Андрюш. И не знаю, скоро ли отойдет.

— Саша — не самый плохой вариант в ее случае, — заявил Боголюбов. Молодой человек в длинном фартуке расставлял на столе пироги и печенье. — Ты так не считаешь?

— Ты говоришь ерунду, — отрезала Лера, сразу став похожей на женщину, которая с ним развелась. — Какой еще Саша!.. Просто у нее стресс. Сильный. Он ее спаситель и герой. Вот она и раскисла.

— Не, не, не, — сказал Боголюбов, ложкой поедая пенку с капучино. — Вот тут ошибка. Он ее герой не потому, что она раскисла. Он герой, потому что избавил ее от подонка. Если я правильно понимаю, он навсегда избавит ее от всякого рода подонков.

Лера хотела возразить, но не стала и глотнула кофе.

— Вот именно, — продолжал Боголюбов, отвечая на то, что она не сказала, — рано или поздно это должно было случиться. Она должна была вляпаться в историю... не просто гадкую, а опасную для жизни. Или она станет продолжать в том же духе, или объявит Сашу своим героем и будет жить по-новому.

— Да, — согласилась Лера горестно. — Как это мы не уследили?..

— Мы разводились, — буркнул Боголюбов.

Она посмотрела на него.

— Что ты смотришь? Это была не моя идея, Лера. Это я мешал твоей карьере и... чему еще? А, карьерному росту! Я мешал тебе расти. Тебе начальник объяснил, что ты самый перспективный сотрудник в его подразделении, звездная карьера у тебя в кармане, нужно только еще больше сил отдавать службе. Я сказал, что это маразм, и ты подала на развод. Ты же должна расти, а не загнивать со мной в болоте.

— Но почему, почему ты решил, что это маразм? — неожиданно прицепилась она, как будто не прошел год, как будто все вернулось обратно и он впервые, только сейчас сказал «маразм», чем оскорбил ее ужасно! — С чего ты взял?! Ты что, считаешь, я не способна на большее?! Я должна просто сидеть и набирать на компьютере тексты?!

...Все же он прошел, этот год.

Прошел и оставил Андрея Ильича не таким, каким он был раньше. Тогда, когда он в первый раз сказал «маразм», он бы непременно взвился, стал бы громким голосом объяснять ей, что она неправа, что ей мерещатся какие-то неслыханные и невиданные перспективы — а неслыханные и невиданные потому, что их таких не бывает!.. Он бы объяснил, что именно ей надо делать, чтобы занимать именно свое «законное» место, а не мчаться туда, где она ничего не понимает. Он бы загнул про «талант» и «предназначение» — он так много говорил ей об этом в прошлой жизни, что слова стерлись и потеряли всякий смысл.

— Ты способна на большее, — сказал нынешний Боголюбов сегодня, год спустя. — Конечно, Лер, я не хочу об этом говорить, все сначала начинать...

— Нет, объясни мне! Вот прямо сейчас объясни, почему ты считал, что у меня ничего не выйдет.

— Я не так считал, — вяло возразил Боголюбов. — Я по-другому считал! Я говорил, что у тебя есть талант. Безусловный. Стопроцентный. Редкий. Ты сценарист. Полстраны плачет, когда твои фильмы по телевизору показывают.

— Ну и что?! И что?! Я никогда не заработаю больших денег, даже если буду писать по десять сценариев в год! А там у меня перспектива!

— Да нет там никакой перспективы, — сказал Андрей Ильич. — В этой твоей новой конторе ты должна писать сценарии для каких-то корпоративных праздников...

— И сама их ставить, и приглашать артистов, и ведущих, и нанимать персонал, — перебила его Лера. — Это совершенно другая работа! За совершенно другие деньги! Что плохого?

— Да прекрасно все, — согласился Андрей Ильич.

— Почему ты говорил, что ничего не выйдет?

— Я не так говорил, — повторил Андрей Ильич. — Я говорил, что ты себя погубишь. Как же ты не понимаешь, Лерка? Это работа разного... класса. Сценарии для фильмов и... корпоративы! Ты замучаешься очень быстро, все это тебе надоест хуже горькой редьки. Зачем мы опять об этом заговорили?!

— Я хочу знать.

— Ты все знаешь. У тебя была работа, с которой ты справлялась лучше всех в этой стране. Так больше никто не умел! А ты ушла писать... репризы для дебильных ведущих.

— Они не дебильные! И не только репризы писать!

— Да, еще нанимать артистов и приглашать уборщиц! Круто, конечно, но это такая... потеря себя. Ты, может, этого сейчас не понимаешь, но потом будешь жалеть, я точно знаю. Я ведь тоже когда-то уходил с работы в... бизнес!..

— Я помню.

— Я зарабатывал лучше, чем сейчас, а жить совсем не мог. Может быть, Монтсеррат Кабалье и поет у кого-то на вечеринках, но ей не приходит в голову навсегда бросить оперу и посвятить себя вечеринкам.

— То есть я — Монтсеррат Кабалье.

Боголюбов кивнул.

— И ты просто опасался за мой талант.

Он посмотрел — у нее был такой вид, как будто она собирается заплакать.

— Лер, — быстро сказал он, — ну что такое? Мы же все наши споры давно решили... радикально. Сейчас-то из-за чего?..

— Я уволилась, — выпалила Лера, и он вытаращил глаза. — Прямо перед тем, как мы к тебе поехали. Я не смогла. Ты был прав.

Тут Боголюбов так оскорбился, что протянул грозно:

— Что-о-о?! Как это уволилась?! Как это — я был прав?!

— Перспективы! — И она все-таки заплакала. — Я должна была ехать в Казахстан и там раскрутить сеть казино. Праздники, звезды, концерты, рулетки, ставки! Открытие новых заведений и обновление старых. Бассейны с шампанским и катание на арабских скакунах. Канкан, кокаин, «блек-джек» и проститутки. Все ближнее и дальнее зарубежье играет у нас. Ночная жизнь начинается с самого утра. Даже ты не предполагал такого... фейерверка!

Она вытерла салфеткой нос.

— И теперь я тебя ненавижу, — прошипела она. — Потому что ты оказался прав! Ты прав, а я дура!..

— Ну конечно, — согласился он. Подвинул стул и сел так, чтобы загораживать ее от зала и буфетчика. — Так и есть.

— Я была уверена, что могу все, — продолжала она. — Ну, чего такого я не могу?! А оказалось, что ничего не могу! Я не хочу в Казахстан, не хочу раскручивать казино! Я терпеть не могу никакого... прожигания жизни, а мне нужно придумывать сценарии так, чтобы люди стремились ее прожигать! А мне стыдно, я не могу. И за деньги не могу.

— Ты порядочный человек, — глупо сказал Андрей Ильич. — Только и всего.

— Я слабый человек, — заключила Лера. — Вот ты об этом знал, а я нет.

Он вздохнул, побарабанил пальцами по спинке ее стула и пропел «серенького козлика».

— Лерка, — попросил он, оборвав «козлика», — только сейчас не надо никаких женских штучек! Я тебя умоляю! Что ты потерпела поражение, приползла ко мне на коленях, что ты униженная, а я должен торжествовать!

— Но это так и есть, — горестно возразила она.

— Да ну...

— То есть получается, что я слабая, недалекая женщина...

— Близкая, — поправил Боголюбов.

— Глупая, как пень. Я все сделала неправильно! Я переоценила свои возможности. Я из-за них, из-за возможностей, даже развелась с мужем, а оказывается, что у меня их и нет никаких!

— Где-то я уже слышал про возможности, — пробормотал Андрей Ильич. — Москва — город больших возможностей!

— Вот именно. И я сегодня же в нее уезжаю. Не думай, пожалуйста...

— Боже сохрани, — перепугался Андрей Ильич. — Ничего такого я не думаю!..

И они помолчали, каждый о своем.

— Ну, давай, — предложила Лера и еще раз крепко вытерла нос салфеткой.

— Чего давать?

— Злорадствуй.

И они опять помолчали. Андрей Ильич затянул было про козлика, но замолчал и задумался.

...Он никогда не злорадствовал. Ни разу за всю жизнь не сказал: «Я предупреждал!» Он никогда не унижал ее, даже если ему не нравилось то, что она пишет, казалось смешным или наивным. Он... не умел и не желал издеваться над ней. Он говорил: я терпеть не могу издевательств!..

— Андрей, прости меня.

Он кивнул, не слушая.

Потом вложил ей в пальцы длинную хрустальную рюмку, в которой колыхалось плотное красное вино.

— Давай за свободу, — предложил он. — Я тебя поздравляю, Лерка. Ты освободилась — не только от казино в Казахии, но и от заблуждения, что за деньги можешь делать все, что угодно, даже кататься по Красной площади голой верхом на козе!..

Лера вдруг засмеялась.

— Что это за слово — Казахия?

— Так говорили у нас в строяке, в университете.

Он глотнул «портвейнцу».

— Скажи мне, как сценарист. Если ты придумываешь актерам роли, они могут в середине взять и начать играть другие? Или поменяться ролями?

— Нет, конечно. Но можно придумать так, чтобы персонаж просто сам по себе поменялся. Не знаю, прошло три года, и... ты показываешь ту же Машу, только уже с коляской! Или, наоборот, с фингалом под глазом. И коляска, и фингал означают, что ее жизнь изменилась.

— Это мне не подходит.

— Тогда о чем ты спрашиваешь?

Он посмотрел на картину, вздохнул и рассказал ей все от начала до конца.

Лера слушала, как будто ей хорошую книжку вслух читали. Даже рот приоткрыла.

— Зачем Нина отдала мне этот портрет с мужиком? И куда делся тот, который на самом деле подарил Сперанский? И что было в зеленой папке? Почему меня ударили по голове? Какие картины писал на чердаке старый директор? И куда подевалась...

— Нет, нет, — перебила Лера. — Самое главное — от чего умерла Анна Львовна? Вот вопрос, на который должен ответить герой.

— Я не герой, а олух царя небесного.

— Ты должен поговорить с этим самым Модестом. И еще со Сперанским, мне кажется.

— Они все время врут.

— Тогда пусть Саша поговорит.

— Саша! — фыркнул Боголюбов. — Что он может такого, чего не могу я, этот ваш Саша?!

Он посидел, задумавшись, а потом крепко поцеловал Леру в губы.

— А может, и поговорю. Я тоже хитрый. Наша хитрость в рогоже да при глупой роже, а ничего тоже...

Лера потянулась было к нему, но он уже отвлекся. Вовсе он не собирался целоваться с ней — в буфетной «Меблированных комнат мещанки Зыковой»!..

— Между прочим, я зашел сюда, чтобы заказать такси.

— А куда ты собрался ехать?

— Как?.. Домой.

Лера уставилась на него.

— Так... Мы живем... ты живешь за углом. Сейчас надо налево повернуть, и будет наш забор.

— Я должен как-то попасть в дом Анны Львовны. — Он поднялся и похлопал себя по карманам. — Если картин было две, то где вторая? Осталась у нее дома?..

— Хочешь, я заплачу? — предложила Лера. — У меня тьма денег. Мне оформили шикарный расчет.

— Про деньги Нина тоже спрашивала, — вдруг вспомнил Боголюбов. — Откуда у меня деньги!..

— Ты сказал?..

— Пусть они сами выясняют.

— Кто они, Андрей?

— Вот именно, — сказал Боголюбов. — Они — это кто?..

На следующее утро он опять ушел из дому очень быстро, почти сбежал, чтобы особенно не расслабляться за кофе, который Лерка вчера купила и сварила целый кофейник, и не слишком вдаваться в размышления и глупые мечтания. Лера еще пару раз повторила, что уезжает, на что он не обратил ни малейшего внимания, а велел ей к его возвращению наварить ухи. Рыба в холодильнике.

— С чего ты взял, что я буду варить тебе уху? — поинтересовалась Лера. — И рыба хоть почищена?

— С того, что мне ухи охота, — излишне громко сказал Боголюбов, — и рыба почищена!

Посмотрел на бывшую жену внимательно, хотел еще что-то добавить, но не стал. Взял поводок и ушел с собакой за ворота.

Между прочим, машина Юлькиного кавалера куда-то подевалась. Должно быть, Саша ее забрал или местное начальство в лице Никиты Сергеевича, и Андрея это обрадовало.

Он пошел по весенней Красной площади к памятнику Ленину и некоторое время постоял, задрав голову и рассматривая вождя мирового пролетариата.

— Ну и что я должен делать? — в конце концов спросил он у вождя. — Брать штурмом телефон и телеграф? Захватывать мосты?

Вождь с его указующей рукой на самом деле занимал в рассуждениях Боголюбова очень важное место, и приход к нему задуман был неспроста.

Если бы не вождь с рукой, возможно, Андрей Ильич ни о чем бы не догадался!.. Он немного потоптался у постамента и попробовал воспроизвести указующий жест.

Стайка мальчишек притормозила в отдалении и стала пялиться.

— Смотри, че делает!

— Турист, точно тебе говорю!.. Они все с приветом!

— Может, он пародист? Из КВН? Они там так руками делают!

Андрей Ильич одернул куртку и пошел по площади с независимым видом. Из КВН, надо же!..

...Может, права Лера, и нужно прежде всего разыскать Иванушкина и выложить ему — как «лицу официальному»! — все свои соображения? Андрей Ильич вздохнул протяжно. Собственно, и соображений никаких особенных нет, есть только смутные догадки, ничем не подкрепленные и не объясняющие почти ничего. Или все же лучше обсудить их с Сашей?..

Боголюбов поморщился, махнул рукой и пошел дальше. Перед Сашей ему было не то что стыдно, а неловко, и советоваться с ним — как с «лицом официальным»! — не хотелось вовсе. Саша весь день занимается боголюбовскими делами и, видимо, будет заниматься еще долго, оттого и мается Андрей Ильич, оттого и неловко ему!.. Если бы третьего дня он дал себе труд выслушать сестру, не было бы никаких гонок по ночному лесу, пистолета и «угрозы жизни и здоровью»! А Боголюбов слушать ее не стал, и на помощь пришли посторонние люди — этот самый Саша, да еще невесть куда запропавшая позавчера Ефросинья! Выходило, что он, Боголюбов, должник, а чем и как отдавать — непонятно, и одалживаться еще больше ему в тягость. Не станет он одалживаться, пока, по крайней мере...

Вдвоем — Мотя на поводке и в голубом ошейнике — они завернули в музей. Дабы не смущать музейных смотрительниц, новый директор собаку привязал к решетке со стороны служебного входа и некоторое время честно провел в кабинете, просматривая и прочитывая личные дела. Думал он в это время совершенно о другом, и все это было пустой тратой времени. Потом придется еще раз читать, внимательно. Несколько раз позвонил большой красный телефон на столе. Директор английской школы — была в городе и такая, оказывается! — спрашивал, не выступит ли Боголюбов с лекцией о британском искусстве или, может, пришлет кого. Боголюбов обещал выступить лично. Настоятель монастыря осведомлялся, прибудет ли коллекция русской иконы для монастырской выставки в срок. Об этой выставке, мол, еще зимой договаривались. Позвонили из приемной министра, вежливо поинтересовались, освоился ли Андрей Ильич на новом месте, а также сообщили, что министр ждет звонка на будущей неделе, звонок в приемной «на контроле». Андрей Ильич опять вздохнул, еще горше. Отчитываться ему пока было не о чем.

Голова у него побаливала, и очень хотелось, чтобы перестала. От этой тупой, непрекращающейся боли он чувствовал себя болваном — вдвойне.

Под конец дня небо над парком набрякло, стало сизым и зимним, сразу потемнело, и из низких туч ни с того ни с сего хлопьями повалил снег, да так густо, что моментально залепил клумбу с первоцветами и дорожку. Жалкий мокрый голубь спланировал на подоконник, пристроился в угол и нахохлился.

Андрей Ильич захлопнул папку, проверил, правильно ли лежит на телефоне трубка на витом шнуре, замкнул дверь на ключ и вышел к своей собаке.

Мотя жалась под лавкой, вид у нее был растерянный.

— Ничто не предвещало! — сказал ей Андрей Ильич, отвязывая поводок. — С утра-то совсем тепло было.

Ему необходимо зайти «по делу» к писателю Сперанскому, но от густо валившего снега, наползавших из-за леса туч, которым не было видно конца, из-за сырого холода, от которого вдруг застучали зубы, очень захотелось домой.

Наверняка Лера варит уху и даже накрыла круглый старый стол в гостиной — в центре композиция «Медведь на воеводстве», — и можно попробовать затопить голландку, выходившую одной стеной в гостиную, а другой в кабинет. Наверняка ее можно затопить!..

Он и отправился бы домой, но воспоминание о вожде мирового пролетариата удержало. Ильич наверняка пошел бы до конца, вот как!.. Несгибаемый воли человечище, живее всех живых, хоть и помер.

В наступившей зиме было пустынно и безлюдно, в окошках желтые огоньки, на улицах ни души. Только прогрохотала по брусчатке мокрая и грязная «Нива».

— Может, подвезти? — притормозив, спросил из «Нивы» дядька в фуражке, тот самый, который вчера смотрел, как Андрей тащит картину. — Метель, ядрить твою через коромысло, надо ж такому быть!..

Боголюбов махнул рукой:

— Спасибо, мне тут рядом!

— Ну-ну, — ответил дядька и загрохотал дальше.

На участке писателя Сперанского от валившего снега все казалось меньше: дом с деревянными колоннами как будто присел и нахмурился, круглые кусты недоуменно топорщили запорошенные ветки.

Оставляя темные расплывающиеся следы, Боголюбов взошел по пологим ступеням, постучал в переплет стеклянной двери и шмыгнул замерзшим носом. Мотя возле его ноги трясла ушами и, кажется, тоже шмыгала носом.

Боголюбов прислушался и еще постучал. Подождал и, приставив ладонь козырьком к глазам, заглянул внутрь. Ему показалось, что в доме мелькнул желтый огонек. Мелькнул и пропал. От дыхания холодное стекло запотело, он протер его рукавом.

— Алексей Степанович! — крикнул Боголюбов негромко. — Это я, новый директор музея!

И опять прислушался.

Мотя вдруг перестала отряхиваться и насторожилась.

Зазвучали шаги, стеклянная дверь распахнулась.

— Я снова мешаю вам работать! — вскричал Андрей Ильич, не дав Сперанскому рта раскрыть. — Знаю, знаю, но москвичи бесцеремонны до ужаса, чем и славимся! Вы меня извините, Алексей Степанович!

— Здрасте, — сказал Сперанский хмуро. — Заходите.

Боголюбов кинулся было привязывать Мотю к перилам веранды.

— Бросьте, — сказал Сперанский, глядя в сторону. — Заходите с собакой.

— А я к вам с вопросиками, — продолжал наддавать Боголюбов. — Вы мне в прошлый раз показывали картины вашего батюшки и рассказывали, что Анна Львовна их очень ценила.

— Вы проходите, проходите. — И Сперанский подтолкнул его мимо кабинета, куда Боголюбов вознамерился было войти, в большую комнату с картинами. Андрею Ильичу показалось, что их стало меньше. Жаль, что он не обладал наблюдательностью сыщика из детектива и точно не мог вспомнить, сколько их было в первый его визит!..

— Погода-то, погода! — оглядываясь на хозяина, Боголюбов потер руки, как бы их отогревая. — Снег пошел, самый настоящий! Просто конец света какой-то!

— Да конец света уж давно наступил, — молвил Сперанский безучастно. — А вы только что это заметили?..

— Тут я не силен, — признался Боголюбов. — Не могу ничего сказать. Мне кажется, конец света — такое широкомасштабное мероприятие, что его не заметить сложно. А вы думаете, наступил? Предвестники были?

Сперанский пожал плечами. Он держался холодно и с какой-то безнадежной досадой, как будто новый директор музея ему давно и окончательно надоел, но поделать с ним ничего нельзя, не выгонишь же.

— Вы говорили, что у вас вопросы какие-то?..

— Да все об искусстве, о местном, так сказать, искусстве!.. Я бы очень хотел картину вашего батюшки посмотреть, которую вы Анне Львовне подарили! Чудная картина, и она так восхищена была!

— А разве... — начал Сперанский, осекся и как будто спохватился, — да ведь я вам говорил, что портрет, должно быть, остался у нее в доме. Вам нужно с наследниками связываться, они покажут, если сочтут нужным...

— Ну-у, — протянул Андрей Ильич, — где их возьмешь, наследников-то! Да и не знают они меня. А вас наверняка знают, Алексей Степанович! Может, вы позвоните, договоритесь? Великое одолжение мне сделаете, великое!.. А мы бы взаимообразно в музее литературные чтения организовали, встречи, так сказать, общественности с писателем, — продолжал Боголюбов вдохновенно сочинять на ходу, — а то вот сегодня звонил директор школы, просил меня выступить перед учениками, рассказать им о британском искусстве, а что ж мы все о британском да о британском, когда у нас собственные, так сказать, исконные таланты имеются, да и поклонники наверняка есть тоже...

— Какие чтения? — перебил Сперанский в раздраженном изумлении. — Что такое?! У меня нет той картины, я вам уже говорил! Звонить я никому не стану, я не знаю никого!

— Да как же так, Алексей Степанович?! Вы столько лет с Анной Львовной знакомы, сами же говорили, родились и выросли здесь, а наследников ее не знаете? Быть такого не может!

— Я никого и ничего не знаю! — почти закричал Сперанский. — Какие наследники?! У нее был сын, я его в глаза не видел, он всегда жил с отцом. Анна Львовна нас не знакомила! Нужно вам, сами ищите телефоны, сами звоните!

— Не хотите, значит, мне помочь, — констатировал Боголюбов. — А я, честно признаться, на вас большие надежды возлагал.

— Какие надежды?! — совсем рассвирепел писатель. — Что вам нужно? Что вы вынюхиваете? Занимайтесь своими делами!

— Я и занимаюсь. Музей — как раз мое дело, Алексей Степанович. Вверенное мне, так сказать, лично министром. Он меня к себе вызвал и вверил. Вот я и занимаюсь.

Тут он повернулся спиной к Сперанскому и лицом к картинам и стал их рассматривать. За его плечом писатель медленно и глубоко дышал. Боголюбов подумал, что он сейчас ударит его чем-нибудь тяжелым по голове. Андрей даже представил себе, как это будет.

Раз — рывок воздуха, молниеносный удар, и все. Сделать ничего он не успеет.

— Когда умер ваш отец?

— Что?!

Боголюбов повторил, так же медленно и раздельно:

— В каком году умер ваш отец?

Сперанский помолчал, как будто не сразу вспомнил.

— В восьмидесятом. Давно.

— Понятно.

И Боголюбов опять уставился на картины. Молчание длилось довольно долго. За окнами в саду валил отвесный снег. И вправду конец света!..

— Ваш батюшка был дружен со старым директором музея?

— Я не понимаю, какое вам дело до моего отца?

— Мне интересно, — жестко сказал Боголюбов. — Это что, секретная информация?

— Какая еще секретная, — пробормотал Сперанский. — Да, да, мой отец и старый директор дружили. В нашем городе вся так называемая интеллигенция состоит или в дружбе, или в знакомстве, или в родстве.

— У вас не осталось его работ? Старый директор, насколько мне известно, тоже писал картины, как и ваш батюшка. В его доме, то есть в моем теперь нет ни одной. А у вас?

Сперанский сделал шаг назад, отвернулся, подошел к буфету и зачем-то распахнул дверцу. Даже по его затылку Андрей Ильич понял, что сильно его напугал. Чем?.. Чего он мог испугаться?.. Когда Боголюбов только начал приставать, Сперанский был раздосадован, пожалуй, раздражен, но уж точно не испуган. А сейчас?..

— Видите ли, — начал Сперанский, бесцельно переставляя в буфете чашки, — когда отец умер, я еще не очень... Я был совсем молод, и мне не было дела до его... До его наследства, скажем так. Я не знаю... ничего. Картины отца — вот они, можете смотреть, а все остальное...

— Странное дело, — задумчиво произнес Боголюбов. — Какие-то тайны! Если старый директор рисовал, почему ничего не сохранилось?.. Ни у него в доме, ни у вас? Может, у Анны Львовны?

— Я не знаю!.. Да и какая разница?!

Боголюбов пожал плечами.

На стене прямо перед его носом висело неопровержимое доказательство того, что разница есть и тайна есть, но сказать об этом Сперанскому он уж точно не мог!

— От чего умер ваш отец?

Сперанский сильно хлопнул дверцей буфета.

— Он быль очень пьющим человеком, как вся русская интеллигенция в провинции. Мы здесь никому не нужны и никогда не были нужны, только всем мешаем!

— То есть он умер от белой горячки?

— Он умер от инфаркта! То есть от жизни. Жизнь довела его до смерти.

— Вы утверждали, что он жил прекрасно, никуда не стремился и большего не желал.

Сперанский в упор посмотрел на Боголюбова. Теперь Андрею Ильичу показалось, что он страдает — по-настоящему, всерьез.

— Извините меня, — сказал Боголюбов, — если я позволил себе...

Сперанский кивнул.

Андрей Ильич выбрался на улицу, вдохнул полной грудью и поднял воротник куртки.

...Как все запуталось. Все запуталось, перевернулось и переплелось, и, чтобы распутать, понадобятся месяцы. А лучше вообще ничего не распутывать, оставить все как есть. Это называется — принять правила игры, очень по-американски!.. Я принимаю правила игры, какими бы они ни были, и живу в соответствии с ними, и в конце получаю выигрыш. Это очень просто.

...Это очень просто и совершенно невозможно. Новые правила написаны для кого-то другого, и мне они не подходят. Как и Лере не подошли: она была уверена, что сможет жить по любым правилам, и не смогла. Не смогла убедить себя, что это честные правила и играть по ним ничего не стоит и даже весело! И ей пришлось вернуться к прежним надоевшим и устаревшим правилам, оставив новые для кого-то другого, кто может их принять.

Андрей Ильич знал совершенно точно, что по этим правилам он играть не сможет. Значит, придется их нарушить — а то и разрушить!.. Но те, кто их придумал, вряд ли на это согласятся.

Мотя приотстала и шумно отряхнулась. Боголюбов оглянулся на нее и зашагал дальше. Одно правило он уж точно нарушил! По нему собаке полагалось сидеть под крыльцом на грязной веревке! А она — вон, трусит себе за ним в новом голубом ошейнике, которым Боголюбов особенно гордился.

Улицы города, заваленные снегом, казались совсем деревенскими, зимними, и все вокруг как будто уснуло. Даже собаки не брехали из-за заборов. Одинокая сердитая ворона спикировала на березу, обрушила Боголюбову за воротник мокрый сугроб.

— Чтоб тебя, — сказал он вороне, выгребая из-за шиворота ледяную кашу. По спине потекло, а ноги уже давно были мокрыми. Он то и дело топал ими, как бы стряхивая снег, и все без толку.

В его доме — адрес Красная площадь, один — было полно народу, тепло и хорошо пахло.

— Заходи, — велел Боголюбов собаке. — Заходи, Мотя!..

Она вопросительно посмотрела на него.

— Да ладно, — стаскивая один о другой хлюпающие ботинки, проворчал Андрей Ильич, — видишь, зима началась! У печки надо греться, а не на холоде ушами трясти.

И пошел на кухню. На чистых половиках за ним оставались мокрые темные следы.

— Где ты был-то? — первым делом спросила Юлька. — Мы тебя полдня ждем!

Щеки у нее горели, как будто от температуры. В большой эмалированной кастрюле она обеими руками что-то месила. Боголюбов подошел и заглянул.

— Куда ты лезешь? Куртку сначала сними, у меня все стерильно!

— Нет, а что происходит?

— Тесто происходит, — объяснила Юлька и тыльной стороной ладони откинула волосы со лба. — Меня Лера заставила. Сказала, что уха без водки и расстегаев — не уха. Водку Саша принес, — добавила она, как будто хвастаясь Сашей. — Вон в холодильнике. А это будущие расстегаи.

В гостиной круглый стол был накрыт камчатной скатертью, в центре композиция «Медведь на воеводстве». Лера пыталась втиснуть в подсвечники толстые свечи. У нее никак не получалось, воск крошился, мелкие белые стружки сыпались на темный комод. Боголюбов подошел, взял у нее свечу и засунул в бронзовую чашку подсвечника.

— Спасибо, — сказала Лера смирненьким голосочком. Глаза она уставила в пол.

— Не за что, — передразнил ее Боголюбов.

В спальне было очень холодно — створка окна настежь — и кругом идеальный уютный порядок, который удавался только Лере. Боголюбов плюхнулся на кровать с шишечками, стянул носки и вдруг вспомнил, что ночью ему приснился сон, и он даже думал, что это очень важный для всей дальнейшей жизни сон и нужно было непременно к нему вернуться, а он не вернулся.

Забыл.

Забыл, а теперь вот вспомнил.

— Лера! — крикнул Боголюбов и прислушался. — Лерка!

Она появился в дверях. Глаза по-прежнему долу.

Из-за того, что он ее позвал и она явилась, из-за того, что вспомнил сон, из-за того, что в руке у него были мокрые носки, он спросил совсем не то, что собирался:

— Что здесь происходит? Водка, расстегаи! Где Саша? Мне нужно с ним поговорить.

— Саша ушел к Модесту Петровичу, — все тем же тоном смиренницы сообщила Лера. — Позвать его на уху. Он сказал, раз рыба общая, значит, и уха общая.

— Он не придет.

— Почему ты так думаешь?..

— Я сейчас был у Сперанского, помнишь, я тебе рассказывал? — И Боголюбов почесал одну ногу о другую. Он был так смущен и растерян, что вот даже чесался, как обезьяна. — Я еще в первый раз видел эту картину! И не сообразил. А сообразил только сегодня.

Лера подошла и забрала у него мокрые носки.

— Что ты сообразил?

Боголюбов неловко слез с кровати и оказался с бывшей женой нос к носу.

— Издалека долго, — распевала на кухне Юлька, — течет река Волга. Течет река Волга, конца и края нет...

Боголюбов взял бывшую жену за уши и поцеловал.

В последний раз они целовались с чувством давным-давно, задолго до того, как он назвал ее новые карьерные устремления «маразмом». Вчерашний поцелуй в буфете меблированных комнат не в счет. После «маразма» целоваться они перестали. С сексом было проще — в конце концов он свелся к привычным, почти гимнастическим упражнениям, а потом и вовсе иссяк, конечно. А потом суп с котом — они развелись.

Лера закрыла глаза, обняла его за шею, и от ее объятий ему стало почему-то прохладно и приятно. В выстуженной комнате Боголюбову было очень жарко.

Должно быть, у него, как и у Юльки, внезапно поднялась температура.

Должно быть, он простудился из-за того, что в разгар весны пошел снег и завалил все вокруг.

Должно быть, на самом деле конец света близок.

Боголюбов прижал бывшую жену к себе так, что она не могла ни шевелиться, ни дышать. Он часто прижимал ее к себе как будто из последних сил, как будто от этого зависело, что будет с ними дальше — не столько в светлом будущем, сколько через несколько минут. Когда он целовался с ней, светлое будущее его не интересовало.

...Лера приехала к нему проконсультироваться. Она писала сценарий, кажется про оборону Севастополя, а он всю жизнь занимался военной историей. Она была очень собранная, сдержанная, спину держала чрезвычайно прямо, на консультанта ни разу не взглянула, а он смотрел во все глаза, просто оторваться не мог. Она явилась из другого мира — телевидения, звезд, кинофестивалей, красных дорожек и Никиты Михалкова, по крайней мере Боголюбов именно так себе представлял ее мир. Он тогда понятия не имел, что нет в ее жизни никаких красных дорожек и звезд, а есть только ежедневное, с утра до ночи, сидение за компьютером в крохотной и вечно продуваемой сквозняками комнатке с окнами на Яузу и с единственной заботой — выдать «материал» в срок. Именно в этой угловой комнатке они в первый раз поцеловались по-настоящему и Боголюбов изо всех сил прижал ее к себе. Тогда, как и сейчас, ему стало так жарко, что взмокла шея и тяжелым румянцем налились щеки. Он краснел на манер Петрушки из детской сказки, как только начинал с ней целоваться!..

Тогда, поцеловавшись с ним немного, она очень строго и решительно сказала: «Прекрати, так нельзя!» — и попыталась освободиться. Боголюбов еще сильнее прижал ее к себе, и они целовались безостановочно, кажется, трое суток.

...Потом ему все время хотелось ее трогать. Он слонялся за ней, брал за руку, заправлял за ухо волосы, прижимался плечом или коленкой, когда она сидела рядом, перехватывал ее на ходу, когда она проходила мимо, гладил по спине, утверждая, что там, где лопатки, у нее непременно должны прорезаться ангельские крылышки, а чуть пониже, вот здесь, непременно пробьется шерстяной скрученный черненький хвостик!..

...Тогда ему казалось, что он первый и последний человек на свете, на которого снизошло озарение, и он понял, зачем вообще живет, для кого, для чего.

Ему так казалось довольно долго.

Много лет он чувствовал себя причастным к чему-то действительно важному и имеющему смысл.

Вся его жизнь имела смысл, потому что можно было рассказать о ней Лерке. Об обороне Севастополя, о том, что предложил на совещании Володя Толстой, о девице из филиала, которая сказала, что «на улице имманентный дождь», о соседской бабусе и ее гнусном коте, застрявших в лифте, о пробке, собравшейся там, где ее отродясь не бывало, о едином учебнике истории для школьников, о том, что он куда-то подевал две тысячи рублей и огорчился — думал, что потерял, а потом они нашлись!..

Потом ничего этого не стало, и Боголюбов даже попросился уехать — с непривычки он не справлялся ни с собой, ни с Москвой. Он уехал, чтобы начать все заново в доме по адресу Красная площадь, один, и вдруг все действительно началось заново в самом прямом смысле, так ведь уже было — он целовался с Лерой, помирая от ее близости и желания еще большей, окончательной близости, и знал, что все будет, что так правильно, что это самое лучшее, что только может быть с ним!..

Прохладное и приятное прикоснулось к его щеке, и, открыв глаза, Боголюбов сообразил, что Лерка держит в руке его мокрые носки!..

Он взял у нее носки и кинул на пол.

— Не приставай ко мне, — сказала Лера и укусила его за ухо.

— Я и не собираюсь.

— Мне нужно... на кухню. Там... тесто.

— Иди.

— Я... сейчас. Только ты не приставай.

— Я и не собираюсь.

И они опять поцеловались.

Боголюбов оторвал ее от пола, подержал на весу и шагнул к кровати с шишечками. Сегодня ему приснилось, что они спали вместе и он не боялся темноты, а просто спал, и еще ему приснилось, что Лера обнимала его, прижималась, и ее короткие волосы щекотали ему нос и щеки, и он все время пристраивался так, чтобы не щекотали.

— Почему ты меня не разбудила?

— Когда?

— Ночью, когда пришла.

— Ты проснулся, но сразу опять заснул.

— Почему ты меня не разбудила? Так нечестно.

Тут она как будто осознала, что они уже лежат — лежат на кровати с шишечками! — и гора подушек, накрытая кружевным покрывальцем, вот-вот завалится на них, и Боголюбов тискает и прижимает ее к себе, а дверь распахнута настежь, и Юлька поет в кухне, и вот-вот нагрянут люди, которых она вчера еще не знала, а сегодня оказалось, что они близкие и свои, имеют право прийти в любой момент!

— Андрей, перестань! Прекрати, отпусти меня!..

Он вдруг очень удивился. Так удивился, что слегка ослабил хватку.

— А что случилось?

— Ничего. — Лера оттолкнула его, выбралась из объятий и слезла с кровати. Волосы у нее торчали в разные стороны, и щеки горели на манер Петрушки из детской книжки. — Ты с ума сошел. И я тоже! У нас народу полно, сейчас Саша придет. И вообще, мы... развелись. Вставай. Вставай, Андрей!..

Боголюбов, для которого только что все началось сначала — в прямом смысле началось! — ничего не понял.

...Где ему было понять! Он просто мужчина, самый обыкновенный и, должно быть, довольно примитивный. Он не понимал никаких... нагромождений и искусственных сложностей. Ничего не могло быть лучше, чем целоваться с ней, ничего не могло быть лучше, чем уложить ее на кровать, прижать, почувствовать, заполучить, совершенно всерьез и лучше всего навсегда!

И при чем здесь... развод? И при чем здесь... народ?

Она наспех пригладила волосы, став еще более растрепанной, одернула футболку, подобрала с пола носки и от двери оглянулась.

Бывший муж смотрел на нее серьезно. Он лежал на кровати, заложив руки за голову, и очень серьезно на нее смотрел.

Лера помедлила.

Сейчас, понял Боголюбов. Вот прямо сейчас. У нас только один шанс.

Она медлила. Он ждал.

Снаружи раздался приглушенный грохот, раздались шаги, хлопнула входная дверь.

Вот и все. Больше никаких шансов.

— Это я! — бодро прокричал Саша. — Андрей Ильич вернулся?..

Лера тихонько вышла, а Боголюбов остался лежать на кровати. В комнате было очень холодно. Окно бы прикрыть. Кто же мог подумать, что в разгар весны пойдет снег?..

Саша в кабинете рассматривал сивого мужика с косой на плече. «Секретный агент ее величества» держал портрет обеими руками, близко поднеся под жидкий свет трехламповой люстрочки. Рукава клетчатой рубашки закатаны до локтя.

— Это не та картина, — с порога сказал Андрей Ильич.

— Я вижу.

Саша поднял полотно повыше к самым глазам, посмотрел так и сяк и понюхал.

Боголюбов тяжело, как старик, прошаркал к дивану и сел, вытянув босые ноги.

— Ты заболел, что ли, Андрей Ильич?

— Я здоров, как бык, — вяло возразил Боголюбов. — Зачем ты ее нюхаешь?

Саша пожал плечами, примерился и поставил картину в кресло. Потом уселся рядом с Боголюбовым и скрестил руки на груди. Так они сидели и смотрели, как завсегдатаи театрального партера — слегка скептически, слегка иронично, но с надеждой на интересное.

— Это еще что, — сказал наконец Боголюбов. — А вот у Сперанского картины — это да! Это совсем... загадочно. В каком году на площади поставили памятник Ленину?

Саша покосился на него.

— Ты же мне говорил! Здание горсовета семнадцатого века, классицизм, а памятник перед ним соорудили... когда?

— А! В восемьдесят пятом, что ли. Если не в восемьдесят седьмом! Уже перестройка брезжила и везде прорезались ростки свободы, а тут в самом центре города ретрограды и консерваторы заложили памятник самой одиозной личности двадцатого века. Мне так Анна Львовна рассказывала. До этого был только бюст, и не на Красной площади, а...

— Бюст меня не интересует, — отрезал Боголюбов. — Папаша писателя Сперанского скончался в восьмидесятом году и памятника видеть никак не мог. Тем не менее на его картинах памятник изображен. Колокольня, а перед ней Ленин с рукой!.. Я еще в первый раз подумал, что это, должно быть, шутка художника.

— Я был у Сперанского дома, — сказал Саша Иванушкин растерянно. — Раза три, наверное. И картины он мне показывал! У него ими целая стена завешана.

Боголюбов кивнул.

— Но на памятник не обратил внимания...

— А я обратил. Я вспомнил, что видел картину с памятником! Сегодня я к нему еще раз сходил, и — точно. Он сам мне сказал, что отец его помер именно в восьмидесятом.

— Подожди. — Саша поднялся, втиснул руки в передние карманы джинсов и стал ходить между сивым мужиком и Боголюбовым. — Значит, получается, что у Сперанского в доме на стенах развешаны картины вовсе не его отца? Тогда чьи?!

— А вот это чья картина? — Боголюбов тоже встал и подошел к креслу. — Тогда у Модеста Сперанский преподнес Анне Львовне другую картину! Похожую, но не эту! Я бы сказал, что одна из них копия другой или обе они копии еще какой-то третьей.

— А эта откуда взялась?

— Мне ее вчера отдала Нина. Она позвала меня к себе и отдала вот эту картину. Сказала, что Анна Львовна в тот вечер картину ей оставила. Чтобы Нина принесла ее к поезду.

Саша взглянул на Боголюбова и покрутил головой.

— Верится с трудом.

— Иди ты к шутам, — огрызнулся Боголюбов. — Кто из нас секретный агент? Ты или я? Что ты тут столько времени торчал, искусствоведа из себя изображал?! Они все врут, мне-то уж точно! Каждый из них что-то скрывает, и есть еще общее, что скрывают все! Почему в этом доме нет ни одного рисунка старого директора? Я везде искал, ни одного не нашел! Ты мне сам сказал, что на чердаке он рисовал, а в перерывах смотрел в телескоп!

— При чем тут телескоп? — пробормотал Саша.

— Ни при чем телескоп. Но на чердаке нет никаких следов: ни красок, ни кистей, ни банок — ничего!..

— Да, — согласился Саша. — Я, когда в этот дом попал, тоже обратил внимание. Анна Львовна то и дело повторяла, что старый директор всю жизнь увлекался живописью и больше его ничего не интересовало. Пейзажи, рыбалка и варенье. Банки в подвале, да я доставал, когда девчонки приехали!..

— Девчонки, — повторил Боголюбов. — Куда ты дел Юлькиного кавалера?

Саша пожал плечами. Андрей Ильич решил: если он еще раз пожмет, кину в него вазой. Вон на буфете ваза голубого стекла.

— Отправил в Москву.

— Подобру-поздорову?

— Андрей, я сделал все, что мог, — сказал Саша с досадой. — Посадить его раз и навсегда в местный изолятор я не могу. И так адвокат мне истерику закатил! Существует... процедура. Мера пресечения — подписка о невыезде, и я тебе говорю — это самое большее, чего можно было добиться. Он ведь со всех сторон белый и пушистый, никаких судимостей, ничего!

— Белый, — повторил Андрей Ильич. — Пушистый. Если ты его не посадишь, я его убью. Он об Юльку... бычки тушил, сволота, мать твою...

— Ну-ну, — неопределенно сказал Саша Иванушкин. — Посмотрим. Мы тоже ребята не из «Пионерской зорьки», придумаем чего-нибудь. Хотя с Юлией бы надо поговорить, станет она на него в суд подавать, не станет?..

— Что значит — не станет?!

— Заявления, описания, медицинские справки, свидетельские показания, — перечислил Саша Иванушкин. — Это все непросто и небыстро, Андрей. Ты ее уговоришь?.. Незнакомым людям все сначала и в подробностях рассказать, да еще документы собрать?

— То есть черт с ним, с преступлением и наказанием, да? Пусть этот урод дальше гуляет и радуется, что с ним ничего сделать нельзя.

Саша вдруг хлопнул Боголюбова по плечу. Тот так удивился, что даже моргнул.

— Накажем, — пообещал Саша. — Только подумаем сначала, как это сделать, чтоб наверняка и чтоб Юлия Ильинична не оказалась на... передовой правосудия. Материалов подсоберем, свидетелей поищем. Наркоманит он от души, можно по этой линии пойти, посмотрим.

— Жил-был у бабушки, — пропел Андрей Ильич на мотив арии из «Риголетто», — серенький козлик... — остановился и сказал мрачно: — Вот и получается, что я кругом болван. Собственной сестре не могу помочь.

— Я на твоей сестре женюсь.

Боголюбов уставился на Сашу.

Тот был абсолютно спокоен, весел даже.

— У меня любовь с первого взгляда, — объяснил он. — Ты веришь в любовь с первого взгляда?

Андрей Ильич быстро прикинул, верит или не верит.

— Ты не возражаешь?

Андрей попытался сообразить, возражает он или нет.

— Только ты ей пока не говори ничего.

Андрей Ильич помычал в том смысле, что не скажет.

— Она еще в себя не пришла после этого своего... поклонника.

Боголюбов покивал — нет, пока не пришла.

— Так, — сказал Саша Иванушкин, офицер секретной службы, — теперь вернемся к нашей милой провинциальной интеллигенции. Что такое с этими картинами? У тебя какие мысли?

Боголюбов признался, что про картины у него в данный момент никаких мыслей нет, и спросил, в каком Саша звании.

— Майор, — ответил тот. — Если мы это дело раскрутим, дадут подполковника. Оклад тоже повысят. Так что тебе прямая выгода.

— Мне?! — поразился Боголюбов.

— Ну, я же женюсь на Юлии Ильиничне.

— Ах да!..

Они помолчали. Как-то по-новому помолчали, по-другому, не так, как молчали раньше.

Боголюбову было совершенно ясно, что Саша не шутит и не прикидывается, что все будет именно так, как он сказал — он женится на его сестре, потому что у него «любовь с первого взгляда». У Юльки, по всей видимости, тоже должна случиться любовь — с какого-нибудь взгляда, — потому что так решил Саша.

Выпрашивая у министра назначение «подальше от Москвы», Боголюбов ничего такого не предполагал.

— Чудны дела твои, Господи! — буркнул он наконец. — Это по Леркиной части — у нее в сериалах такие кульбиты случаются.

Саша махнул рукой:

— У нас тут свой сериал! Так что это за картина? — И он кивнул на сивого мужика с косой. — Есть предположения? Почему Нина тебе ее отдала?

— Я сказал Саутину, что хочу посмотреть шедевр, который Анне Львовне преподнес Сперанский. Тебе, между прочим, тоже говорил!

— Говорил, — согласился Саша.

— И Сперанскому говорил! Видимо, с той, первой картиной что-то не так, раз мне подсунули эту!

— Запутался я в картинах, — смешно сморщив нос, пожаловался Саша. — От старого директора должны были тоже остаться полотна, но их нигде нет, правильно?

— И следов нет, — подсказал Боголюбов. — А чердак, между прочим, укреплен, как форт Нокс. Окна не открыть, снаружи не влезть. Внизу рамы все трухлявые, а на чердаке даже шпингалеты не поднимаются. Предполагалось, что старый директор писал свои картины именно на чердаке. Или что он там мог еще делать? Чтоб никто не видел!

— Самогонку гнал? — предположил Саша задумчиво. — У писателя Сперанского полно картин, которые ему отец оставил в наследство. Анна Львовна очень ценила работы художника Сперанского. Но это работы не Сперанского, потому что он умер в восьмидесятом, а на картинах изображен памятник Ленину восемьдесят пятого года. Так?

Боголюбов кивнул.

— Логично предположить, что у Сперанского в доме как раз картины старого директора. А здесь на чердаке все подчистили так, чтобы не осталось никаких следов.

— Зачем?!

— Я не знаю! — крикнул Боголюбов. — Но вывод напрашивается только такой! Старый директор зачем-то писал картины в той же манере, что и покойный художник Сперанский! Анна Львовна дружила с ними обоими, или делала вид, что дружит, что ли!.. Но она не могла не знать, что Сперанский этих картин не писал! Она же не сумасшедшая! И всю жизнь проработала в музее.

— Выходит, она была поклонницей живописи старого директора, что ли? При чем здесь он?

— Саш, я не знаю, при чем. Но я знаю, что старый директор писал какие-то картины. В доме их нет. Зато у Сперанского полно полотен, которые вроде бы писал его папаша, а на самом деле кто-то другой.

Иванушкин немного подумал.

— Ну, предположим, — согласился он как будто нехотя. — Предположим, что старый директор подделывал Сперанского. Зачем?

Боголюбов засвистел «серенького козлика».

— Началось, — пробормотал Саша.

— Почему мне отдали именно этого мужика, а не того, первого? — сам у себя спросил Боголюбов, перестав свистеть. — Потому что первый был... что? Подделкой? Под кого? Под Сперанского? Первого спрятали, а этого отдали? Тогда, выходит, этот мужик написан художником Сперанским. А тот, первый, старым директором, что ли?..

— Да ну, — хмыкнул Саша. — Пошла писать губерния.

— Да не губерния! — возразил Боголюбов. — Я стараюсь... думать. Кто-то залез ко мне в дом. Потом мне зачем-то дали по голове. Из кабинета куда-то делась зеленая папка. Ефросинья принесла мне кляузу на меня самого. Потом прибежала за нами в лес и с тех пор пропала и не появляется. Где она живет?

— В общежитии текстильной фабрики. Там такое общежитие страшное, в подвале, — сообщил Саша, подумав. — А ту бумажку тебе Ефросинья принесла?

— Кто она такая? Ты выяснил?

— Ну... паспорт я посмотрел, конечно. Между прочим, это непросто было, она его прячет. Но я... извернулся, в общем. Басова Евгения Алексеевна, восемьдесят первого года, родилась здесь, в Переславле. Прописана в Таганроге. Ни у Сергеича, который тут главный мент, ни по месту прописки никаких сведений о ней нет. Не судилась, не привлекалась. Больше ничего не знаю. Бродит по городу, никому не мешает. Живет вроде на подаяния.

— Откуда у нее копия кляузы? Или она тоже член... всей этой шайки?

— Да в том-то и дело, что нет никакой шайки! — возразил Саша. — Есть какие-то люди вокруг музея, и они все связаны, а как, чем, я до сих пор не знаю.

— И еще картина, которую задержали на таможне, и ювелирный бизнес Дмитрия Саутина, — ввернул Боголюбов.

— А еще сроки и начальство, — сердито поддержал его Саша. — А я ни с места.

Он походил по комнате, подошел к портрету, присел и уставился на него.

— Что ты хочешь там разглядеть?

— У меня такое впечатление, что Ефросинья, то есть Басова Евгения Алексеевна, наблюдатель. — Он снизу посмотрел на Боголюбова. — У нее есть цель, она не просто так болтается и пророчит. Что-то ей нужно то ли узнать, то ли увидеть. Как я понял, наблюдает она за Анной Львовной и музеем. Она всегда оказывалась поблизости, чего бы Анна ни делала.

— Она не из вашего ведомства случайно?

— Нет, Андрей, точно. У нас на нее даже нет ничего, я ж тебе говорю!

Боголюбов подошел и присел рядом. Вдвоем они рассматривали холст.

— Две почти одинаковые картины, — сказал Андрей. — Почти одинаковые, но все же немного разные. Расчет на то, что я не замечу, я же болван!.. Найдите семь отличий! Слушай, если мне, как новому директору музея, придет в голову пригласить специалиста, чтобы оценить картину, кого я могу здесь найти? Ну, допустим, тебя, как моего заместителя. Считается, что ты специалист. А еще кого?

— Нину Саутину.

— Какую Нину Саутину?!

— Которая из музея! Она сестра Дмитрия Саутина.

— Елки-палки. А что ж ты молчал?!

Саша пожал плечами. Андрей Ильич поискал глазами вазу голубого стекла, но кидать не стал.

— Да это не секрет, Андрей. В музее все знают. Да и в личном деле у нее написано!..

— Пытался я сегодня личные дела смотреть, а потом бросил, до Нины не дошел. Наверное, первым делом нужно было эти самые дела изучить, так полагается, да? Но я директор начинающий! Без году неделя! — Он махнул рукой. — Если она сестра... Это что-нибудь меняет? Или ничего не меняет? Мне нужно сообразить... Нина живет в халупе, сарай ей завещала бабушка. Дмитрий Саутин местный бизнесмен, и он... где он живет?

— У него коттедж в той стороне. — Саша показал куда-то подбородком. — Участок соток семьдесят, что ли.

— Ее брат живет во дворце. Она собирается уехать в Москву, потому что здесь можно только загнивать, а там возможности.

— Это она тебе сказала?

— Ей нужны деньги, без денег в Москве делать нечего.

— Это она так тебе сказала? Между прочим, брат на самом деле не дает ей ни копейки. Они из-за этого все время ссорятся. И, знаешь, мне казалось, Анне нравилось, что они ссорились! Она как будто его подначивала даже. То и дело речи произносила: человек не должен быть иждивенцем, женщина не должна сидеть на шее у мужчины! Умная женщина всегда найдет способ заработать сама. А Нина ему, правда, иногда такие истерики закатывала. Он тогда денег давал — так, знаешь, с барского плеча!

Боголюбов, который только и делал, что давал деньги то сестре, то жене, хотя сам зарабатывал не слишком много, вдруг обозлился на этого самого Саутина. Ка-акой воспитатель женской самостоятельности! Ну, есть у тебя, а ей взять негде — так ты лучше дай, а не выпендривайся!..

И тут вдруг мысль проделала сложную петлю и вспомнились ему выброшенные цветочки из кабинета Анны Львовны.

— Са-аш, — протянул Андрей. — Ты тогда, после похорон, зачем цветы-то с дикторского стола в корзину выкинул? Еще сказал — по соображениям личного характера! Это что такое за соображения, а?

— Я Анну Львовну терпеть не мог, — объявил Саша. — Вот просто не выносил! Верх непрофессионализма, я знаю. Но это лицемерие бесконечное, игры какие-то, недомолвки, интриги! Умерла и... умерла. Вот и выбросил.

— Между прочим, — сообщил Боголюбов, — если б ты мне не врал с самого начала, мы бы быстрее разобрались! А где это текстильное общежитие?

— Ты собрался к Ефросинье? Зачем?

— Хочу спросить, где она взяла ту бумагу, которую принесла мне. Кто ей дал? И главное, зачем?.. Какая разница, писала Анна Львовна кляузы или не писала — меня все равно назначили!.. Но ведь Ефросинье зачем-то нужно было показать мне бумагу!

— Да, — согласился Саша. — Им всем что-то от тебя нужно. Начиная с Модеста.

— С Модестом я сам разберусь.

— Вместе разберемся, — хмуро сказал Саша.

— Ты его звал на уху?

— Звал. Заявил, что не придет.

— Ну, я его тогда еще раз приглашу.

В кабинетике Модеста Петровича было жарко, должно быть, оттого, что кухня за стеной. В кухне полным ходом шла работа — стучали ножи, брякали сковороды и кастрюли, выкрикивали официанты:

— Котлеты «Пожарские», судак под польским соусом, солянка рыбная! Где мороженое, Паша? Мороженое где?

Боголюбов зашел в открытую дверь, даже стучать не стал. Уселся напротив Модеста Петровича и кинул ногу на ногу. Тот смотрел на него поверх очков, а когда Боголюбов ногу заложил, фыркнул и покрутил головой.

— Ну-ну, — сказал он даже с некоторым удовольствием. — Ты, часом, ничего не перепутал, парень? Ты у меня в гостях, а я к тебе в гости не собираюсь!

— И напрасно, — заявил Боголюбов весело. — Рыбу вместе ловили, значит, и уха общая.

— Вот она у меня где станет, уха твоя! — И Модест попилил себе ладонью по горлу. — Говори, зачем явился. Я к тебе не пойду, зови не зови. Этот вопрос мы, считай, решили. Еще какие у тебя вопросы?

— У меня много вопросов, Модест Петрович, — сообщил Боголюбов. — И ни на один ответа не нахожу пока. Но вот это я вам вернуть должен. Это же ваше?

И он движением фокусника вынул из-под полы заранее приготовленный нож с черной рукояткой.

Модест Петрович посмотрел на нож, вздохнул и сдернул с носа очки.

— Ну, что такое? — продолжал Боголюбов вальяжно. — Вы же взрослый человек, вроде умный! Это ваш нож, из стойки. Я на кухне видел, там как раз одного не хватает. И клеймо совпадает. Хороший, профессиональный кухонный нож. Вы мне потом адресочек дайте, где такие берете. Нож на кухне должен быть острый, чтоб сам резал, а сейчас хорошую сталь днем с огнем не найдешь.

— Что вам нужно? — почему-то на «вы» спросил Модест Петрович.

— Как?! Мне нужно, чтоб вы мне прямо сейчас, вот сию минуту сказали, зачем мне шину порезали и записку глупую написали? Зачем вы на меня бросаетесь, как будто я вам враг заклятый!

— Ты и есть враг заклятый, — равнодушно подтвердил Модест Петрович. — Вот не пойму я, зачем ты балаган-то устраиваешь? Ну, мой нож, мой!.. Хочешь — пиши заявление, что хочешь, то и делай! Пропорол я тебе шину, думал, может, напугаю, уберешься ты отсюда! Такие, как ты, — все трусливые и боязливые, а ты вон что... Разбираться собрался.

— Да я разобрался уже, — сказал Боголюбов. — Вы бы еще на бумажонке той автограф оставили, а лучше имя, фамилию и адрес! Раз уж вы собственным ножом, да еще таким приметным, мне колесо испортили!

— Да я первый попавшийся взял, некогда мне было раздумья раздумывать...

— Модест Петрович, — сунулся в дверь парень в фартуке и белом колпаке, — там у Николая вопрос...

— Сам пусть свой вопрос решит! — гаркнул Модест. От его равнодушия не осталось и следа. — Дуй на рабочее место!

Парень скрылся, Боголюбов проводил его глазами.

— А что, если я сейчас народ кликну, — заговорил Модест, — они все мужики здоровые, и выкинем мы тебя вон с Земляного Вала под откос! Что ты тогда делать будешь? В какую прокуратуру заявление понесешь на весь народ, а? Вот чего я не пойму тоже! Как же вы гадите не одному кому-то, а сразу всему народу? И не боитесь ничего, по ночам небось спите сладко! Людьми прикидываетесь, вон на рыбалку ездите!

— Модест Петрович, — твердо сказал Боголюбов. — Ей-богу, вы мне надоели. Я ничего не могу понять. Какому народу я... нагадил? Какого всенародного гнева я должен бояться?

— Ты сюда зачем приехал? — спросил Модест обманчиво ласково. По всей видимости, ему казалось, что он держит себя в руках, но глаза у него горели страшным праведным огнем.

Андрей Ильич даже немного назад подался и оглянулся на дверь — прикинул, как в случае чего спасаться.

— Я сюда приехал, — медленно проговорил он, — потому что меня назначили заведующим музеем изобразительных искусств. Я приехал заведовать.

— Да?! — взвизгнул Модест. — Заведовать?! Да тебя, козла, прислали всю жизнь нашу разорить и порушить! Скажешь, нет? Ты что должен с музеем сделать? С парком, с озерком? Ты должен подложные бумаги подготовить, что все это исторической ценности не имеет, и все к чертовой матери распродать! Чтоб тут у нас борделей со шлюхами настроили, с подпольными притонами, да?! Все вам неймется, в Москве не сидится! Там-то уж вы все свои дела обтяпали, на нас нацелились?! Так вот, не дам я тебе тут пакостничать, так и знай! Убирайся в свою Москву и там пакостничай!

— Модест Петрович, помощь нужна?

Модест, отдуваясь, плюхнулся в кресло.

— Ничего, Слава, я и сам пока... в силах.

Боголюбов молчал. Он решительно не знал, что говорить.

— Так что ты подумай головой своей бизнесменской, — это слово хозяин трактира «Монпансье» произнес с величайшим презрением. — Стоит оно того или не стоит. Я тебе слово даю — подниму народ. А народ тебя сам... того. На вилы. Уезжай лучше, покуда цел.

Он выбрался из-за стола, подошел к старомодному холодильнику, дребезжавшему в углу, чавкнул дверцей, вырвал из нутра бутылку нарзана, отколупнул пробку и стал жадно пить.

— Так, — сказал Андрей Ильич наконец. — Значит, вы считаете, что я прибыл с рейдерским захватом. Я должен захватить музей и распродать земли. Что еще кроме музея я должен захватить?

— А то ты не знаешь! — Модест громко икнул и закрыл рот рукой.

— Что еще? Ваш ресторан?

— И ресторан, и «Калачную»! Почитай, весь центр! Все дома старые под снос, и будет у нас тут на манер столицы — многоэтажки зеркальные, а кругом бизнес-центры и торговые павильоны! И ты кругом хозяин! Так вот — не бывать этому!

— Этому не бывать, — согласился Боголюбов. — Еще один вопрос.

Он поднялся, достал из холодильника нарзан и тоже жадно попил из горлышка.

— Еще один вопрос, самый главный, — повторил Андрей Ильич, икнул и закрылся рукой. Модест смотрел на него с ненавистью. — С чего вы все это взяли-то?!

— Как?!

— Так. Откуда вам известно, что есть план перестройки центра города? Что музей из федеральной собственности собираются передать в частную? Что здесь планируется создание бизнес-центров?

— А ты хотел все по-тихому сделать?! Думал, не узнает никто?!

— Вам это все откуда известно?

— Есть верные люди. Все в подробностях рассказали и даже бумаги показали.

— Что за бумаги и где они?

— Да на, на! — Модест Петрович распахнул приоткрытую дверь несгораемого шкафа и швырнул в Боголюбова растрепанными листами.

Листы разлетелись. Андрей Ильич нагнулся и поднял один.

Там был какой-то текст под вполне правдоподобной шапкой. Глаза выхватили: «... согласно утвержденному плану строительство намечено на 2015—2018 гг... под отчуждение попадают земли, прилегающие к улицам «Красная площадь», «Земляной Вал», «Воскресенская», «Московская»... изъять земли согласно кадастровой стоимости в сроки до... согласно договоренностям с владельцами частной собственности».

Боголюбов отпустил листок, и он не спеша спланировал на пол.

— Ну? Ты что думал, у меня никаких доказательств нет? Думал, просто так старик куражится?

— Я не знаю, имеет ли смысл куражиться, — морщась, ответил Боголюбов, — только все это подлог, Модест Петрович. Я не рейдер и не бизнесмен. Я военный историк, в аналитическом управлении бумажками заведовал. Ничего захватывать не собираюсь. В министерстве нет никаких планов передачи музея в частные руки. Да это и невозможно!.. Объект охраняется государством, числится в списке ЮНЕСКО, представляет особую ценность. Но это... — он посмотрел на листы на полу, — интересно. Надо же столько сил потратить, времени, столько бумаги извести на самый заурядный подлог!

Он поднялся и взялся обеими руками за столешницу:

— Что происходит в вашем музее, Модест Петрович? Что-то ведь происходит! И настолько важное, что даже на подлог решились! Зачем?! Чтобы убедить вас, что я собираюсь здесь бордель открыть? Ну, хорошо, вас убедили! Дальше что?

— Что? — переспросил Модест Петрович. Он тоже посмотрел на бумаги на полу, а потом на Боголюбова. — Да ну, — сам себе сказал он. — Быть такого не может, чтоб все это вранье! Просто быть не может, а ты как хочешь!

— Это вы как хотите! Можете мне не верить. Но только это проверяется проще простого. Зайдите в Интернет на сайт Министерства культуры, там все написано.

— А вот тебе! — И Модест сунул Боголюбову под нос огромную загорелую фигу. — Вот тебе вместо Интернета! Уж как там брешут, больше нигде не брешут!

Боголюбов вздохнул.

— Где вы взяли все эти... летописи?

— Не твое дело.

— Как раз мое! — тоже заорал Боголюбов. — Вы на меня с топором кидались из-за них! А там каждое слово вранье! Вы мне шину пропороли, а она, между прочим, денег стоит! А я деньги не печатаю! Вот взыщу с вас в судебном порядке за шину, будете знать!

— Вали отсюда в свою Москву лучше.

— В Москву я не поеду, — сказал Боголюбов. — Ресторан ваш драгоценный при вас останется. А руководителям вашим передайте, что они перестарались.

Он вышел из кабинета, отпихнул полено, которым была подперта дверь, и изо всех сил ею хлопнул. Так что стены задрожали и вдалеке, на кухне, что-то упало и покатилось.

Все следующее утро Боголюбов, обмишулившийся с делопроизводством, прилежно изучал личные дела сотрудников. Ничего нового из этих самых дел он не извлек. Истопник Василий не оказался сыном Анны Львовны, а дежурная по залу Опричкина не являлась теткой экскурсоводши Аси. Часа в два мрачный, как небо над лесом, Боголюбов понял, что очень хочет есть. Он сидел в своем кабинете — бывшем кабинете Анны Львовны, — вникал в личные дела и думал только о тарелке огненной ухи с розовым лещом и желтым расстегаем. От вчерашнего ужина осталось еще полкастрюли ухи и гора пирогов, накрытых салфеточкой. Лерка умела все делать красиво.

Никакие бумаги его не интересовали.

Он поднялся — Мотя, дремавшая за креслом, моментально вскинулась и торчком наставила уши, приготовилась служить — и стал ходить по кабинету.

При ближайшем рассмотрении оказалось, что полдня он думал вовсе не о насущных и сиюминутных делах!

— Ничего не получается, — сказал вслух Боголюбов, и голос его прозвучал странно. — Ну, совсем ничего не получается!..

...Нужно заходить с какой-то другой стороны, вот что. Все они — и покойная Анна Львовна, и брат с сестрой Саутины, и Модест, и Сперанский, и уехавший в Москву студент Митя, и невзрачная экскурсоводша Ася — имеют отношение к музею. Вот к этому музею, на втором этаже которого он, Андрей Ильич, сию минуту пытается вникнуть в прейскуранты и цены на фанеру!.. Нечто происходит именно в музее, и начинать нужно исключительно отсюда.

Здесь происходит — или происходило? — нечто такое, о чем он, Боголюбов, не имеет никакого представления, но это «нечто» и есть самое важное. Если он поймет, что здесь творится, поймет и все остальное.

Только как понять?..

Он открыл дверь в коридор и прислушался. Было тихо, только Ася в отдалении разговаривала по телефону и шмыгала носом.

— Не поеду я, — приглушенно говорила она. — Потому что денег нет. Может, к Пасхе премию выпишут. Ну да, то есть к Первомаю! Тогда посмотрим. Нет. Не точно. У нас директор новый, кто его знает, выпишет или не выпишет.

Андрей Ильич спустился по лестнице и мимо музейной бабули, которая сразу всполохнулась и приготовилась служить на манер Моти, вышел в экспозицию. Хвост экскурсии, видимо, последней на сегодняшний день, утягивался в высоченные двустворчатые двери. Слышался звонкий голос Нины:

— В следующем зале мы познакомимся с работами местных художников. Среднерусская природа всегда вдохновляла живописцев на создание настоящих шедевров, и хотя самые лучшие и талантливые всегда стремились в Италию, чтобы учиться там, свои самые вдохновенные полотна они создавали именно на родине. Наш музей по праву гордится собранием местных художников. Несмотря на разорение во время войны, нам удалось восстановить и даже заново собрать одну из самых богатых коллекций...

Двери закрылись. Нину стало не слышно.

Андрей Ильич повернулся и оказался нос к носу с давешней бабулей. Она была как будто на посту, стояла очень прямо, очки держала в руке. Сенький пучок волос на голове вздрагивал.

— Здрасте, — от неожиданности брякнул Андрей Ильич.

Бабуся с негодованием кивнула.

— Я вот... залы хочу обойти, — зачем-то объяснил он.

— Вы бы собаку на улице привязывали, товарищ директор, — неприязненно сказала бабка. — Собакам в музее не место. У нас тут чистота соблюдается, порядок, а вдруг посторонние животные!

— Она в экспозицию не ходит, — думая о своем, возразил Боголюбов. — Скажите, а... как вас зовут?

— Софья Григорьевна.

— Вы давно здесь работаете?

— Служу в музее пятьдесят лет с лишком. — Она посмотрела на директора как будто сверху вниз. — Да и лишку почти пять! А что? На пенсию хотите выпроводить? Так молодые на мое место не пойдут, товарищ директор! Это раньше считалось почетно — хоть и зарплата маленькая, а возле искусства работаешь, а сейчас!.. Ничего никому не нужно.

Тут она как будто осеклась и строго сказала, что в музее громко говорить не полагается. Как будто это Боголюбов громко говорил!

— Идемте со мной, — предложил Андрей Ильич. — На два слова, пожалуйста!

— Как же я пост покину? — пришла в волнение Софья Григорьевна. — Мало ли что!

— Мы вашу коллегу попросим приглядеть. Из того зала. Как ее зовут?

— Галочку? Одна она на два зала не справится! Да и видит плохо! Нет, товарищ директор, вы меня после рабочего дня увольняйте, а пока я на службе...

— Я не стану вас увольнять, — серьезно сказал Боголюбов. — Мы с вами просто выйдем и вон там возле клумбы прогуляемся. Всего десять минут, Галочка справится!..

Старуха качала головой, вид у нее был растерянный, а Боголюбов уж и к Галочке сбегал, сказал, что вскоре вернет Софью Григорьевну на пост, и дверь распахнул, и охраннику кивнул.

В служебной каморке старуха сняла с вешалки коричневое драповое пальто, Андрей Ильич взял пальто у нее из рук и подал.

— Ишь ты, — под нос себе пробормотала Софья Григорьевна, и они вышли во внутренний двор, белый от нападавшего за ночь снега.

На гравии за ними оставались две цепочки темных следов — рифленые от боголюбовских кедов и овальные, ровные от старухиных бот.

— Хоть бы до Пасхи растаяло, — сказала старуха и покачала головой.

— А когда в этом году Пасха? — спросил Андрей Ильич.

Лавочка вся была под мокрым снегом, Боголюбов стал его сметать.

— Вы работаете в музее с... какого года? С шестьдесят пятого?

— С шестидесятого.

— Давно, — сказал Андрей Ильич. — И старого директора, и Анну Львовну знали хорошо?

Софья Григорьевна помолчала, пристраивая на голову платок.

— Если вам что нужно по делу спросить, товарищ директор, — начала она, справившись с платком, — так спрашивайте!.. А сплетни разводить я не приученная.

— Анна Львовна была хорошим человеком? — бухнул Боголюбов первое, что пришло в голову.

— Директором хорошим. А там кто ее знает. Я с ней дружбу не водила. Она начальство, а мы персонал.

— А старый директор? Он был хорошим?

— Он попроще был, — Софья Григорьевна улыбнулась. — Все же бывший военный, без фанаберий.

— А Анна Львовна, выходит, с фанабериями?

Старуха насупилась:

— Нечего меня на слове ловить! Чего не знаю, того говорить не стану. И сплетничать не стану.

— Да не сплетничать, — с досадой возразил Боголюбов. Ладонь его и рукав были совсем мокрыми от снега. Он вытер руку о джинсы. — Вот говорят, что после войны музей почти в руинах лежал, его долго восстанавливали. Но ведь восстановили так, что он стал одним из лучших в средней полосе России! Значит, и старый директор, и Анна Львовна не зря старались!

— Музей наш отличный, — подтвердила старуха. — А про войну — что я помню? Сорокового года я. Когда немца окончательно победили, пять лет мне всего и было. Тут у нас, конечно, живого места не осталось, одни развалины. Это точно. До шестидесятых годов впроголодь жили, сливочное масло по праздникам было только. А музей все равно принялись восстанавливать. Тогда такая власть была, понимающая.

— Ну да, — то ли согласился, то ли не согласился Боголюбов. — Понимающая.

Он и сам не знал, что именно хочет услышать. Что-то такое, что сразу, сию минуту все бы прояснило и сделало понятным.

Ему очень надоело быть «болваном»!

— Вы мне что-нибудь расскажите, — попросил он жалобно. — Про музей. Каким он был, кто здесь работал!.. Может, знаменитые художники приезжали!.. Вот у вас был художник Сперанский. Он ведь в музее часто бывал?

— Да какой он художник, что ты! — неожиданно засмеялась Софья Григорьевна. — Пьяница, алкоголик. Нет, картинки-то рисовал, конечно, но в музее нашем никогда не выставлялся, а все больше в Доме офицеров. У нас Дом офицеров был хороший, большой, военных много! Мы туда на танцы каждую неделю бегали, и безобразий никаких там не случалось.

За порядком дружинники смотрели. Вот там Сперанского картины часто висели. Он с заведующим дружил. Вместе выпивали они.

Боголюбов вдруг как будто ощутил под ногами твердую почву, словно из болота выбрался. Он ведь и сам знал, что картины Сперанского не представляют никакой художественной ценности, что таких полным-полно в любом «доме творчества» или «изостудии». Он знал это совершенно точно, но также знал — видел собственными глазами! — как Анна Львовна восхищалась работой Сперанского, ахала и прижимала руки к сердцу. Музейная старуха сказала что-то понятное, имеющее смысл, подтверждающее его собственные мысли, и он обрадовался этому, как необыкновенному открытию.

— То есть в музее Сперанский бывал редко?

— Ну, уж реже, конечно, чем сынок его. Тот у нас, почитай, каждый день бывал. Анна Львовна его очень привечала, принимала всегда с удовольствием. Она и картины папаши его взялась выставлять, уж зачем, не знаю. Понемножку, конечно, потихоньку. Вот выставка была, «Работы наших земляков» называлась, там их выставляла. Потом еще «Малая родина», тоже выставляла. А в больших выставках, конечно, его картины не участвовали.

Она так и сказала о картинах — «не участвовали», как будто они живые.

— Так, — пробормотал Боголюбов. — Так, так...

— А что ты вдруг о Сперанском-то вспомнил? — поинтересовалась старуха, голос у нее стал добрым. Ей нравилось разговаривать с молодым директором о живописи. — У нас других художников полно, и лучше гораздо. Ты бы в запасники сходил, еще ведь ни разу не был.

— Не был, — согласился Боголюбов, думая. — Это точно, не был. Я схожу.

— Там и Зворыкин, и Богданов-Бельский. И Сверчков!.. У нас что ни полотно, то сокровище, — продолжала старуха с гордостью. — А Сперанский — что?.. Ну, рисовал чего-то! Это же не значит, что он художник с Рокотовым наравне.

— А старый директор тоже рисовал?

— Грешил, грешил. Сам же и смеялся над собой-то. Говорил: проведи столько лет среди картин, не захочешь, а живописцем станешь! Только он свои художества никому не показывал, стеснялся. Да оно и правильно, наверное.

— И вы его работ не видели?

— Да где же, товарищ директор! К себе меня он не звал, — она даже засмеялась, — и в музей своих картинок не носил.

Боголюбов понимал, что что-то упускает, но изо всех сил старался поймать мысль за хвост, как проворную белку.

— А музей когда-нибудь работы Сперанского покупал?

Софья Григорьевна махнула рукой.

— Это что значит?

— Покупали. Поддерживали его вроде как, чтоб совсем не загнулся, не спился. Уж не знаю, кто это придумал, старый директор ли, а может, и Анна, но покупали. Одна трата денег. Откуда у музея лишние-то деньги? В прежние времен государство еще кой-чего выделяло, а сейчас, — она опять махнула рукой, — крутись как хочешь. А как же? Разве не так?

— И что? — сам у себя спросил Боголюбов. — Какая разница, есть в музее картины папаши Сперанского или нет? Или их покупали за тысячи и миллионы?

— Да что ты, — перепугалась Софья Григорьевна. — За какие миллионы?.. У нас тут сроду никаких миллионов не водилось!.. Что это ты придумал, товарищ директор? Я тебе такого не говорила!

— Анна Львовна дружила со Сперанским?

— Дружила! — фыркнула старуха. — По молодости лет замуж за него собиралась, вот как дружила! И вышла бы, кабы не морячок заезжий! Он к нам на побывку приехал, дружок у него тут служил. Военных-то много было, говорю же. Так она художнику сразу отставку, а с морячком закрутила. Только не сложилось там ничего, уж не знаю почему. Вернулась через несколько лет — одна, да так одна и осталась.

— А дети? Дети были у нее?

Софья Григорьевна покачала головой.

— Вроде сын. Ездила она несколько раз вроде как к сыну этому, а сам он ни разу не был. Не видели мы его. Только я думаю, что и нет его вовсе, выдумала она это от одиночества своего женского и судьбы нескладной. У одиночки судьба незавидная. Ну, скажи на милость, какая мать родного ребенка отцу по доброй воле отдаст? Да еще такому, который то и дело в море ходит, на берегу и не бывает почти!

— А Сперанский?

— А что он? Он запил, как она закрутила, и так попивал, а тут уж с полным правом принялся, с чувством. А потом женился. Ну а когда вернулась Анна, про женитьбу-то уж никто и не вспоминал. А там я не знаю... Да ты меня сплетничать, что ли, позвал? — вдруг спохватилась старуха. — Сроду не сплетничала и сейчас не стану!

— Вы не сплетничаете, — возразил Боголюбов. Он сильно нервничал. — Вы мне помогаете. Мне обязательно кто-то должен помочь. Я никак не могу разобраться.

— Да чего там разбираться. — Старуха покачала головой. — Музей у нас прекрасный, люди все хорошие работают! Ты в запасники сходи! И ведь все по кусочку, по рисуночку, по холстику после войны собирали. Основную-то экспозицию эвакуировали, успели, а остальное?.. Кто куда свез — ничего не знали! А книги, мебель? Книги знаешь какие были? Барские, в дар церкви предназначенные, в серебряных окладах! Ничего же не осталось, что правда, то правда. Вот собирать и восстанавливать Сперанский помогал, это было. Что было, то было. Они со старым директором каждый день то по архивам, то по складам, то по дальним селам ездили, музейное добро собирали. Запрягут лошадку, и поехали!.. И в распутицу, и по снегу. И так несколько лет. А то ведь без разбору вывозили, когда немец наступал, кто там разбирать станет, лишь бы ноги унести! А они собирали. Может, за это ему и благодарность такая была, работы его к нам брали, не знаю.

Боголюбов, пока она говорила, слепил мокрый снежок и, несильно размахнувшись, кинул его в Мотю, которая смирно сидела на крылечке. Кинул — и попал!

— Что ж ты в собаку кидаешься, товарищ директор? — укорила старуха. — Взрослый, а балуешься. Сходи, сходи в запасники.

— То есть художник Сперанский помогал старому директору восстанавливать фонды?

— Точно, помогал, это было.

— А Анна Львовна в этом участвовала?

— Ну! Она тогда девчонкой совсем бегала. Они-то годков на десять ее постарше.

— А потом стала заместителем и начала покупать у Сперанского работы?

— Не знаю, она, не она ли!.. Только картинки у него брали. Кончились твои секретные вопросы? Или еще что хочешь спросить? Ты уж спрашивай, а то у меня ноги мерзнут.

Боголюбов проводил ее внутрь — после улицы показалось, что в музее очень тепло, сказочно тепло и хорошо пахнет: полиролью, как будто стары-ми книгами и старыми коврами, но одновременно и чем-то свежим, должно быть, от установок, кото-рые поддерживали влажность.

Установки, как и камеры наблюдения последней модели, как и многое другое, покупал на свои день-ги благотворитель Дмитрий Саутин.

Впрочем, камеры последней модели не работали!

Софья Григорьевна утирала платком покраснев-ший нос и улыбнулась Боголюбову по-свойски. Он взбежал по лесенке, зашел в кабинет к Иванушкину и плотно прикрыл за собой дверь.

— Народ волнуется, — сказал Саша, завидев его, — будет к Первому мая премия или не будет.

— А должна быть?

— Анна Львовна ко всем праздникам... изыскива-ла резервы.

— Значит, мы тоже изыщем.

Андрей Ильич разгреб место на подоконнике, уселся и стал делать ногами гимнастическое упраж-нение «ножницы».

— Ты что? — насторожился Саша. — Узнал что-нибудь?

— Папаша Сперанский и старый директор му-зея были большими друзьями. Неразлейвода. Вместе восстанавливали после войны музей.

— И чего?

— В нашем музее работы Сперанского никогда не выставлялись, несмотря на их дружбу. Еще она со-биралась за него замуж, но закрутила с заезжим мо-рячком.

— Кто... собирался замуж? За кого?

— Анна Львовна за папашу Сперанского. У них был роман, как сейчас принято говорить. А потом она уехала с каким-то заезжим моряком. Однако всем известно, что у нее родился сын. Родился не здесь, а где-то в другом городе. Спрашивается, чей это сын? Художника Сперанского или того, другого?..

— То есть ты хочешь сказать, что писатель Сперанский сын Анны Львовны?!

Боголюбов пожал плечами с некоторым злорадством.

— И что нам это дает?

Андрей опять пожал плечами.

— Да ну, не может быть! Сколько ему лет?.. Ну... лет пятьдесят, да?

— Или сорок, — подсказал Боголюбов. — Ты что, не мог у него выкрасть паспорт и посмотреть? Ты ж секретный агент!

— Я не понимаю, чего ты веселишься.

— Фонды, — сказал Андрей Ильич. — Они вместе собирали музейные ценности по крошечкам и по кусочкам, понимаешь? Старый директор и папаша Сперанский. Они ездили по дальним селам и городкам, собирали музейное добро. На лошадке ездили, — зачем-то добавил он и опять принялся делать «ножницы».

— Хорошо. Они собирали музейное добро. Когда это было?

— Насколько я понял, в шестидесятые годы. Видимо, им это первым в голову пришло.

— Что пришло, Андрей?!

Боголюбов соскочил с подоконника.

— Музей во время войны был разорен и разграблен подчистую. Ничего не осталось. Вон в первом зале фотографии, что здесь было, когда наши отсюда немцев выбили.

— Я видел.

— Одни руины, — подтвердил Боголюбов. — После войны стали восстанавливать здание, дворовые постройки и парк. Восстанавливали долго и трудно. До фондов дело дошло уже почти в шестидесятые. Основная часть экспозиции, насколько я понял, была эвакуирована, но и осталось полно! Что-то растащили, что-то разобрали, попрятали. Директор-фронтовик и его приятель-художник принялись собирать ценности. Эти ценности пылились в каких-то архивах, на складах и в клубах. Никому не было до них дела. Их никто не считал, не классифицировал, не описывал. Это все же не коллекция скифского золота из Эрмитажа!..

— Подожди, — прервал Саша, и веснушки его покраснели, — так, секундочку...

— Вот именно, — сказал Боголюбов. — Скорее всего, девяносто процентов музейного добра, ну, за исключением основной коллекции, было вывезено! Что-то увозили в эвакуацию, а что-то просто разбирали. Без документов, описей и каталогов. Я в этом уверен. У Сперанского и директора было разрешение, подписанное каким-нибудь тогдашним большим человеком, не знаю, начальником отдела культуры местного обкома партии, допустим! Они приезжали и забирали старые пыльные картины. Оставляли расписку. И уезжали. Все, точка. Конец операции.

Саша засунул руки в карманы джинсов.

— Значит — допустим, допустим! — они привозили картины, да?

— Ну, не только картины! — перебил Боголюбов — Мебель, книги. Бронзу. Быт помещика! Какие-нибудь иконы наверняка, тоже ведь музейные экспонаты! В этот музей из всех окрестных усадеб свозили все самое-самое, мне сама Анна Львовна рассказывала! Богатейший был музей!

— Хорошо. Определяли ценность картин и вещиц, назовем это так. Менее ценные сдавали в музей как найденные. Самые ценные оставляли себе. Их никто не искал, они пропали во время войны, их списывали как утраченные. Или как это формулируется?

— Так и формулируется, — кивнул Боголюбов.

— И потом — допустим! — они на двоих их сбывали. Знатокам, коллекционерам. Потихоньку, полегоньку. Ничего особенного, но на безбедную жизнь в социалистической стране хватало. Думаю, картины там тоже были. Может, не слишком много, десяток-полтора, но были. Не только антиквариат.

— Видимо, картины замалевывал Сперанский. Ну, как еще их прятать? У него в доме не могли открыто висеть на стене подлинники Рокотова и Левицкого!..

— Потом Сперанский умер. И... и что?..

— Не знаю, Саша. Старый директор продолжал что-то замалевывать. Именно поэтому его чердак укреплен, как хранилище Гознака! Поэтому не осталось ни одной работы старого директора. Их все... убрали после его смерти. Так сказать, во избежание. Чтобы в случае какой-нибудь мифической экспертизы нечего было сличать.

— Кто убрал? Анна?

— Ну конечно. Все до одной картины старого директора были вывезены. Чтобы невозможно было определить, кто именно написал — старый директор или Сперанский. Я уверен, что картина, которую подарили Анне, была написана старым директором — то есть замалевана, конечно! — а та, что подсунули мне — кисти Сперанского, и вполне чистая, без всякого «второго дна». После смерти Сперанского главной в деле стала Анна Львовна.

— В каком деле?

Боголюбов закатил глаза:

— В хищении музейных ценностей, что ты, ей-богу!.. Разумеется, от папаши Сперанского что-то осталось, нереализованное! Но рано или поздно те картины, которые они нашли тогда, в шестидесятые, должны были закончиться. Я думаю, когда была продана последняя картина из найденных, в ход пошли музейные фонды. Они все были в распоряжении Анны Львовны. Очень осторожно, по одной! Музей у нас, конечно, большой и богатый, но не Третьяковка все же! Старый директор подлинники замалевывал, они некоторое время висели на стене в доме Сперанского под видом папашиных, а потом их потихоньку сбывали. Вот и все.

— Ничего себе — все! — возмутился Саша. — Да это целая схема! Преступный синдикат.

— Так и есть, синдикат и схема, — согласился Боголюбов.

Саша походил по кабинету и зачем-то выглянул на улицу. Повертел из стороны в сторону головой.

— Мы ничего не докажем, — сказал он спустя время. — Вообще ничего. Мы только что сами все это выдумали и никаких фактов не соберем.

— Это твое дело.

— И твое тоже! Это же теперь твой музей!

— Да, — согласился Боголюбов, — так и есть.

— Тогда давай думать, как нам их прищучить.

— Давай сначала поймем кого — их. Анна умерла, старый директор тоже, и папаша Сперанский давно покойник.

— Остаются Саутины, писатель, Модест Петрович, аспирантка и студент, который уехал в Москву и с тех пор его никто не видел. Еще Басова Евгения Алексеевна, то есть Ефросинья.

— И я, — напомнил Боголюбов. — Я тоже остаюсь. Я всем мешаю. Анна так хлопотала, чтобы директором осталась она, а старый директор сделал все, чтоб этого не произошло. Как ты думаешь, его под старость совесть заела? Или он решил, что Анна после его смерти вообще все распродаст?

Саша пожал плечами, и Боголюбов подумал: еще раз пожмет, и я в него кину чернильным прибором.

На столе у Саши стоял вполне подходящий чернильный прибор, тяжелый, старинный.

— Если в доме у Сперанского на стене висит картина из музея, а поверх нарисована колокольня и памятник Ленину, и мы предполагаем, что колокольню с памятником нарисовал старый директор, а не отец Сперанского, и не двадцать лет назад, а в прошлом году, значит, установить это может только экспертиза. Официального разрешения никто не даст, оснований нет никаких. Сперанский ни с музеем, ни со старым директором не связан. Что нам остается?

— Украсть картину, — предложил Боголюбов.

— Андрей, твою мать, что ты несешь?..

— А что еще мы можем сделать? Я могу затеять ревизию фондов, но это дело долгое, и не факт, что на нее согласится начальство. Все бумаги-то в идеальном состоянии, музей процветает. Мало ли что мне могло, — он покрутил рукой, — привидеться на новом месте?.. Хотя ревизию я затею обязательно...

— Что ты всем мешаешь — это точно. Тебя нужно или привлекать ко всем делам, или как-то... нейтрализовать, — нашел слово Саша. — Ну, по крайней мере, удалить из города. Желательно подальше.

— Меня тут чуть не убили, — напомнил Боголюбов.

— Нам нужен какой-нибудь железный факт, — продолжал Саша, не обратив никакого внимания на то, что Боголюбова «чуть не убили». — Картина, та, первая, подаренная Анне Львовне, была бы очень кстати...

— Так давай ее сопрем, серьезно говорю! Что нам двоим сделает один провинциальный писатель?

— Получается все наоборот, — сказал Саша задумчиво. — Если мы правильно рассуждаем! Получается, что деньги из музея идут на ювелирные магазины Саутина. Или это только саутинская часть идет?.. Значит, главным по денежным вопросам остается Саутин. С него и надо начинать.

— А у него мы что можем спереть? — поинтересовался Боголюбов. — Бухгалтерские документы? Да, — вдруг вспомнил он, — была же зеленая папка! Мне дали по голове, и после этого она пропала. Мы ее так и не нашли.

— Вряд ли Анна Львовна держала на столе в кабинете бухгалтерские документы!

— Но что-то же в ней было! Что-то важное! Такое, за что меня чуть не убили!

— Да ну, — сердито сказал Саша, — не привык я так работать. Одни фантазии, а фактов никаких! Мне бы в Управлении за такие художественные чтения... пожалуй, по шее дали.

— Мы не в Управлении, — заметил Боголюбов резонно. — И все равно сейчас мы ничего не можем, только рассуждать. Грабить писателя ты же не согласен?

— Нет.

— Ну, значит, остается только рассуждать. Все равно никаких других объяснений нет. И быстро мы их не придумаем.

Они помолчали.

— Если ты прав и Ефросинья наблюдатель, — сказал наконец Боголюбов, — значит, имеет смысл поговорить с ней. Она вполне может что-то добавить в нашу новую... картину мира.

— Я даже не знаю, кто она!

— Значит, надо узнать.

— Я сегодня не могу, — сказал Иванушкин и потянул за манжеты клетчатой рубахи. — Мы с Юлией Ильиничной вечером в кино идем. Ну, что ты смотришь?.. Я собираюсь на ней жениться, я за ней ухаживать должен...

Общежитие текстильной фабрики напомнило Андрею декорации к фильму о первых днях революции. Именно в таких длинных, красного кирпича бараках проходили сходки, там под сурдинку пели «Смело, товарищи, в ногу» и выносили под шинельками и сюртуками свежеотпечатанные листы революционной «Искры», там жила мать Павла Власова, и великий писатель Горький именно там проливал слезы над судьбой обделенного нищего народа.

Сейчас поблизости не было ни писателя Горького, ни Ниловны, зато на лавочке под тополем сидело несколько женщин в цветных полосатых халатах и шароварах. Одна из них держала на коленях черного, как галчонок, младенца. Младенец сосал замурзанного петушка на палочке. Вид у женщин был не слишком... дружелюбный.

— Здрасте, — сказал Боголюбов, и они насупились еще больше. — А где Ефросинья живет? Говорят, где-то в общежитии!

— Э! — окликнули его издалека. — Тэбэ чево нада?

К лавочке подходила группа мужчин в черных кожаных куртках. Они все как один курили. Женщины, завидев мужчин, гуртом встали и пошли к обшарпанной двери, подпертой половинкой кирпича.

— Смело, товарищи, в ногу, — пропел Боголюбов себе под нос, — духом окрепнем в борьбе. Счастью, свободе дорогу грудью проложим себе.

...Надо было Сашку не отпускать на свидание, а позвать с собой на дело. Он офицер секретной службы, и у него наверняка есть «ПМ» — табельное оружие.

— Чево нада? Кто такой?

— Мне Ефросинью надо, — сказал Боголюбов вежливо. — Говорят, она где-то здесь живет.

— Кто тут живет, тех мы знаем, а других знать не хотим.

— Ефросинья живет в этом общежитии?

— Уходи, покуда цел, — посоветовали ему из группы. — Из ваших здесь никто не живет.

— Вы меня ищите?

Боголюбов повернулся — вот ей-богу, с облегчением, как будто Ефросинья могла его спасти от надвигающейся драки. В том, что надвигалась драка или что-то в этом роде, не было никаких сомнений.

Ну, почти никаких.

Женщины загомонили в подъезде, и ребенок громко заплакал.

— Это ко мне божий человек пришел, — сказала Ефросинья мужчинам. — Божий человек — свободный человек, куда хочет, туда и идет. И вы ступайте себе!

В руке у нее был магазинный пакет, а в нем, похоже, батон и бутылка. Или ему так показалось?..

Мужчины гудели, смотрели подозрительно, сплевывали на землю и уходить явно не собирались.

— Проходите за мной! — позвала Ефросинья.

В длинном и широком сводчатом коридоре было почти темно и пахло плесенью. Тюки и ящики свалены у стен красного кирпича. Кое-где на стенах белилами написаны неприличные слова, а в одном месте даже выведено четверостишие. Боголюбов прочел и усмехнулся. Женщины в халатах вошли следом за ними в коридор и громко разговаривали на своем языке.

В глубинах своих одеяний Ефросинья нашарила длинный ключ с бороздкой, вставила в замшелый замок и толкнула коричневую дверь. Дверь не шелохнулась. Она толкнула посильнее.

— Сыро, — пробормотала она. — Створки старые, плохо открываются.

Боголюбов приналег на дверь, и та наконец распахнулась.

В комнатке он увидел сводчатое окно, забранное, как в тюрьме, решеткой, приходившееся немного ниже тротуара, как в подвале, две кровати по левой стене и по правой, узкие шафчик с длинным растрескавшимся зеркалом, жестяной рукомойник, а под ним ведро, и стол, застеленный изрезанной клеенкой с загнутыми краями. Еще был венский стул.

Пахло тут чуть получше, чем в коридоре, но все равно — подвалом, сыростью, нищетой.

— Присаживайтесь. Не бойтесь, всех клопов я вывела.

— Клопов? — переспросил Боголюбов.

— Да вы не пугайтесь! Бутерброд с колбасой будете?

Андрею Ильичу очень хотелось есть, но он... брезговал. И осуждал себя за это.

Ефросинья ловким движением выхватила из шкафчика большую бумажную скатерть, расстелила поверх жуткой клеенки, положила чистую деревянную доску, а на нее хлеб и колбасу. Еще у нее имелись стаканы в подстаканниках и доисторический алюминиевый чайник с черным хвостом электрического шнура.

— Все равно не будете? Ну, как хотите!

Из пакета она извлекла бутылку шампанского — очень дорогого, странно дорогого, неуместно дорогого, никак здесь невозможного!

— Что вы таращитесь? Открывайте! Правда, оно теплое, но что делать? Ведерка для льда у меня все равно нет. А у вас?

— Что?

— Есть с собой ведерко для льда?

Боголюбов сказал, что нет.

Шампанское громко выстрелило — слишком громко для такого дорогого сорта, — и впрямь теплое. Да и открывал он кое-как, волновался.

— Разливайте! Или давайте я сама, что ли! А то вы, по-моему, в коме.

Она налила шампанское в стаканы с подстаканниками и сделала себе громадный бутерброд. Села и закинула ногу на ногу.

— Ну, за окончание работ!..

Андрей Ильич глотнул теплого шампанского и спросил осторожно:

— Каких работ, Евгения Алексеевна?

Она засмеялась.

— Этот парень, ваш заместитель. Он же мент, правильно я поняла?

Боголюбов кивнул.

— Я догадалась, когда он вытащил у меня паспорт. Но открыться ему я все равно никак не могла. Вы уж меня извините.

— Вы... кто? — спросил Боголюбов. В коридоре почти под дверью громко и гортанно закричали, затем вступил еще один голос, а потом несколько. — Шумно тут у вас.

— Общежитие. — Она пожала плечами. — Иностранные рабочие на нелегальном положении и их семьи. А что вы хотите?

— Я хочу знать, кто вы.

— Страховой детектив Басова Евгения Алексеевна. Из Екатеринбурга. Да я вам сейчас все объясню!

— Хотелось бы, — пробормотал Боголюбов и еще глотнул из стакана.

— У меня задание. Проверить законность приобретения бронзовой скульптуры. Авторство приписывается Франческо Беллини, восемнадцатый век. Хотите, фотографии покажу?

Она извлекла из шкафа вполне цивилизованный портфель и выложила перед Боголюбовым несколько фото.

— Эту бронзу, согласно историческим документам, австрийский маршал Меннинг подарил Суворову, а потом она по наследству досталась Муромцеву,

291

хозяину усадьбы, где сейчас ваш музей. В наше время была куплена вполне легально, документы на первый взгляд никаких сомнений не вызывали. Скульптура очень старинная и ценная, и приобретатель, естественно, решил ее застраховать. Ну, на большую сумму, конечно. Мы, то есть страховая компания, стали изучать вопрос, и оказалось, что бронза была когда-то собственностью вашего музея, а дальше концов никаких, сколько мы ни искали.

Боголюбов повертел в руках фотографию.

— Ну, не могла же она просто так из воздуха возникнуть, правда? Значит, украдена! Кем и когда? Музей не заявлял о краже, мы подняли все архивы. Ну вот... Мне пришлось отправляться сюда и... разбираться на месте. В общем, сразу стало понятно, что официальным путем я ничего не добьюсь, и пришлось соорудить... маскарадный костюм.

Она вытянула ноги и поболтала ими. Ряса заколыхалась.

— Кстати, это проверенный способ. На таких, как я — нищенок, побирушек, тихих и убогих, — как правило, никто не обращает внимания!

— И... что вы установили?

— Краденая бронза, конечно. — Ефросинья, то есть Евгения Алексеевна, кивнула на фотографию. — Я в музей приходила каждый день. Или почти каждый. Я тот зал, где старые фотографии, и довоенные и послевоенные, наизусть выучила, могу с закрытыми глазами рассказать, что на них изображено. И на одной — как раз! Наша бронза! То есть это музейная вещь, которая когда-то кем-то зачем-то была украдена.

— Ну как — зачем? Чтобы продать.

— Ну да. Налейте мне еще шампанского. Я молодец!

— Наверное, — согласился Андрей Ильич.

— Вообще, в музее происходят всякие... деловые операции. Я об этом догадалась довольно быстро. На таких, как я, не обращают внимания, говорю же! И люди здесь вполне серьезные. Когда вы приехали, я пыталась вас предупредить, но сказать, кто я такая, никак не могла, простите! Мало ли как вы себя повели бы! А у меня многомесячная работа.

— Ну, конечно.

— Как я поняла, махинации проворачивались не только с бронзой, но и с картинами. Они очень много говорили про картины в доме старого директора.

Я подслушивала. С той стороны, где прудик! Перелезу через забор, сяду под яблоню и сижу. Они, если замечали, выгоняли меня, а я знай свое: Божий человек, куда хочу, туда и хожу. Собака ко мне привыкла, мы с ней вместе сидели.

Она еще глотнула.

— Это я к вам забралась в первый вечер, — призналась она и засмеялась. — Извините меня! Я же... детектив! Мне было очень интересно, кто вы! Вы же совершенно не похожи на музейного работника! Я хотела ваши документы посмотреть потихоньку. И ничего не нашла, конечно. И вот что меня удивило — в директорском доме не было никаких картин!

— Я знаю.

— Я думаю, их подворовывали из музея, а потом продавали. Но сначала, разумеется, писали что-то сверху. До конца я не разобралась, да у меня и задачи такой не было.

— Эх, Евгения Алексеевна, — произнес Боголюбов с досадой, — как бы вы мне помогли, если б сразу сказали, кто вы!

— Возможно.

— Да не возможно, а точно! И зачем вы все время пугали Анну Львовну? Пророчествовали? «Дому сему быть пусту»? В роль вошли?

Она махнула рукой.

— Пугала, потому что она мне не нравилась страшно!.. Отвратительная тетка!.. Правда! Как она разговаривала, слышали бы вы!

— Я слышал.

— А собака? Она собаку приказала под крыльцо посадить, и никто не посмел ослушаться!

— Тогда зачем вы поставили ей на стол цветы в день похорон?

Евгения исподлобья посмотрела на него.

— Потому что так полагается, — отчеканила она. — Я не была на кладбище, а человека, каким бы он ни был, нужно проводить по-человечески.

— Хорошо бы по-человечески, — задумчиво согласился Андрей Ильич. — Вообще, хорошо бы всегда все делать по-человечески.

Боголюбов съел тарелку огненной ухи и пять расстегаев, развеселился, раздухарился и спросил у Леры, добавляла ли она в уху шампанское.

— Зачем? — не поняла она.

— Как зачем?! — вскричал разгулявшийся Боголюбов. — Ты ничего не понимаешь в ухе! Обязательно нужно добавить полстакана водки или стакан сухого шампанского.

— Это ты ничего не понимаешь в ухе, — отвечала Лера из коридорчика. Она там давно возилась, брякала чем-то. — Это если уха из осетрины, тогда в нее шампанское льют, такая уха роскошь любит. А если из речной рыбешки, водки достаточно.

Боголюбов закрутил кран, пристроил вымытые скопинские тарелки на полку и критическим взглядом оглядел свою кухню.

Буфет выбрасывать ни за что не стану, решил он. К нему только нужно дверцу приделать. Спрошу у Модеста, наверняка в городе есть краснодеревщик, который еще не допился до белой горячки. Плита времен Очакова и покоренья Крыма тоже послужит. Латунная ванна с краниками — прекрасная вещь. На какой-нибудь барахолке Лерка найдет ширму. Она мастерица находить всякие такие штуки. Ширма будет на ножках, с резным заборчиком поверху. Мы ее перетянем и поставим вот так, чтобы сидя за столом не таращиться в ванну. Ну, шторы тоже Лерка подберет. Она всегда так делает — купит какую-нибудь ерунду, скажет: поставим сюда. Ставим, и так хорошо получается! Как будто профессиональный дизайнер придумал.

— Лерка, — крикнул размягченным ухой и приятными мыслями Боголюбов. — Ты купишь ширму?..

— Какую ширму?

Она появилась на пороге с веником и совком. В совке щепки и какой-то мусор, довольно много. Должно быть, она перед печкой подметала.

— Ширма — это ширма, — сказал Боголюбов, внезапно и сильно разволновавшись. — Ты что, не знаешь такого слова?

Лера ссыпала мусор в ведро, аккуратно убрала под раковину веник и совок и посмотрела на Боголюбова.

— Мне нужно в Москву, Андрей, — сказала она довольно холодно. — Праздники впереди, меня ждут.

— Да кто там тебя ждет!

— Кто бы ни ждал, а мне все равно надо ехать.

Боголюбов вдруг вскипел:

— Надо, значит, давай езжай. Скатертью дорога.

— Мы... неправильно себя ведем, Андрей.

— Что значит — неправильно? А как правильно?

Он подошел, взял ее за плечи и поцеловал. И она его поцеловала.

— Лера, я тебя не хочу.

— Я тебя тоже не хочу. — Она посмотрела ему в лицо. — Не трогай меня.

— Я тебя не трогаю.

Он провел по ее рукам — вверх и вниз. Руки были совсем холодные, зима на дворе, конец света, а она в футболке! Бриллиантовые капли болтались в наивных розовых ушах, и он вспомнил, как придумывал ей подарок и как радовался, придумав эти самые капли!.. Художник-ювелир, приятель его приятеля, нарисовал их на плотной желтоватой бумаге, и Боголюбов долго прикидывал, хватит ли у него денег, и страшно гордился собой, когда понял, что хватит.

Он потрогал ее ухо. Лера закрыла глаза и потерлась виском о его ладонь.

— Не трогай меня, — прошептал Боголюбов.

— Я тебя не трогаю.

Она обняла его, пальцы сошлись на позвоночнике, и провела вверх-вниз. Он был теплый, гладкий, сильный, твердый — абсолютно чужой и такой свой, что Лера чуть не заскулила от отчаяния. Ведь он когда-то принадлежал ей, был ее частной, неприкосновенной собственностью, и этого не стало. Он был в ее полном распоряжении, особенно в постели, и она могла делать с ним все, что заблагорассудится, — и этого не стало. Он был ее радостью, ее вожделением, объектом ее самых немыслимых фантазий — и этого не стало!..

Она никогда и никому не призналась бы, что собственный муж вызывает у нее такие сильные, темные, страстные желания, но это было!.. А потом не стало. И она почти убедила себя, что забыла, как это прекрасно.

Он целовал ее шею и за ухом, взяв в большую ладонь затылок, и она закрыла глаза и стиснула зубы. То, что умерло, когда они расстались, вдруг ожило, и оказалось, что оно и не умирало никогда!..

...Вы дураки. Безмозглые идиоты. Кретины.

Вы думаете, у вас в запасе вечность, и поэтому бездарно теряете время. Вы думаете, у вас в запасе миллион шансов, и поэтому разбрасываетесь ими так безоглядно. Вы думаете, у вас в запасе столько радости бытия, что вы имеете право швыряться ею налево и направо. Ну, хорошо. Посмотрим.

— Андрей, — едва выговорила Лера. — Я так скучаю по тебе. Как я по тебе скучаю!..

— Я тоже по тебе скучаю, — сквозь зубы пробормотал Боголюбов. — Я не должен, но скучаю!

Он стянул с нее футболку — Лера нетерпеливо мотала головой, выдираясь из ворота — и стал трогать и гладить то, что оказалось в его распоряжении.

Все это когда-то было в его распоряжении, с тех пор как они впервые поцеловались в угловой комнатке с окнами на Яузу, а потом его все тянуло ее трогать, касаться, брать за руку, прижиматься коленкой. Она отстранялась и говорила, что он ведет себя неприлично. Она вообще была девушкой строгих правил, из «хорошей семьи», как формулировала мать Андрея Ильича.

Все это в его распоряжении, а потом ничего не осталось. Он стал сам по себе, один, некому стало рассказывать про оборону Севастополя, про совещание и «имманентный дождь», про машину соседа, которую он с утра тащил из сугроба на тросе. И все потеряло смысл — жизнь потеряла смысл и вкус, когда некому стало о ней рассказывать.

Ему даже пришлось уехать из Москвы, потому что оставаться в одиночестве там, где он привык быть с Лерой, оказалось для него непосильной задачей.

— Мы не можем... снова, — говорила Лера, трогая его шею, — так не бывает.

Но Боголюбов уже не мог разбираться, как бывает, а как не бывает!..

В спальне, где накануне ему приснился такой чудесный и важный для всей последующей жизни сон, а он его забыл и только потом вспомнил, было холодно и темно.

Лера моментально расстегнула на нем рубашку, швырнула на пол, и футболку швырнула тоже.

— Я уеду в Москву, — бормотала она сквозь зубы, — ну и пожалуйста, ну и уеду...

— Никуда ты не уедешь, — отвечал Боголюбов, тиская и прижимая ее к себе. — Хватит, наездилась!..

Он узнавал ее с восторгом первого раза, но без страха и смущения. Он точно знал, что делать и как делать, чтобы из искры возгорелось пламя.

Тут он вдруг захохотал, и она уставилась ему в лицо.

— Из искры возгорится пламя, — произнес он.

— Боголюбов, с тобой невозможно, — подумав, заявила она и укусила его за ухо. — Ты еще про серенького козлика спой.

— Козлик тут ни при чем.

Он стиснул ее со всех сторон, перевернул и выговорил сверху тихо и грозно:

— Я больше не стану тебя слушаться. Хватит.

Он получил ее в свое полное и безраздельное владение — снова!.. Он должен был объяснить ей, что только так и можно существовать — вдвоем, как единое цельное существо, которому ничего не страшно и нигде не больно, потому что оно всесильно и могущественно. Оно всесильно и могущественно, потому что едино. Все остальное — ошибки, заблуждения и пустая трата времени. Попытки наладить жизнь вне друг друга обречены на провал. Ничего не выйдет. Так не бывает.

Они ведь уже знают, как должно быть, и это знание никогда и никуда не денется. От него не удастся избавиться.

Боголюбов в эту секунду жил, дышал и двигался свободно, осознавая душой и телом собственное бессмертие и силу.

Это так просто и правильно — чувствовать вечность и бесконечный восторг бытия.

Горячая темнота внутри его головы стала наливаться светом от края до края, и невозможно было ни удержать, ни остановить этот свет, заливавший мозг.

Все правильно. Еще немного. Вот так.

Свет вскипел и обвалился, завибрировал, зашелся трубным органным звуком, все вокруг осветилось, и на мгновение мир стал понятным и ясным. Потом закрутилась воронка, и Боголюбова с Лерой завертело в ней, и они пропали.

Окончательно пропали.

— Слезь с меня, — пробормотала пропавшая где-то там Лера. — Я не могу дышать.

Боголюбов слегка подвинулся.

— Так я совсем не могу, Андрей!

— Скажи еще раз.

— Что?

— Ну... Андрей.

Лера выговорила:

— Андрей.

Боголюбов полежал, прижимая ее, а потом поднялся и сел на пятки.

— Я так тебя люблю, — сказал он. — Я тряпка и подкаблучник.

— Это я тебя люблю, — возразила Лера. — Ты без меня прекрасно справляешься.

— Я буду тебе помогать, — пообещал Боголюбов. — Я буду тебя спасать. Когда в следующий раз ты решишь делать карьеру в большом бизнесе, я не стану тебя отговаривать. Я больше никогда не скажу, что это маразм.

— Это маразм.

— Да не важно. Важно, что ты приехала ко мне.

— Я без тебя очень плохо живу, Андрей.

Он пристроился рядом с ней и натянул на них обоих одеяло. Подушки были раскиданы по всей кровати, Боголюбов схватил одну и подсунул под голову.

— Мне приснилось, что ты рядом, — сказал он. — Я утром проснулся и долго вспоминал, что было хорошего. А потом вспомнил, что это ты мне приснилась.

— Саша увел Юльку в кино.

— Он собирается на ней жениться.

— Как?!

— Что ты подпрыгиваешь? Как люди женятся! Я тебе говорил, что так оно и будет.

— Ты говорил, конечно, но... это как-то странно.

— Нет, — возразил Боголюбов. — Не странно. Если все сразу понятно, не нужно нагромождать лишних сложностей. Зачем? Жизнь и так сложная штука.

— Вы все слишком упрощаете.

— Кто мы?

— Мужчины.

— А-а.

— Так и есть! Тебе кажется, что все очень просто, даже там, где совсем не просто! Ну, кто он, этот Саша?

— Майор, — бухнул Андрей. — Если здешнее дело раскрутит, ему дадут подполковника и оклад прибавят.

— Вот именно! Тебе важно, что он майор и у него оклад, а ей важно что-то совершенно другое! Ну, куда ей замуж за майора ФСБ? Она же совсем... другая! Она легкомысленная, ей веселье нужно, внимание!

— Ничего, он ее приструнит. А веселья у нее и так... через край. Что-то с ним надо делать, с весельем этим.

— И ты думаешь, Саша ей подходит?

— Уверен, — сказал Андрей Ильич с удовольствием. Ему нравилось, что они лежат в постели голые и рассуждают. — Мы с тобой тоже очень разные, Лерка. Ты сценаристка, с актерами знаешься, с режиссерами. Награды получаешь, в Сочи летаешь. А я кабинетный гусь, сижу над бумагами всю жизнь. Сначала военное училище окончил и только потом университет! Да и то с третьей попытки поступил!

— Ты не гусь.

— И развлечения у меня дурацкие — охота и рыбалка! — продолжал Боголюбов, наслаждаясь. — Имени в науке я себе никогда не сделаю, какой из меня ученый, так и буду музеями заведовать до конца дней своих. Но ты же меня любишь. Жить без меня не можешь!

— Не могу, — согласилась Лера и пристроила голову ему на плечо. Короткие белые волосы защекотали ему нос, и он закрутил головой, чтоб не щекотали. — И вовсе ты не гусь!..

— Мне бы только до конца разобраться, — сказал Боголюбов. Ему не хотелось о них думать, об этих делах, но он знал, что придется. — Я вроде многое понял, но... еще не совсем.

— А кто у тебя спрашивал, на какие деньги ты живешь?

— Нина, из музея. Я думаю, ее брат просил узнать.

— А кто у нее брат?

— Местный бизнесмен Дмитрий Саутин. Получается, что прохиндей и жулик.

— Мне не нравятся такие вопросы, — заявила Лера серьезно. — Мне вообще ничего это не нравится! Бумага у тебя на полу в кабинете валялась, я прочитала. Там написано, что ты «обладаешь крайне подмоченной репутацией» и «не раз демонстрировал вопиющую некомпетентность»!

— Это все потому, что меня не должны были сюда назначать! Директором должна была стать Анна Львовна. А вышло не так, как им хотелось.

— Почему ты не сказал этой Нине, что написал учебник по военной истории? И что по нему учатся студенты? И что он каждый год переиздается? Я не понимаю! Тебе нравится, что ли, во все это играть?!

Боголюбов под одеялом погладил ее, горячую и живую, его собственную. Она отпихнула его. Сейчас она рассуждала о «серьезном», а он опять лез с глупостями, как всегда!

«Девушка из хорошей семьи», ничего не поделаешь!..

— Лерка, — сказал он, примерился и поцеловал ее. — Ну, какая разница, что обо мне думают какие-то посторонние? Как хотят, так пусть и думают! Главное, ты знаешь, что я не разворовываю музейных бюджетов!

— Да я-то знаю и всегда знала...

— Вот и хорошо, — перебил ее Боголюбов, — а теперь не мешай мне.

Он стал снова целовать ее так, как ему хотелось, и притиснул ее к себе, и положил ей руку на затылок, и ногой придавил ее ноги, и тут где-то поблизости грянул звонок. От неожиданности Андрей Ильич сильно вздрогнул и стал оглядываться по сторонам, как будто застигнутый на месте преступления.

— Твой, что ли?

— Нет, не мой, Андрей.

Он и думать забыл о том, что в природе существуют мобильные телефоны!.. Зачем здесь они, кому нужны? Тут до всего рукой подать, раз — и ты уже на месте!.. Только если в Ясную Поляну отправиться, до нее пешком не близко. Да и туда в крайнем случае можно по обыкновенному телефону позвонить, вон на тумбочке стоит! И в музее есть телефон, и в «Калачной № 3», и у Модеста Петровича!

В кресле под подушками Боголюбов раскопал свой телефон и посмотрел. Номер был совсем незнакомый.

— Андрей Ильич, это Петя, — раздался в трубке отдаленный голос. — Мы тут с отцом на плотинке застряли, может, вытащите нас? У вас полный привод!

— Где это? — Боголюбов прижал телефон плечом к уху и делал Лере знаки, чтоб она кинула ему трусы или джинсы. Или хоть что-нибудь кинула!..

— Как из города выедете в сторону Ярославля, на девятом километре сразу в лес и налево. Да вы не промахнетесь, я вас на шоссе встречу.

— Да, жди.

Он бросил телефон в кресло и начал рыться в поисках трусов. Быстро нашел, но розовые кружевные.

— Где мои, не знаешь? Там Модест на какой-то плотинке застрял, мне съездить придется, вытащить его.

— Телефон возьми с собой.

— Что? А, хорошо. Странный мужик этот Модест! Странный, но, по-моему, хороший. Он меня со свету сжить хотел, потому что его убедили, что я тут вместо музея подпольный бордель приехал открывать, а вместо его ресторана зал игровых автоматов!..

— Кто его убедил, Андрей?

— Ну... тот, кто заварил всю кашу.

Он натянул свитер, вынырнул из ворота и сказал весело:

— Представляешь, Лерка, как тут прекрасно летом? Какие леса, озера, яблоки, мальвы в палисадниках!.. А зимой? Мы с тобой зимой будем с горки кататься. Я тебе куплю деревянные санки со спинкой и стану тебя возить. В Москве где на санках кататься?

— Негде, — согласилась Лера.

— А ты будешь с них падать, — пообещал Боголюбов. — Почему-то очень хочется есть.

— Ты же ел!

— Все равно хочется. У нас будет ужин?

Он обулся в резиновые сапоги, стянул с крючка брезентовую штормовку, велел Лере ждать и надеяться, вернулся, поцеловал ее, сбежал с крыльца, опять вернулся и опять поцеловал.

— Не стой на холоде голая!..

Она и вправду маячила в дверном проеме в розовых кружевных трусиках, которые Боголюбов хотел было нацепить на себя, и короткой маечке.

Очень красивая.

Мотя первая прыгнула в джип, как только он завел мотор.

— И ты со мной? — удивился Боголюбов, обрадовавшись компании. — Может, Модест опять рыбы наловил, мы у него экспроприируем еще на одну уху.

Мотя била хвостом по коврику и неотрывно смотрела ему в лицо.

— Да ну тебя, — отмахнулся Андрей Ильич.

Сразу за городом начинались зима, непроглядная темень, дичь и снега.

Где этот восьмой километр, думал Боголюбов, аккуратно пробираясь по темной дороге. Километровых столбиков никаких нет! Попался вроде один, но что на нем написано, не разглядеть.

Ему показалось, что он проехал куда больше восьми километров, когда фары выхватили на обочине человека в капюшоне. Тот махал ему рукой.

— Приехали, — сказал Боголюбов Моте, сворачивая в лес. Человек поотстал. В боковом зеркале Андрей Ильич видел, как он подбегает, и распахнул дверь.

— Садись! Чего-то я не понял про восемь километров! Тут все пятнадцать, а может, и...

Человек подбежал, на ходу вынимая что-то из-за пазухи, коротко размахнулся, и больше Андрей Ильич ничего не видел и не слышал.

Мягко, головой вниз он вывалился на весенний тонкий и мокрый снег.

Мотя выпрыгнула за ним, присела, поползла, заползла за машину, а потом помчалась во весь опор.

...Он очень замерз. Так замерз, что не чувствовал ни рук, ни ног. С чего это вдруг ему пришло в голову спать на улице, да еще без спального мешка?! Снег же недавно выпал. Еще кто-то спрашивал, успеет ли он до Пасхи растаять! Почему он лег прямо на снег, а не в машине или в палатке?..

Он стал подтягивать ноги и не понял, подтянул или нет и есть ли у него ноги. Потом медленно сел. Перед глазами все плыло и качалось.

Качались фонари, отражаясь от какой-то далекой и темной воды. Плыли и извивались стволы деревьев. От качки его сильно затошнило. Под ногами была пропасть, и он понял, что сидит на самом краю. Одно движение, и он полетит туда, вниз, ударяясь о ровные бетонные стены.

Разве у пропасти бывают ровные стены?..

Где-то что-то ровно шумело, и он подумал, что шумит у него в голове, которая на этот раз треснула и развалилась окончательно.

— Пей.

В рот ему уперлось горлышко бутылки. От горлышка сильно воняло.

— Пей быстро, ну!..

Он был уверен, что пить из бутылки нельзя. Боголюбов замотал развалившейся головой, стал отодвигаться, сознавая, что отодвигается в сторону пропасти. Еще чуть-чуть, и он полетит туда вниз, ударяясь о бетонные стены.

— Пей, кому говорят!

Боголюбов замычал, его сильно повело, он стал заваливаться, и сильная рука удержала его на краю обрыва.

— Выпьешь, тогда, пожалуйста, лети сколько угодно. Давай быстрее! Ты мне надоел.

— Нннеет, — промычал Боголюбов. Мычать ему было трудно. В горле что-то застряло.

— Ты мне все испортил, — продолжал человек лихорадочно. — Умереть толком не умеешь. Приходится с тобой возиться!

Что-то сильно дернуло Боголюбова за голову, прямо за разбитые кости, стало больно до обморока, он завалился назад и стал хватать ртом воздух, но вместо воздуха в горло полилась отвратительная вонючая жидкость. Он захлебывался, кашлял, но глотал, глотал, а она все текла и текла, и прямо в него.

— Ну, вот и хорошо, — сказал человек. Блеснув в призрачном свете, бутылка полетела с обрыва вниз и где-то там звякнула, разбилась. — Тут высота-то небольшая совсем, но камни. Так что все будет быстро и просто. Теперь давай.

И он подтолкнул Боголюбова в спину. Тот сильно качнулся, но удержался.

— Подожди, — попросил он. — За что? Ты кто?

— Я?! — удивился человек и откинул капюшон. — Я — это я. А ты мне все испортил! Но это поправимо. Теперь все наладится. Ты поехал на рыбалку, ты же у нас рыбак!.. Заехал в незнакомое место. Выпил водки и навернулся с плотины. Вместе с машиной. Доискиваться никто не станет. У нас каждую весну кто-нибудь тонет. Давай сам, что я тебя, толкать, что ли, должен?

Андрей посмотрел вниз. Вода шумела где-то там, плескала на камни. Быстро и просто.

...Я не хочу. Я не могу!.. Так нечестно.

— Что нечестно?! А влезать в мою жизнь было честно?! Как я хорошо жил до тебя, сс... сволочь!..

— Саша Иванушкин, — выговорил Андрей, понимая, что говорить надо быстро и просто, — Саша работает в ФСБ. Он знает, как организована твоя афера. Он будет меня искать.

— Эта рохля бледная? Ты уж готов, что ли? Водка действует? Все, давай. Вниз, вниз!..

— Подожди, — сказал Боголюбов. — Один вопрос. Весь этот бизнес на картинах из музея — твой? Кто из них с тобой в деле?

— Да все, — сказал писатель Сперанский спокойно. — Всех кормлю, дармоедов! Отец мой всех кормил, и я тоже! Старые передохли, молодые остались. Нинка с оценкой помогает, Саутин деньги только тратит!.. Какие-то украшения они с матерью придумали продавать! Какая от них прибыль, от цацок этих?! Я возражал, говорил — не сметь, а они придурки!.. Не слушались. Матери нравилось, что это красиво — украшения! Благородно! Но я свои деньги в их магазины не вкладывал, ни рубля не дал, ни копейки!

— Анна Львовна твоя мать?

— Как ты узнал? Кто тебе сказал? Да какая теперь разница! Как это старый директор с памятником Ленина промахнулся на той картине? Сволочь беспамятная! Я же видел, что ты на нее уставился, как на...

— Твой отец и старый директор начали бизнес. Они собирали картины и предметы искусства, которые в свое время вывезли из музея, да?.. Потом твой отец умер...

— И я предложил Анне схему! Очень удобную и красивую. Надо же было продолжать жить! А на жизнь деньги нужны! Она списывает из фондов картины художника Сперанского. То есть сначала покупает, а потом списывает. Как не имеющие художественной ценности!

— Только это никакие не картины Сперанского, — продолжал Андрей, у которого перед глазами все плыло и кружилось. — Это Тропинин или Боровиковский. Старый директор их замалевывал под картины твоего отца.

— А я покупал за копейки! И продавал за миллионы! Ну, красиво же! Как украсть Тропинина? Вот как?! Ночью через окно вытащить? А так все шито-крыто и красиво — списывают Сперанского, грузчики полотна выносят, грузовик их мне домой везет! А там Тропинин, а вовсе не шедевры моего папаши!

И не подкопаешься, и концов не найдешь! И все должно было так и оставаться, только тут ты свалился на нашу голову! Мать должна была руководить музеем! Мать, и больше никто! Чего я только не делал, чтоб она осталась! Анонимки писал, в министерство звонил, Модесту, кретину, целый эпос сочинил, чтоб он тебя где-нибудь по-тихому придавил. А тебе хоть бы хны! Все приходится самому делать, все!.. Но ничего, ничего, — вдруг как будто утешил себя писатель. — Теперь все наладится. От тебя мокрого места не останется!.. — Тут он немного подумал и засмеялся. — Нет, как раз мокрое-то и останется.

— А на место директора кого? — спросил Андрей и прикрыл глаза.

— Нину, если получится... Или этого тюху, твоего заместителя. Его вокруг пальца обвести просто.

— Он из ФСБ, — повторил Андрей. — Ваши аферы открылись. Твоя мать все же не Сонька Золотая Ручка. И ты тоже, знаешь, не Дон Корлионе. Что-то вы намудрили. Фээсбэшники зацепились.

— Чушь! — крикнул Сперанский. — Быть этого не может!

— Почему никто не знал, что ты сын Анны Львовны?

— А потому что мамаша моя полюбила!.. Только не папашу, которого до этого любила, а другого! Ребенок ей мешал новое личное счастье строить! Ну что ты, моя мамаша была современней всех современных! Время опередила, можно сказать!.. Это сейчас так каждая вторая упражняется, а тогда — одна моя маменька, должно быть! Она от папаши забеременела, а тут — раз, новое чувство! И чувство ее захватило! Ну, она из города уехала, чтобы с пузом ни перед кем не светиться, родила в Ярославле, вызвала туда папашу и сунула ему меня. Что хочешь, говорит, то с ним и делай. Хочешь, в детдом сдавай, хочешь, в речку брось, а я, милый, уезжаю в город Мурманск, где меня ждет большое светлое чувство всей моей жизни. — Он сделал ударение на втором слоге — Мурма́нск. — Ну, папаше что делать? Оставил он меня на какое-то время в Доме ребенка в Ярославле этом, а сам женился быстро на одной дуре, на мачехе моей! Потом они забрали меня из приюта, и папаша привез нас сюда. Он и картины стал продавать, чтобы матери доказать, что он не пропащий неудачник, а богатый человек, ловкач!..

Боголюбова тошнило уже вовсю, и перед глазами все плыло и качалось.

— Что увидела на стене Анна Львовна?

— Когда перекинулась? У нее в музее портрет один был, как раз Зворыкина, дивная работа. Она его продавать наотрез отказывалась. Он в первом зале на самом видном месте висел. Не самый известный художник, на любителя! Мне за него такую цену предложили!.. В Америку должен был портрет уехать, не куда-нибудь! Упустил бы я покупателя из-за мамашиной нерешительности, понимаешь! Ну, тут как раз тебя назначили, и вся эта канитель началась. Мы с Нинкой портрет забрали якобы на реставрацию. А мать с меня слово взяла, что я Зворыкина не трону, все боялась, что с портретом этим ее заподозрят, он же в зале висел! Она уезжать собралась, на покой, так сказать, вышла! У нее на этот случай все приготовлено было: домик в Царево, в Болгарии, — есть там такой городишко курортный! — с участком, с садом, счет в банке!.. Про Кисловодск она врала, конечно. В Болгарии-то поспокойней, и от музея далеко! Да и за портрет этот тебе бы отвечать пришлось, ты же в должность вступил уже! Ты директор, ты портрет и профукал! Мы Зворыкина забрали, а она наутро в музей пошла для тебя экскурсию проводить! Все красоваться ей хотелось, карге старой! Увидела, что портрета нет, и померла. У нее сердце правда слабое было.

— Что ты делал в кабинете Анны Львовны в день похорон?

— Как что? — удивился Сперанский. — Я за папкой приходил, в которой липовые документы были. Ну, которыми мы Модеста пугали! Оставлять их там никак нельзя было, ты бы нашел, а это сплошная липа! Я столько времени на нее потратил, столько бумаги извел!.. Мать собиралась всю эту папочку Модесту отдать для верности и большей убедительности. И забыла! Все подчистила, а про папку забыла — стареть стала, память не та! И убить тебя там я не мог, дело бы завели, свидетели, то, се!.. А поблизости убогая дура шлялась, я ее видел. И еще, может, кто видел, что я возле музея в тот день был. Или в городе! Я ж тебя волок, как будто мы пьяными набрались. Там хоть и рядом совсем, и темно было, но мало ли... — Он подумал немного. — Хотя, если б и увидели, я сказал бы, что подобрал тебя за углом пьяного и домой веду. Тебя тут все ненавидят, а я уважаемый человек, писатель! Но убивать тебя было нельзя. Напугать хотел, чтоб ты свалил отсюда, оставил меня в покое!

— Я не могу свалить, — сказал Андрей и сглотнул. — Меня министр назначил. И дома у тебя я был. Видел картину с памятником. Слышал, как ты по телефону звонил. Стол твой видел, а там одни ведомости и счета. Какой ты писатель?.. Только все равно я бы ничего не доказал, понимаешь? Это трудно и долго. Ты бы успел ноги унести.

— Я не хочу никуда ноги уносить! Я хочу жить, как жил, а я хорошо жил! Здесь меня все уважают, кланяются, я на досуге книжки пишу! Только мне положить, платят за них или нет! У меня все в порядке. Я по пять раз в год за границу езжу и там, как положено, отдыхаю!

— А как положено? — повторил Андрей.

Писатель Сперанский извивался и корчился у него перед глазами.

— Как русским писателям положено — с девками, шампанским и красной икрой!

— Русским писателям положено с черной, — с трудом выговорил Боголюбов. — Ничего ты не знаешь о русских писателях.

— Все. Ты мне надоел. Давай туда вниз. Мне еще машину твою скатить нужно.

— А что за картину ты тогда, в первый день, Анне Львовне принес?

— О, это последний подарок, так сказать! Широкий жест! Богданов-Бельский, «Дети в школе»! Ей на старость. Мужика с косой сверху старый директор еще малевал по образцу моего папаши. А тебе потом мы отцовскую картину подсунули, чистенькую, Богданова-Бельского я себе забрал. Не пропадать же ему!

— Постой, — прервал его Андрей. — Ты ее любил? Анну Львовну? Вот этого я не понял. А это очень важно. Ты ее любил?..

Ему на самом деле казалось важным это понять.

— Я с ней играл, — объяснил Сперанский. — Она была мне полезна. Она платила мне долги — за все, и знала об этом. А я ей ручки целовал, стопочку подносил, в дурака с ней играл, и только мы двое знали правду! Она знала! И боялась меня, и любила, а я ее ненавидел. И она об этом знала. Она же моя мать! Ну что? Еще остались вопросы про любовь? Или нет?

Андрей прерывисто вздохнул.

Вот все и кончилось.

Немного не так, как он себе представлял, когда ехал по бумажке, на которой был написан адрес: Красная площадь, дом один. Он был тогда грустен и не слишком уверен в себе, но знал, что рано или поздно все закончится.

Оно и закончилось.

Ему не хотелось падать с обрыва, да еще самому делать последнее движение!.. Ему хотелось, чтобы все началось сначала.

Чтобы он ехал в машине по бумажке с адресом — Красная площадь, дом один! — чтобы впереди был трехкомнатный теплый домик, так быстро и прочно ставший своим, одноглазая мерзкая собака, оказавшаяся любовью всей его жизни, Леркин приезд, самое лучшее, что только могло случиться с ним, рыбалка с Модестом Петровичем на старом русле, огромный розовый лещ и зеленая звезда, мерцающая над темными пиками деревьев.

У него все это было, но он как-то незаметно мимо проскочил, пробежал, занятый своими мыслями, расследованием, спешкой и неприятными делами, и теперь ему хотелось только одного — прожить сначала, только с чувством, с толком, зная, что в любую минуту все может кончиться обрывом над плотиной, ледяными равнодушными камнями внизу и человеком, для которого самое главное, чтобы его, Боголюбова, не существовало.

— Ну, как хочешь.

Человек — Андрей вдруг позабыл, как его зовут, — чуть отошел, чтобы разбежаться, силуэт четко обозначился в лунном круге. Он отошел, чтобы разбежаться и столкнуть его вниз, легко и без усилий.

Андрей закрыл глаза.

Он открыл их, потому что лицу стало горячо и щекотно.

Собака — любовь всей его жизни! — яростно и сосредоточенно лизала ему щеки, хвост молотил по мокрым и холодным доскам плотины. Стучали двигатели, светили фары. Человек — Андрей так и не смог вспомнить, как его зовут, — лежал на земле, скорчившись, как будто у него болел живот. Над ним стоял

Саша Иванушкин, про которого тот врал, будто он рохля и тюха. Со стороны деревьев подходил Модест Петрович с карабином в правой руке, а за ним Петя.

Собака привела людей. Чтобы спасти его, Боголюбова, от ледяных равнодушных камней внизу!..

— Модест Петрович, вазу-то! Куда вазу?

— Там какое-то шампанское привезли, три ящика. Написано «брют». В морозильник его или так оставить? Все равно пить никто не будет, это ж не полусладкое!

— Пап, осетрина на столе, и заливое, а там кот. Слышь, пап?.. Кота выгнать, что ли?

— Модест Петрович! Куда вазу-то?!

Лера бросила гирлянду, которую цепляла на светильник, и забрала вазу с лилиями.

Боголюбов сидел в уголке и мечтал выпить водки.

— Андрей, что ты сидишь? Помоги мне!

Он подошел, прицелился и ущипнул ее за попу. Как следует ущипнуть не получилось, потому что шелк платья скользил и струился, не ухватишь.

— Андрей, я сейчас все уроню.

— И на счастье, — пробормотал услыхавший Модест Петрович. — Что ты сидишь, правда, как истукан? Возьми на леднике бутылку и разлей всем по первой, с праздничком!

— Модест Петрович, рано пить! Они, может, не скоро еще, а мы тут... налакаемся.

— Да все в порядке будет, Лерочка! Нам, чтоб налакаться, времени много надобно и объемов! Мы мужики здоровые. Согласись, Андрей Ильич!

— Я согласен.

— Вот видишь, он согласен! Кто кота к осетрине пустил! Слава! Петька! Примите осетрину, тут кот!

В дверях показались принаряженные Софья Григорьевна с подругой Галочкой. Галочка была в огромных выпуклых очках. Обе стеснялись и порывались отступить, но подлетел галантный Модест и отступить им не дал.

— Проходите, проходите, гости дорогие, ждем, всех ждем! Софочка, вон туда проходите! Чего налить с морозцу? Красненького или водочки?

Следом за Софьей Григорьевной и Галочкой гуртом пошли музейные старухи, затем появилась Ася, по торжественному поводу нарядившаяся в длинное платье с каким-то хвостом, за ней истопник Василий — на удивление совершенно трезвый, — а уж следом правоохранительные органы в лице Никиты Сергеевича с супругой.

— Ты молодец, что догадался всех старух позвать, — шепнула Боголюбову Лера. — Посмотри на них, как они счастливы!

— Мы с Сашкой договорились, всех — так всех!.. Модест Петрович метался между гостями, хлопотал, усаживал, раздавал стаканы и то и дело посматривал на часы. Латунный маятник взблескивал в часах-башенке и никуда не торопился.

— На Покров жениться хорошо, — говорили старухи. — Добрая доля выйдет, если на Покров.

— А раньше-то когда? Только после Яблочного спаса если.

— Да сейчас все обычаи забыли, а в старину с этим строго было.

— Откуда вы знаете, Елизавета Петровна, вы же молодая, вам сколько?

— В этом году шестьдесят!

— Ну, вот именно! А тоже примазывается, про обычаи рассуждает!

У Боголюбова мерзли руки, и по спине время от времени продирал озноб. Странный какой-то озноб, потому что в трактире «Монпансье» было совсем не холодно, жарко даже!..

— Ты не волнуйся, — сказала рядом Лера.

— Давай мы тоже, а? — попросил Боголюбов, придержав ее за руку. — Так же правильно?..

— Давай, — согласилась она и улыбнулась. — Так правильно. Пусти меня, мне нужно бежать. Никто не знает, куда дели брют.

— А ты знаешь?

— Я найду.

— Андрей Ильич, подойди-ка, тут вот Софья Григорьевна интересуется!

— Сейчас!

— Городу и дому сему добра и процветания, — сказал ему в ухо знакомый голос, и Боголюбов чуть не уронил тарелку.

Рядом с ним, узнаваемая и совершенно неузнаваемая, стояла бывшая матушка Ефросинья, как ее на самом деле?..

— Здравствуйте, Евгения Алексеевна, — справившись с тарелкой, ответил Боголюбов. — Рад вас видеть.

— Здравствуйте, товарищ директор, — отозвалась Евгения Алексеевна. — Вы не пугайтесь, меня Саша пригласил. И я очень рада. А почему вас все называют товарищ директор?

Боголюбов пожал плечами.

— Куда вы тогда исчезли?

— Я не исчезала! Я уехала уже после того, как вас... на плотине нашли, помните?

Боголюбов отлично помнил, как его нашли на плотине! Вряд ли он когда-нибудь это забудет.

— Я уехала, потому что больше не было смысла оставаться. Все свои вопросы я решила, ответы нашла. И уехала.

— Могли бы хоть до свидания сказать.

Она улыбнулась.

— Вам тогда было не до меня, Андрей Ильич. После этой самой плотины.

— А бронзовая скульптура? Я буду ходатайство писать, чтоб ее в музей вернули.

— Судиться придется.

— Будем судиться.

— Решительный вы человек, Андрей Ильич. Ну что? Следствие все идет?

— Это дело небыстрое. Сперанский в КПЗ сидит — покушение на убийство! На меня то есть покушение. Саутин под подпиской о невыезде, а Нина пропала, сбежала. Я даже толком не знаю, ищут ее или, может, не нужна она никому. Все лето ревизия фондов у нас шла, я думал — с ума сойду с этой ревизией! Я директором раньше никогда не был, а тут сразу все навалилось...

Она опять улыбнулась, еще веселее.

— Вам в музее не нужны работники? У меня образование подходящее, я в Ярославле университет окончила, исторический факультет.

— В музеях всегда нужны сотрудники, — сказал Боголюбов. — У нас платят мало, не идет никто. У вас, наверное, в Екатеринбурге зарплата приличная.

— Ну, что ж — зарплата! Зато здесь все свои! И вам хороший специалист понадобится — с путаницей вашей разбираться!

Тут с улицы вдруг завопили:

— Едут! Едут!!

И вся толпа покатилась на улицу. В дверях произошла толчея и давка.

— Андрюш. — Запыхавшаяся Лера одернула на нем пиджак, поправила галстук, вытащила воротник, стряхнула невидимую соринку с рукава и оглядела его с головы до лакированных начищенных ботинок. — Только веди себя прилично, ладно? Сразу не начинай орать, голосить, шутить! Петь тоже не надо!

— Ты уверена?

— В чем? — Она порывалась на улицу.

— Что петь не нужно? И где наша собака?

— Там, там! Все уже там! Бежим скорее!

За руку она вытащила его на улицу, где было холодно и солнечно. На крышах домов вокруг Красной площади лежал снег.

— Андрей Ильич! Лера, погляди, все нормально? — Модест Петрович обеими руками держал хлеб-соль на вышитом полотенце, вид у него был перепуганный.

— Все прекрасно, Модест Петрович! Все как надо!

Из-за Земляного Вала вынырнуло несколько машин, и, трубно гудя, они покатили по Красной площади.

— Ну, Господи благослови! — пробормотал Модест.

Машины остановились в некотором отдалении, из них высыпали веселые нарядные люди, стали полукругом, и, наконец, из самой длинной показалась собственная боголюбовская сестра Юлька в белом платье до земли, а за ней Саша Иванушкин в черном жениховском костюме, очень смущенный.

От крылечка с резным кокошником из толпы навстречу им радостно и освобожденно кинулась собственная боголюбовская собака Мотя — в голубом ошейнике с привязанным атласным бантом.

— Ну, теперь-то можно? Хоть один разок? — сам у себя громко спросил Боголюбов, вздохнул и завопил изо всех сил: — Горько-о-о! Горько-о-о!..

На колокольне зазвонили пять часов, со всех крыш вспорхнули голуби, и Лера дернула его за рукав.

Литературно-художественное издание

ТАТЬЯНА УСТИНОВА. ПЕРВАЯ СРЕДИ ЛУЧШИХ

Устинова Татьяна Витальевна

ЧУДНЫ ДЕЛА ТВОИ, ГОСПОДИ!

Ответственный редактор *О. Рубис*
Редактор *Т. Семенова*
Художественный редактор *С. Груздев*
Технический редактор *О. Лёвкин*
Компьютерная верстка *Г. Клочкова*
Корректор *Д. Горобец*

ООО «Издательство «Эксмо»
123308, Москва, ул. Зорге, д. 1. Тел. 8 (495) 411-68-86, 8 (495) 956-39-21.
Home page: **www.eksmo.ru**   E-mail: **info@eksmo.ru**

Өндіруші: «ЭКСМО» АҚБ Баспасы, 123308, Мәскеу, Ресей, Зорге көшесі, 1 үй.
Тел. 8 (495) 411-68-86, 8 (495) 956-39-21
Home page: www.eksmo.ru   E-mail: info@eksmo.ru.
Тауар белгісі: «Эксмо»
Қазақстан Республикасында дистрибьютор және өнім бойынша
арыз-талаптарды қабылдаушының
өкілі «РДЦ-Алматы» ЖШС, Алматы қ., Домбровский көш., 3«а», литер Б, офис 1.
Тел.: 8 (727) 2 51 59 89,90,91,92, факс: 8 (727) 251 58 12 вн. 107; E-mail: RDC-Almaty@eksmo.kz
Өнімнің жарамдылық мерзімі шектелмеген.
Сертификация туралы ақпарат сайтта: www.eksmo.ru/certification

Сведения о подтверждении соответствия издания согласно
законодательству РФ о техническом регулировании можно получить
по адресу: http://eksmo.ru/certification/

Өндірген мемлекет: Ресей
Сертификация қарастырылмаған

Подписано в печать 04.02.2015. Формат 84x108¹/₃₂.
Гарнитура «Ньютон». Печать офсетная. Усл. печ. л. 16,8.
Тираж 90 000 экз. Заказ 817.

Отпечатано с готовых файлов заказчика
в ОАО «Первая Образцовая типография»,
филиал «УЛЬЯНОВСКИЙ ДОМ ПЕЧАТИ»
432980, г. Ульяновск, ул. Гончарова, 14

ISBN 978-5-699-78148-5